어휘가 문해력이다

초등 4학년 1학기

교과서 어휘

KB214258

고민 01

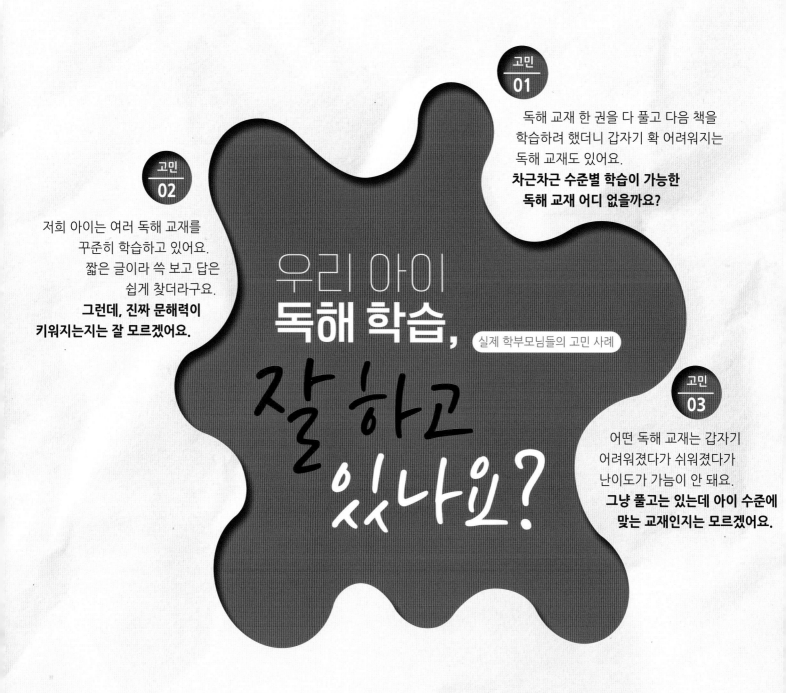

독해 교재 한 권을 다 풀고 다음 책을 학습하려 했더니 갑자기 확 어려워지는 독해 교재도 있어요.
차근차근 수준별 학습이 가능한 독해 교재 어디 없을까요?

고민 02

저희 아이는 여러 독해 교재를 꾸준히 학습하고 있어요. 짧은 글이라 쓱 보고 답은 쉽게 찾더라구요.
그런데, 진짜 문해력이 키워지는지는 잘 모르겠어요.

우리 아이 독해 학습, 잘 하고 있나요?

실제 학부모님들의 고민 사례

고민 03

어떤 독해 교재는 갑자기 어려워졌다가 쉬워졌다가 난이도가 가늠이 안 돼요.
그냥 풀고는 있는데 아이 수준에 맞는 교재인지는 모르겠어요.

국어 독해, 이제 **특허받은 ERI로 해결**하세요!

EBS · 전국 문해력 전문가 · 이화여대 산학협력단이 공동 개발한 과학적 독해 지수 'ERI 지수' 최초 적용! 진짜 수준별 독해 학습을 만나 보세요.

* ERI(EBS Reading Index) 지수는 글의 수준을 체계화한 수치로, 글의 난이도를 낱말, 문장, 배경지식 수준에 따라 산출하였습니다.

당신의 문해력

ERI 독해가 문해력 이다

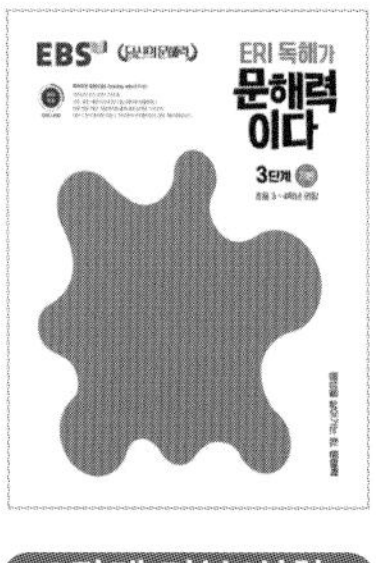

3단계 기본/심화
초등 3~4학년 권장

4단계 기본/심화
초등 4~5학년 권장

5단계 기본/심화
초등 5~6학년 권장

6단계 기본/심화
초등 6학년~ 중학 1학년 권장

7단계 기본/심화
중학 1~2학년 권장

어휘가 문해력이다

초등 4학년 1학기

교과서 어휘

교과서 내용을 이해하지 못하는 우리 아이?
평생을 살아가는 힘, '문해력'을 키워 주세요!

'어휘가 문해력이다'
어휘 학습으로 문해력 키우기

1

교과서 학습 진도에 따라 과목별(국어/사회/수학/과학) · 학기별(1학기/2학기)로 어휘 학습이 가능합니다.

교과 학습을 위한 필수 개념어를 단원별로 선별하여 단원의 핵심 내용을 이해하도록 구성하였습니다. 교과 학습 전 예습 교재로, 교과 학습 후 복습 교재로 활용할 수 있도록 필수 개념어를 엄선하여 수록하였습니다.

2

교과 어휘를 학년별 2권, 한 학기별 4주 학습으로 단기간에 어휘 학습이 가능합니다.

한 학기에 310여 개의 중요 단어를 공부할 수 있습니다.
쉬운 뜻풀이와 교과서 내용을 담은 다양한 예문을 수록하여 학교 공부에 직접적으로 도움을 주고자 하였습니다.
해당 학기에 학습해야 할 중요 단어를 모두 모아 한 번에 살펴볼 수 있고, 국어사전에서 단어를 찾는 시간과 노력을 줄일 수 있습니다.

3

관용어, 속담, 한자 성어, 한자 어휘 학습까지 가능합니다.

글의 맥락을 이해하고 응용하는 데 도움이 되는 관용어, 속담, 한자 성어뿐만 아니라 초등에서 중학 교육용 필수 한자 어휘 학습까지 놓치지 않도록 구성하였습니다.

4

확인 문제와 주간 어휘력 테스트를 통해 학습한 어휘를 점검할 수 있습니다.

뜻풀이와 예문을 통해 학습한 어휘를 교과 어휘별로 바로바로 점검할 수 있도록 다양한 유형의 확인 문제를 수록하였습니다.
한 주 동안 학습한 어휘를 종합적으로 점검할 수 있는 주간 어휘력 테스트를 수록하였습니다.

5

효율적인 교재 구성으로 자학자습 및 가정 학습이 가능합니다.

학습한 어휘를 해당 교재에서 쉽게 찾아볼 수 있도록 과목별로 '찾아보기' 코너를 구성하였습니다.
'정답과 해설'은 축소한 본교재에 정답과 자세한 해설을 실어 스스로 공부할 수 있도록 하였습니다.

EBS 〈당신의 문해력〉 교재 시리즈는 약속합니다.

교과서를 잘 읽고 더 나아가 많은 책과 온갖 글을 읽는 능력을 갖출 수 있도록
문해력을 이루는 핵심 분야별, 학습 단계별 교재를 준비하였습니다.
한 권 5회×4주 학습으로 아이의 공부하는 힘,
평생을 살아가는 힘을 EBS와 함께 키울 수 있습니다.

어휘가 문해력이다

어휘 실력이 교과서를 읽고 이해할 수 있는지를 결정하는 척도입니다.
〈어휘가 문해력이다〉는 교과서 진도를 나가기 전에 꼭 예습해야 하는 교재입니다.
20일이면 한 학기 교과서 필수 어휘를 완성할 수 있습니다.
교과서 수록 필수 어휘들을 교과서 진도에 맞춰
날짜별, 과목별로 공부하세요.

쓰기가 문해력이다

쓰기는 자기 생각을 표현하는 미래 역량입니다.
서술형, 논술형 평가의 비중은 점점 커지고 있습니다.
객관식과 단답형만으로는 아이들의 생각과 미래를 살펴볼 수 없기 때문입니다.
막막한 쓰기 공부. 이제 단어와 문장부터 하나씩 써 보며 차근차근 학습하는
〈쓰기가 문해력이다〉와 함께 쓰기 지구력을 키워 보세요.

ERI 독해가 문해력이다

독해를 잘하려면 체계적이고 객관적인 단계별 공부가 필수입니다.
기계적으로 읽고 문제만 푸는 독해 학습은 체격만 키우고 체력은 미달인 아이를 만듭니다.
〈ERI 독해가 문해력이다〉는 특허받은 독해 지수 산출 프로그램을 적용하여 글의 난이도를 체계화하였습니다.
단어 · 문장 · 배경지식 수준에 따라 설계된 단계별 독해 학습을 시작하세요.

배경지식이 문해력이다

배경지식은 문해력의 중요한 뿌리입니다.
하루 두 장, 교과서의 핵심 개념을 글과 재미있는 삽화로 익히고 한눈에 정리할 수 있습니다.
시간이 부족하여 다양한 책을 읽지 못하더라도 교과서의 중요 지식만큼은 놓치지 않도록
〈배경지식이 문해력이다〉로 학습하세요.

디지털독해가 문해력이다

디지털독해력은 다양한 디지털 매체 속 정보를 읽어 내는 힘입니다.
아이들이 접하는 디지털 매체는 매일 수많은 정보를 만들어 내기 때문에
디지털 매체의 정보를 판단하는 문해력은 현대 사회의 필수 능력입니다.
〈디지털독해가 문해력이다〉로 교과서 내용을 중심으로 디지털 매체 속 정보를 확인하고
다양한 과제를 해결해 보세요.

이 책의 **구성**과 **특징**

1

교과서 어휘 국어/사회/수학/과학

교과목·단원별로 교과서 속 중요 개념 어휘와 관련 어휘로 교과 어휘 강화!

한자 어휘

초등·중학 교육용 필수 한자, 연관 한자어로 한자 어휘 강화!

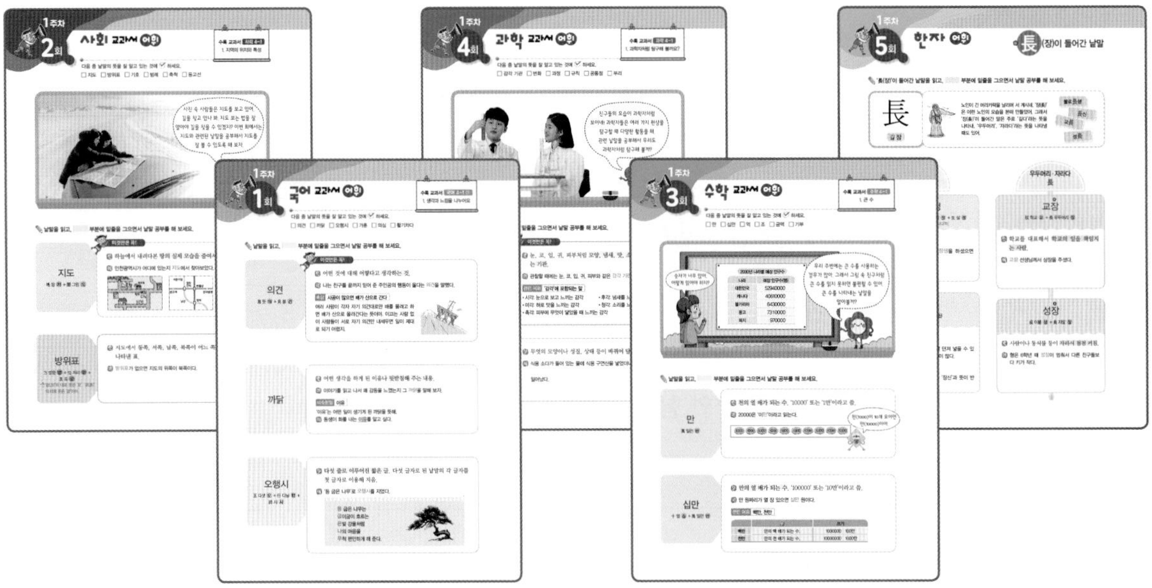

- 교과서 속 핵심 어휘를 엄선하여 교과목 특성에 맞게 뜻과 예문을 이해하기 쉽게 제시했어요.
- 어휘를 이해하는 데 도움이 되는 그림 및 사진 자료를 제시했어요.
- 대표 한자 어휘와 연관된 한자 성어, 초등 수준에서 꼭 알아야 할 속담, 관용어를 제시했어요.

2

확인 문제

교과서(국어/사회/수학/과학) 어휘, 한자 어휘 학습을 점검할 수 있는 다양한 유형의 확인 문제 수록!

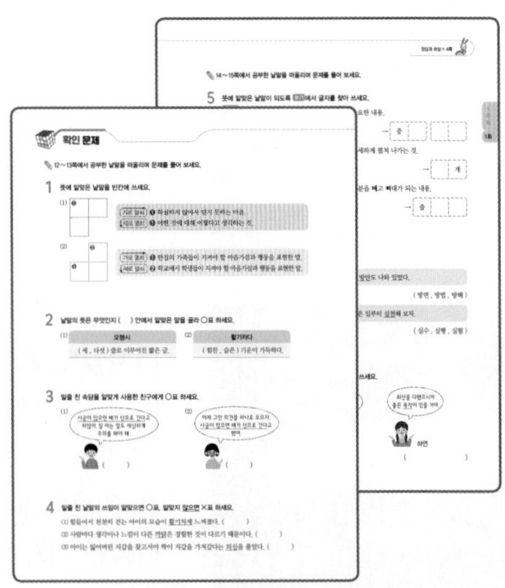

3 어휘력 테스트

한 주 동안 학습한 교과서 어휘, 한자 어휘를 종합적으로 점검할 수 있는 어휘력 테스트 수록!

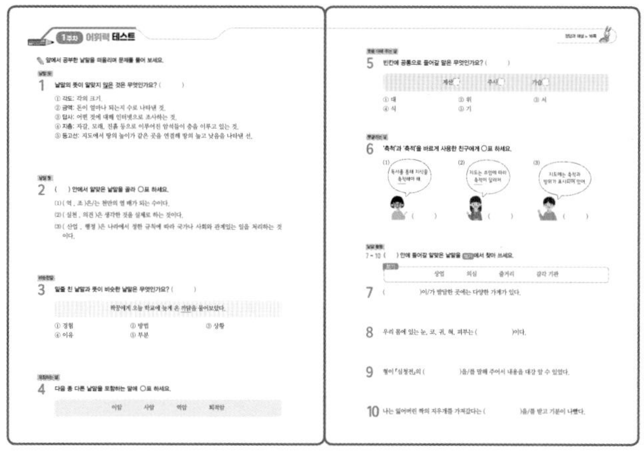

다양한 유형의 어휘 문제로 한 주 마무리!

찾아보기

학습한 어휘를 찾아보기 쉽게 교과목 ㄱ, ㄴ, ㄷ, … 순서로 정리했어요.

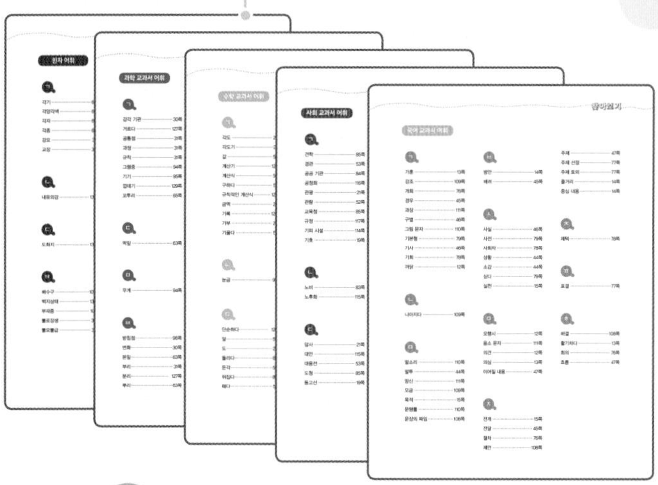

정답과 해설

축소한 본교재에 정답과 해설을 실어 자학자습과 학습 지도를 수월히 할 수 있도록 했어요.

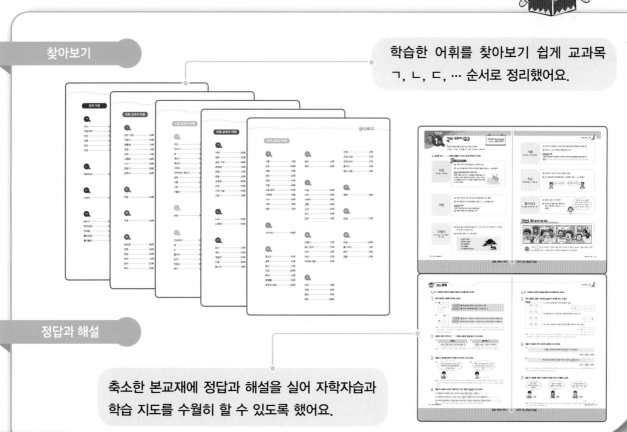

초등 4학년 1학기

교과서 연계 목록

✎『어휘가 문해력이다』 초등 4학년 1학기에 수록된 모든 어휘는 초등학교 4학년 1학기 국어, 사회, 수학, 과학 교과서에 실려 있습니다.

✎ 교과서 연계 목록을 살펴보면 과목별 교과서의 단원명에 따라 학습할 교재의 쪽을 한눈에 파악할 수 있습니다.

✎ 교과서 진도 순서에 맞춰 교재에서 해당하는 학습 회를 찾아 효율적으로 공부해 보세요!

국어 4-1

사회 4-1

수학 4-1

교과서	본교재
1. 큰 수	**1주차 3회** 24~25쪽
2. 각도	**1주차 3회** 26~27쪽, **2주차 3회** 56~57쪽
3. 곱셈과 나눗셈	**2주차 3회** 58~59쪽
4. 평면도형의 이동	**3주차 3회** 88~89쪽
5. 막대그래프	**3주차 3회** 90~91쪽 **4주차 3회** 120~121쪽
6. 규칙 찾기	**4주차 3회** 122~123쪽

과학 4-1

교과서	본교재
1. 과학자처럼 탐구해 볼까요?	**1주차 4회** 30~31쪽
2. 지층과 화석	**1주차 4회** 32~33쪽
3. 식물의 한살이	**2주차 4회** 62~63쪽, 64~65쪽
4. 물체의 무게	**3주차 4회** 94~95쪽, 96~97쪽
5. 혼합물의 분리	**4주차 4회** 126~127쪽, 128~129쪽

이 책의 차례

3 주차

4 주차

1주차 어휘 미리 보기

한 주 동안
공부할 어휘들이야.
쓱 한번 훑어볼까?

1회 학습 계획일 ( )월 ( )일

국어 교과서 어휘

의견	중심 내용
까닭	줄거리
오행시	방안
가훈	실천
의심	전개
활기차다	목적

2회 학습 계획일 ( )월 ( )일

사회 교과서 어휘

지도	중심지
방위표	산업
기호	행정
범례	상업
축척	관광
등고선	답사

3회 학습 계획일 ( )월 ( )일

수학 교과서 어휘

만	각도
십만	도
억	각도기
조	이루다
금액	벌어지다
기부	맞추다

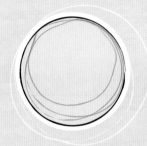

4회 학습 계획일 ( )월 ( )일

과학 교과서 어휘

- 감각 기관
- 변화
- 과정
- 규칙
- 공통점
- 부리
- 지층
- 퇴적암
- 이암
- 사암
- 역암
- 화석

5회 학습 계획일 ( )월 ( )일

한자 어휘

- 불로장생
- 장신
- 교장
- 성장
- 불요불급
- 요점
- 요구
- 강요

어휘력 테스트

2주차 어휘 학습으로 가 보자!

국어 교과서 어휘

수록 교과서 국어 4-1 ㉮
1. 생각과 느낌을 나누어요

다음 중 낱말의 뜻을 잘 알고 있는 것에 ✓ 하세요.

□ 의견 □ 까닭 □ 오행시 □ 가훈 □ 의심 □ 활기차다

낱말을 읽고, [ ] 부분에 밑줄을 그으면서 낱말 공부를 해 보세요.

이것만은 꼭!

의견
意 뜻 의 + 見 볼 견

뜻 어떤 것에 대해 어떻다고 생각하는 것.

예 나는 친구를 끝까지 믿어 준 주인공의 행동이 옳다는 의견을 말했다.

속담 사공이 많으면 배가 산으로 간다

여러 사람이 각자 자기 의견대로만 배를 몰려고 하면 배가 산으로 올라간다는 뜻이야. 이끄는 사람 없이 사람들이 서로 자기 의견만 내세우면 일이 제대로 되기 어렵지.

까닭

뜻 어떤 생각을 하게 된 이유나 뒷받침해 주는 내용.

예 이야기를 읽고 나서 왜 감동을 느꼈는지 그 까닭을 말해 보자.

비슷한말 이유

'이유'는 어떤 일이 생기게 된 까닭을 뜻해.
예 동생이 화를 내는 이유를 알고 싶다.

오행시
五 다섯 오 + 行 다닐 행 + 詩 시 시

뜻 다섯 줄로 이루어진 짧은 글. 다섯 글자로 된 낱말의 각 글자를 첫 글자로 이용해 지음.

예 '등 굽은 나무'로 오행시를 지었다.

등 굽은 나무는
굽이굽이 흐르는
은빛 강물처럼
나의 마음을
무척 편안하게 해 준다.

가훈

家 집 가 + 訓 가르칠 훈

뜻 한집의 가족들이 지켜야 할 마음가짐과 행동을 표현한 말.

예 우리 집 가훈은 "어려운 이웃을 돕자."이다.

관련 어휘 교훈

'교훈'은 학교에서 학생들이 지켜야 할 마음가짐과 행동을 표현한 말이야.

의심

疑 의심할 의 + 心 마음 심

뜻 확실하지 않아서 믿지 못하는 마음.

예 나는 잃어버린 지우개를 영호가 가져갔을 거라는 의심이 들었다.

네가 가져갔지?
왜 나를 의심하니?

활기차다

活 살 활 + 氣 기운 기 + 차다

뜻 힘찬 기운이 가득하다.

예 자신이 할 일을 찾아 열심히 일하는 주인공의 모습이 활기차 보였다.

'활기'는 힘찬 기운을 뜻하는 말로, '차다' 없이 혼자 쓰이기도 해. "활기가 넘친다."와 같이 쓰이지.

꼭! 알아야 할 속담

빈칸 채우기

'공든 [   ]이 무너지랴'는 공들여 쌓은 탑은 무너질 리 없다는 뜻으로, 힘을 다하고 정성을 다하여 한 일은 그 결과가 반드시 헛되지 않음을 이르는 말입니다.

국어 교과서 어휘

수록 교과서 국어 4-1 ㉮
2. 내용을 간추려요

다음 중 낱말의 뜻을 잘 알고 있는 것에 ✔ 하세요.

☐ 중심 내용 ☐ 줄거리 ☐ 방안 ☐ 실천 ☐ 전개 ☐ 목적

낱말을 읽고, ▭ 부분에 밑줄을 그으면서 낱말 공부를 해 보세요.

이것만은 꼭!

중심 내용

中 가운데 중 + 心 마음 심 + 內 안 내 + 容 얼굴 용

뜻 글이나 문단에서 가장 중요한 내용.

예 글의 내용을 간추릴 때에는 중심 내용이 드러나야 한다.

관련 어휘 **문단**

'문단'은 글에서 몇 개의 문장이 모여 하나의 생각을 나타내는 짤막한 덩어리를 말해. 문단이 모여서 한 편의 글이 완성되지.

문장 + 문장 ➡ 문단

줄거리

뜻 글에서 중요하지 않은 부분을 빼고 뼈대가 되는 내용.

예 글을 읽고, 중요한 내용만 연결해서 줄거리를 간추려 보았다.

여러 가지 뜻을 가진 낱말 **줄거리**

'줄거리'는 잎이 다 떨어진 나뭇가지를 뜻하기도 해.

예 겨울이 되어 나무들이 줄거리만 앙상했다.

▲ 영화의 줄거리를 검색하는 아이

▲ 줄거리만 남은 나무

방안

方 방법 방 + 案 생각 안

'방(方)'의 대표 뜻은 '모', '안(案)'의 대표 뜻은 '책상'이야.

뜻 일을 해 나가기 위한 방법이나 계획.

예 글에서 문제점을 해결하기 위한 방안으로 무엇을 말했는지 찾아본다.

비슷한말 **방법**

'방법'은 어떤 목적을 이루기 위해 하는 일이나 일을 해 나가는 형식을 뜻해.

예 시간을 아낄 방법을 찾았다.

실천

實 실행할 실 + 踐 실행할 천

'실(實)'의 대표 뜻은 '열매', '천(踐)'의 대표 뜻은 '밟다'야.

뜻 생각한 것을 실제로 함.

예 에너지 절약을 실천하기 위해서 빈방에 전깃불을 켜 놓지 않는다.

비슷한말 실행

'실행'은 실제로 하는 것을 뜻해.

예 부모님과의 약속을 실행하다.

전개

展 펼 전 + 開 열 개

뜻 어떤 일이나 이야기를 자세하게 펼쳐 나가는 것.

예 의견을 내세우는 글은 문제점, 해결 방안, 실천 방법의 짜임으로 내용이 전개되는 경우가 많다.

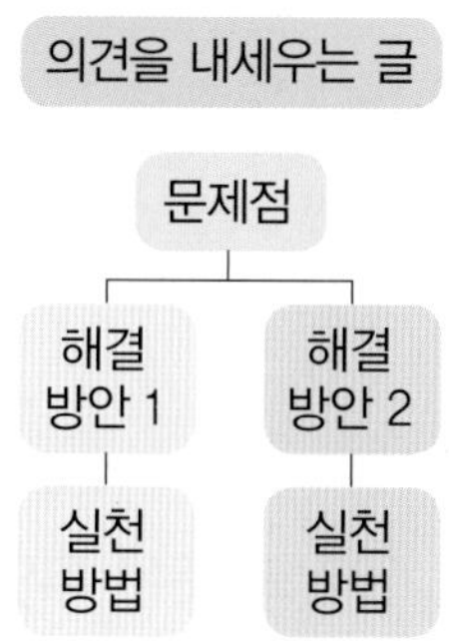

목적

目 눈 목 + 的 과녁 적

뜻 어떤 일을 통해서 이루려고 하는 것.

예 일기 예보를 들을 때에는 왜 들으려고 하는지 듣는 목적을 생각하며 들어야 한다.

꼭! 알아야 할 관용어

○표 하기 '발이 (크다 , 넓다)'는 사귀어 아는 사람이 많아 활동하는 범위가 넓다는 뜻입니다.

확인 문제

12~13쪽에서 공부한 낱말을 떠올리며 문제를 풀어 보세요.

1 뜻에 알맞은 낱말을 빈칸에 쓰세요.

(1)

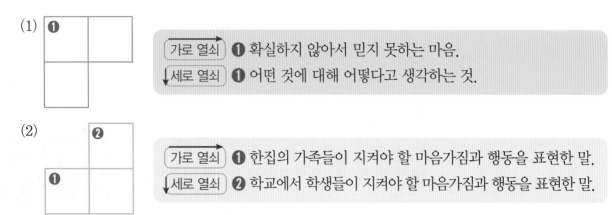

가로 열쇠 ❶ 확실하지 않아서 믿지 못하는 마음.

세로 열쇠 ❶ 어떤 것에 대해 어떻다고 생각하는 것.

(2)

가로 열쇠 ❶ 한집의 가족들이 지켜야 할 마음가짐과 행동을 표현한 말.

세로 열쇠 ❷ 학교에서 학생들이 지켜야 할 마음가짐과 행동을 표현한 말.

2 낱말의 뜻은 무엇인지 ( ) 안에서 알맞은 말을 골라 ○표 하세요.

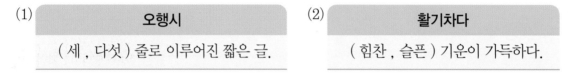

(1) 오행시

(세 , 다섯) 줄로 이루어진 짧은 글.

(2) 활기차다

(힘찬 , 슬픈) 기운이 가득하다.

3 밑줄 친 속담을 알맞게 사용한 친구에게 ○표 하세요.

(1) 사공이 많으면 배가 산으로 간다고 하잖아. 잘 아는 일도 세심하게 주의를 해야 해.

( )

(2) 이제 그만 의견을 하나로 모으자. 사공이 많으면 배가 산으로 간다고 했어.

( )

4 밑줄 친 낱말의 쓰임이 알맞으면 ○표, 알맞지 않으면 ×표 하세요.

(1) 힘들어서 천천히 걷는 아이의 모습이 활기차게 느껴졌다. ( )

(2) 사람마다 생각이나 느낌이 다른 까닭은 경험한 것이 다르기 때문이다. ( )

(3) 아이는 잃어버린 지갑을 찾고서야 짝이 지갑을 가져갔다는 의심을 풀었다. ( )

14~15쪽에서 공부한 낱말을 떠올리며 문제를 풀어 보세요.

5 뜻에 알맞은 낱말이 되도록 보기에서 글자를 찾아 쓰세요.

보기

내	거
리	심
방	천
전	용

(1) 글이나 문단에서 가장 중요한 내용.

→ [중][ ] [ ][ ]

(2) 어떤 일이나 이야기를 자세하게 펼쳐 나가는 것.

→ [ ][개]

(3) 글에서 중요하지 않은 부분을 빼고 뼈대가 되는 내용.

→ [줄][ ][ ]

6 밑줄 친 낱말과 뜻이 비슷한 낱말에 ○표 하세요.

(1) 글에는 문제점과 함께 해결 <u>방안</u>도 나와 있었다.

(방면 , 방법 , 방해)

(2) 에너지를 절약하기 위해서 작은 일부터 <u>실천</u>해 보자.

(실수 , 실행 , 실험)

7 밑줄 친 낱말을 알맞게 사용하지 <u>못한</u> 친구의 이름을 쓰세요.

글의 내용이 어떻게 <u>전개</u>되는지 살펴보자.

지민

<u>줄거리</u>가 복잡한 동화는 읽기 어려워.

채운

최선을 다했으니까 좋은 <u>목적</u>이 있을 거야.

하연

(   )

사회 교과서 어휘

수록 교과서 사회 4-1
1. 지역의 위치와 특성

다음 중 낱말의 뜻을 잘 알고 있는 것에 ✓ 하세요.

□ 지도 □ 방위표 □ 기호 □ 범례 □ 축척 □ 등고선

사진 속 사람들은 지도를 보고 있어. 길을 찾고 있나 봐. 지도 보는 법을 잘 알아야 길을 찾을 수 있겠지? 이번 회에서는 지도와 관련된 낱말을 공부해서 지도를 잘 볼 수 있도록 해 보자.

낱말을 읽고, 부분에 밑줄을 그으면서 낱말 공부를 해 보세요.

이것만은 꼭!

지도

地 땅 지 + 圖 그림 도

뜻 하늘에서 내려다본 땅의 실제 모습을 줄여서 나타낸 그림.

예 인천광역시가 어디에 있는지 지도에서 찾아보았다.

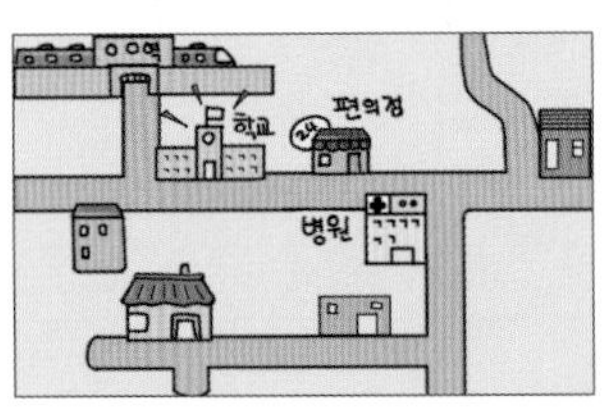

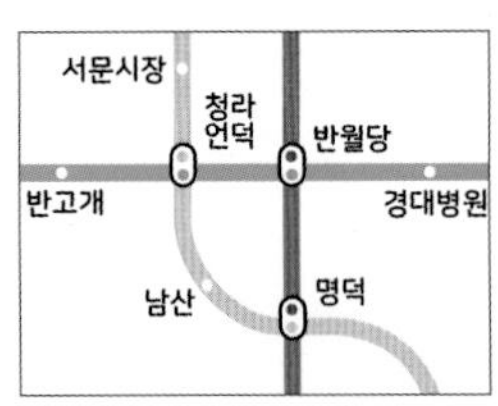

방위표

方 방향 방 + 位 자리 위 + 表 표 표

'방(方)'의 대표 뜻은 '모', '표(表)'의 대표 뜻은 '겉'이야.

뜻 지도에서 동쪽, 서쪽, 남쪽, 북쪽이 어느 쪽인지 나타낸 표.

예 방위표가 없으면 지도의 위쪽이 북쪽이다.

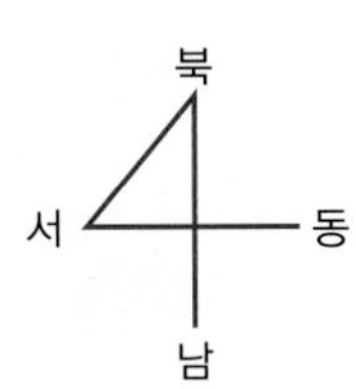

기호

記 기록할 **기** + 號 이름 **호**

뜻 길, 산, 병원, 학교 등 지도에 나타낼 것을 간단히 그린 그림.

예 지도에 땅이나 건물의 모습을 나타낼 때에는 약속된 **기호**를 사용한다.

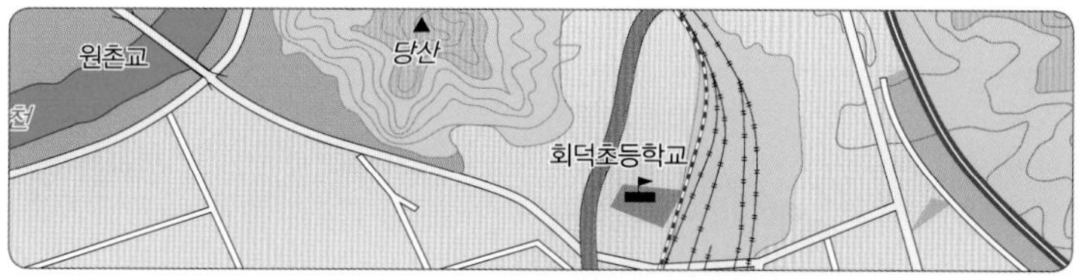

범례

凡 무릇 **범** + 例 법식 **례**

뜻 지도에 쓰인 기호와 그 뜻을 모아 나타낸 것.

예 지도의 **범례**를 보면 지도에서 나타내는 정보를 잘 알 수 있다.

═ 고속 국도	▬ 국도	─□─ 고속 철도
─□─ 철도	초·중·고교	⊕ 병원
☼ 공장	▲ 산	═ 다리

이게 지도의 범례야.

축척

縮 줄일 **축** + 尺 자 **척**

뜻 지도를 그릴 때 실제 거리를 얼마나 줄였는지를 나타내는 것.

0 250m

▲ 축척 표시

예 **축척**이 다르면 지도의 자세한 정도도 다르다.

헷갈리는 말 축적

'축척'은 줄인 정도를 뜻하고, '축적'은 경험이나 돈 등을 모아서 쌓는 것을 뜻해.

예 지도에 축척을 표시하다. / 경험을 축적하다.

등고선

等 같을 **등** + 高 높을 **고** + 線 선 **선**

뜻 지도에서 땅의 높이가 같은 곳을 연결해 땅의 높고 낮음을 나타낸 선.

예 **등고선**의 바깥쪽에서 안쪽 방향으로 갈수록 높은 곳을 나타낸다.

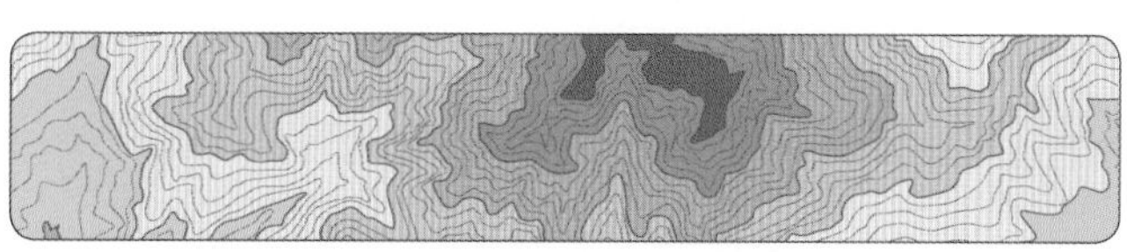

하나하나의 선이 모두 등고선이야.

사회 교과서 어휘

수록 교과서 사회 4–1
1. 지역의 위치와 특성

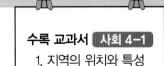

다음 중 낱말의 뜻을 잘 알고 있는 것에 ✓ 하세요.

☐ 중심지 ☐ 산업 ☐ 행정 ☐ 상업 ☐ 관광 ☐ 답사

고장의 중심지를
찍은 사진이야. 중심지가 뭘까?
중심지와 중심지를 공부할 때
많이 나오는 낱말을
알아보자.

낱말을 읽고, ▭ 부분에 밑줄을 그으면서 낱말 공부를 해 보세요.

이것만은 꼭!

중심지

中 가운데 중 + 心 마음 심 + 地 땅 지

뜻 한 고장에서 사람들이 어떤 일을 하기 위해 많이 모이는 곳.

예 고장 사람들은 군청, 구청, 시장, 버스 터미널 등을 이용하기 위해 중심지에 모인다.

뜻을 더해 주는 말 –지

'–지'는 '장소'의 뜻을 더해 주는 말이야.

예 휴양지, 유적지, 목적지

산업

産 낳을 산 + 業 업 업

뜻 사람이 살아가는 데에 필요한 물건이나 서비스를 만들어 내는 활동.

예 사람들은 물건을 만드는 회사나 공장에서 일을 하려고 산업의 중심지로 모인다.

행정

行 다닐 행 + 政 정사 정

뜻 나라에서 정한 규칙에 따라 국가나 사회와 관계있는 일을 처리하는 것.

예 우리 고장의 행정 중심지에는 군청, 보건소, 우체국 등이 있다.

구청에서
필요한 서류를 떼는
것도 행정 업무야.

상업

商 장사 상 + 業 업 업

뜻 물건을 사고팔아서 이익을 얻는 일.

예 필요한 물건을 사려고 백화점과 대형 할인점이 있는 상업의 중심지로 갔다.

▲ 대형 할인점의 모습

관광

觀 볼 관 + 光 경치 광
'광(光)'의 대표 뜻은 '빛'이야.

뜻 어떤 곳의 경치나 풍속 등을 찾아가서 구경함.

예 우리 고장에는 문화유산을 보러 사람들이 모이는 관광의 중심지가 있다.

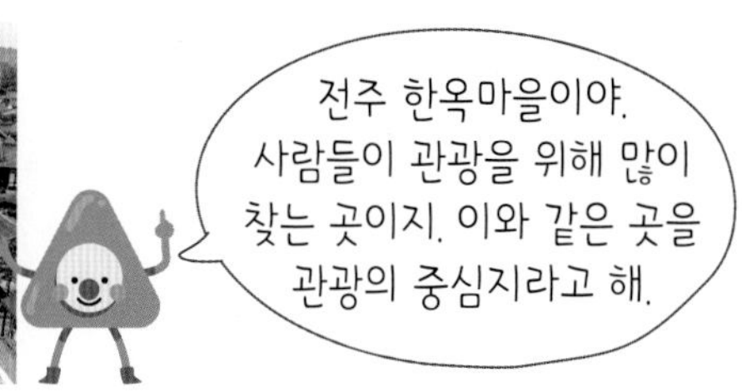

전주 한옥마을이야.
사람들이 관광을 위해 많이
찾는 곳이지. 이와 같은 곳을
관광의 중심지라고 해.

답사

踏 밟을 답 + 査 조사할 사

뜻 어떤 곳에 직접 찾아가 조사하는 것.

예 우리 고장의 교통 중심지에 대해 조사하기 위해 기차역과 버스 터미널 주변을 답사했다.

확인 문제

18～19쪽에서 공부한 낱말을 떠올리며 문제를 풀어 보세요.

1 뜻에 알맞은 낱말을 완성하세요.

(1) | ㅈ | ㄷ | 하늘에서 내려다본 땅의 실제 모습을 줄여서 나타낸 그림.

(2) | ㅂ | ㅇ | ㅍ | 지도에서 동쪽, 서쪽, 남쪽, 북쪽이 어느 쪽인지 나타낸 표.

(3) | ㅊ | ㅊ | 지도를 그릴 때 실제 거리를 얼마나 줄였는지를 나타내는 것.

(4) | ㄷ | ㄱ | ㅅ | 지도에서 땅의 높이가 같은 곳을 연결해 땅의 높고 낮음을 나타낸 선.

2 ( ) 안에서 알맞은 낱말을 골라 ○표 하세요.

(1) 현장 체험 학습을 통해 다양한 경험을 (축적 , 축척)할 수 있다.

(2) 지도에 나타난 (축적 , 축척)을 보고 실제 거리를 계산할 수 있다.

3 ( ) 안에 들어갈 알맞은 낱말을 보기에서 찾아 쓰세요.

보기

기호 범례 지도 등고선 방위표

(1) ▲은 지도에서 산을 나타내는 ( )이다.

(2) 지도에서는 땅의 높낮이를 ( )과/와 색깔로 나타낸다.

(3) 지도에 있는 ( )을/를 보고 동서남북의 방향을 알 수 있다.

(4) 우리나라 ( )을/를 보면 울릉도와 독도의 위치를 알 수 있다.

(5) 지도의 ( )을/를 보면 지도에서 사용한 기호의 뜻을 알 수 있다.

20~21쪽에서 공부한 낱말을 떠올리며 문제를 풀어 보세요.

4 뜻에 알맞은 낱말을 글자판에서 찾아 묶으세요.(낱말은 가로(—), 세로(|), 대각선(／＼) 방향에 숨어 있어요.)

산	중	먹	관
업	행	심	광
상	업	정	지
정	답	사	진

❶ 어떤 곳에 직접 찾아가 조사하는 것.
❷ 어떤 곳의 경치나 풍속 등을 찾아가서 구경함.
❸ 한 고장에서 사람들이 어떤 일을 하기 위해 많이 모이는 곳.
❹ 사람이 살아가는 데에 필요한 물건이나 서비스를 만들어 내는 활동.

5 밑줄 친 말의 공통된 뜻은 무엇인가요? (   )

중심<u>지</u>　　휴양<u>지</u>　　유적<u>지</u>

① 연못　② 옷감　③ 사람
④ 장소　⑤ 종이

6 친구의 말과 관련 있는 낱말에 ○표 하세요.

(1)

동생이 태어나서
군청에 신고를 했어.

(산업 , 행정)

(2)

우리 마을은
백화점과 대형 할인점이
있어서 물건을 사기에
편리해.

(상업 , 관광)

7 (   ) 안에서 알맞은 낱말을 골라 ○표 하세요.

(1) 우리 고장은 자동차 (농업 , 산업)이 발달했다.

(2) 경주 불국사로 (답사 , 답장)을/를 다녀와서 보고서를 썼다.

(3) 여름 휴가철에는 (관광 , 관심)을 위해 제주도를 찾는 사람이 많다.

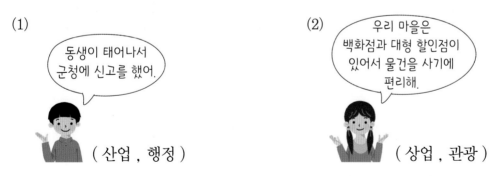

수학 교과서 어휘

수록 교과서 수학 4-1
1. 큰 수

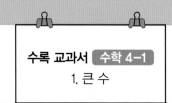

다음 중 낱말의 뜻을 잘 알고 있는 것에 ✔ 하세요.

□ 만 □ 십만 □ 억 □ 조 □ 금액 □ 기부

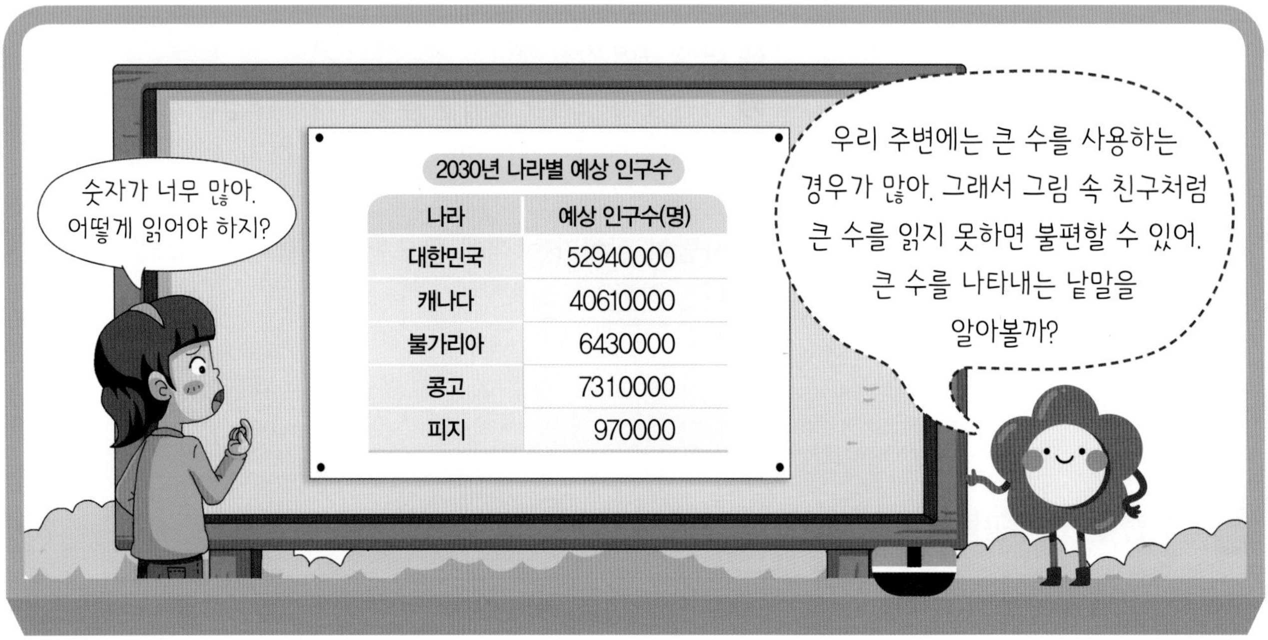

숫자가 너무 많아.
어떻게 읽어야 하지?
우리 주변에는 큰 수를 사용하는 경우가 많아. 그래서 그림 속 친구처럼 큰 수를 읽지 못하면 불편할 수 있어. 큰 수를 나타내는 낱말을 알아볼까?

2030년 나라별 예상 인구수

나라	예상 인구수(명)
대한민국	52940000
캐나다	40610000
불가리아	6430000
콩고	7310000
피지	970000

✎ 낱말을 읽고, ▭ 부분에 밑줄을 그으면서 낱말 공부를 해 보세요.

만

萬 일만 만

뜻 천의 열 배가 되는 수. '10000' 또는 '1만'이라고 씀.

예 20000은 '이만'이라고 읽는다.

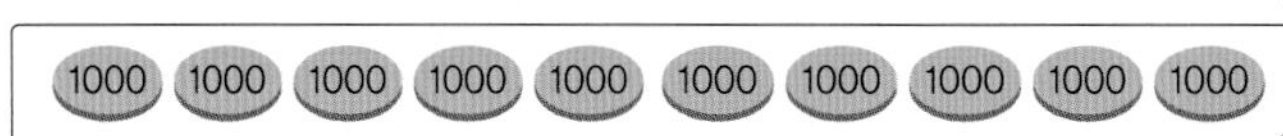

십만

十 열 십 + 萬 일만 만

뜻 만의 열 배가 되는 수. '100000' 또는 '10만'이라고 씀.

예 만 원짜리가 열 장 있으면 십만 원이다.

관련 어휘 백만, 천만

	뜻	쓰기
백만	만의 백 배가 되는 수.	1000000 100만
천만	만의 천 배가 되는 수.	10000000 1000만

이것만은 꼭!

억

億 억 억

뜻 천만의 열 배가 되는 수. '100000000' 또는 '1억'이라고 씀.

예 300000000은 '삼억'이라고 읽는다.

관련 어휘 십억, 백억, 천억

	뜻	쓰기
십억	억의 열 배가 되는 수.	1000000000 10억
백억	억의 백 배가 되는 수.	10000000000 100억
천억	억의 천 배가 되는 수.	100000000000 1000억

조

兆 조 조

뜻 천억의 열 배가 되는 수. '1000000000000' 또는 '1조'라고 씀.

예 4000000000000는 '사조'라고 읽는다.

관련 어휘 십조, 백조, 천조

	뜻	쓰기
십조	조의 열 배가 되는 수.	10000000000000 10조
백조	조의 백 배가 되는 수.	100000000000000 100조
천조	조의 천 배가 되는 수.	1000000000000000 1000조

금액

金 돈 금 + 額 수효 액

'금(金)'의 대표 뜻은 '쇠', '액(額)'의 대표 뜻은 '이마'야.

뜻 돈이 얼마나 되는지 수로 나타낸 것.

예 우리가 입장료로 내야 할 금액은 삼만 원이다.

비슷한말 액수

'액수'는 돈의 값을 나타내는 수를 말해.

예 꽤 큰 액수의 돈을 가지고 있다.

기부

寄 맡길 기 + 附 줄 부

'기(寄)'의 대표 뜻은 '부치다', '부(附)'의 대표 뜻은 '붙다'야.

뜻 다른 사람이나 단체 등을 돕기 위해 돈이나 물건을 대가를 받지 않고 내놓음.

예 우리 가족은 세계 여러 나라의 굶주리는 아이들을 돕는 단체에 매달 이만 원씩 기부한다.

수학 교과서 어휘

수록 교과서 수학 4–1
2. 각도

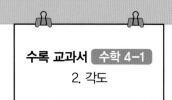

다음 중 낱말의 뜻을 잘 알고 있는 것에 ✔ 하세요.

□ 각도 □ 도 □ 각도기 □ 이루다 □ 벌어지다 □ 맞추다

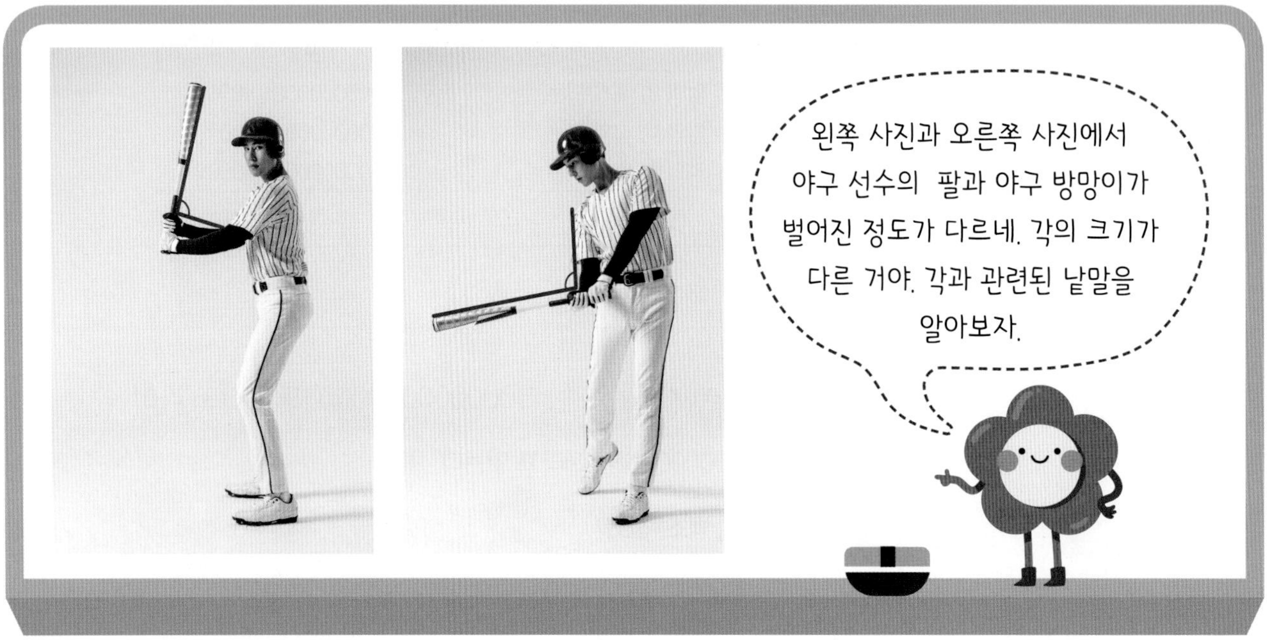

왼쪽 사진과 오른쪽 사진에서 야구 선수의 팔과 야구 방망이가 벌어진 정도가 다르네. 각의 크기가 다른 거야. 각과 관련된 낱말을 알아보자.

✎ 낱말을 읽고, ▭ 부분에 밑줄을 그으면서 낱말 공부를 해 보세요.

이것만은 꼭!

각도

角 모 각 + 度 도 도

'각(角)'의 대표 뜻은 '뿔', '도(度)'의 대표 뜻은 '법도'야.

뜻 각의 크기.

예 응원 막대로 만든 각도는 얼마쯤 될지 어림해 보자.

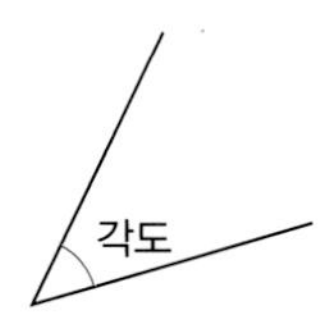

관련 어휘 각

'각'은 한 점에서 그은 두 반직선으로 만들어진 도형을 말해.

도

度 도 도

뜻 각의 크기를 나타내는 단위. 직각을 똑같이 90으로 나눈 것 중 하나를 '1도'라고 함.

예 직각의 크기는 90도이다.

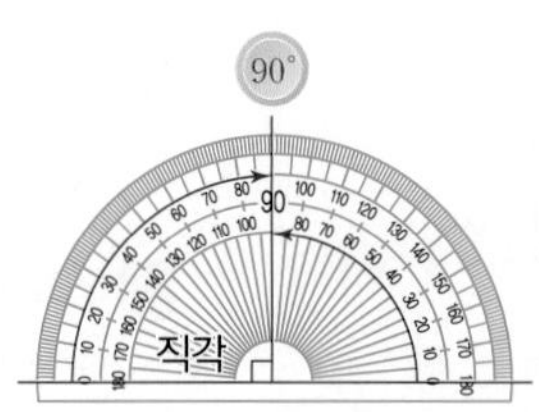

▲ 각도기

각도기

角 모 각 + 度 도 도 + 器 도구 기

'기(器)'의 대표 뜻은 '그릇'이야.

뜻 각도를 재는 도구.

예 각도기를 이용하여 창문의 각도를 재어 보았다.

뜻을 더해 주는 말 –기

'–기'는 '도구'나 '기구'의 뜻을 더해 주는 말이야.

예 녹음기, 주사기, 가습기

이루다

뜻 어떤 상태나 결과를 생기게 하다.

예 시계의 긴바늘과 짧은바늘이 이루는 각의 크기를 비교해 보자.

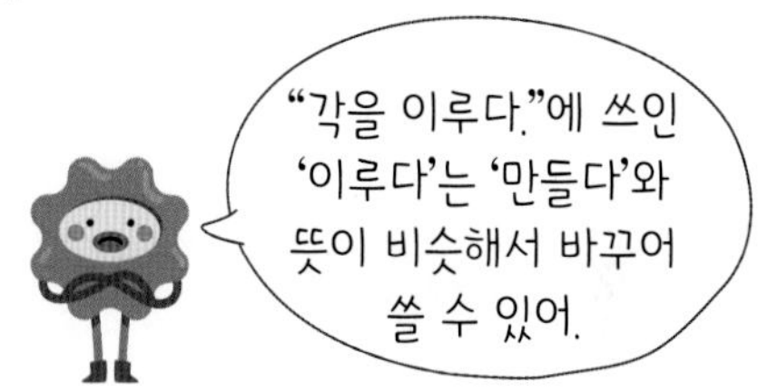

"각을 이루다."에 쓰인 '이루다'는 '만들다'와 뜻이 비슷해서 바꾸어 쓸 수 있어.

벌어지다

뜻 갈라져서 사이가 뜨다.

예 친구들이 펼쳐 들고 있는 응원 부채가 벌어진 정도가 제각각이다.

글자는 같지만 뜻이 다른 낱말 벌어지다

'벌어지다'는 "어떤 일이 일어나거나 진행되다."라는 전혀 다른 뜻으로도 쓰여.

예 싸움이 벌어지다.

맞추다

뜻 무엇을 다른 것에 닿게 하다.

예 각도를 잴 때에는 각도기의 중심을 각의 꼭짓점에 잘 맞추어야 한다.

여러 가지 뜻을 가진 낱말 맞추다

'맞추다'는 "둘 이상의 대상을 같이 놓고 비교하여 살피다."라는 뜻도 가지고 있어.

예 답안지를 맞추다.

"정답을 맞히다."에서는 '맞히다'를 써. 헷갈리지 말자!

확인 문제

24～25쪽에서 공부한 낱말을 떠올리며 문제를 풀어 보세요.

1 낱말의 뜻을 보기에서 찾아 사다리를 타고 내려간 곳에 기호를 쓰세요.

보기

㉠ 천의 열 배가 되는 수.
㉡ 만의 열 배가 되는 수.
㉢ 억의 백 배가 되는 수.
㉣ 천만의 열 배가 되는 수.
㉤ 천억의 열 배가 되는 수.

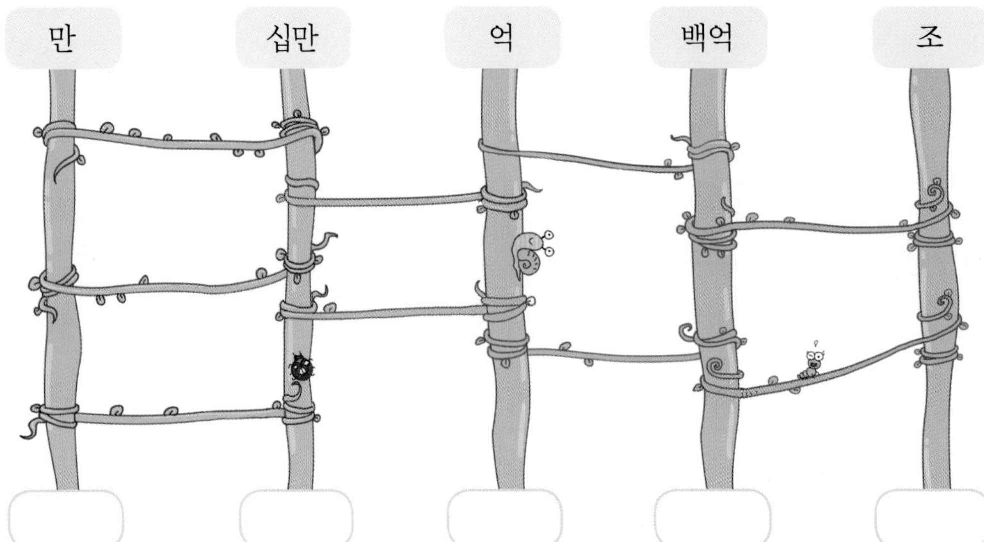

2 (   ) 안에서 알맞은 낱말을 골라 ○표 하세요.

(1) 내가 일 년 동안 저축한 (금액 , 금속)은 육만 원이다.

(2) 할머니께서 어려운 이웃을 위해 써 달라며 전 재산을 (거부 , 기부)하셨다.

3 빈칸에 들어갈 알맞은 낱말은 무엇인가요? (   )

아버지께서 동생과 나에게 세뱃돈을 똑같이 주셨다. 동생에게는 천 원짜리 열 장을 주셨고, 나에게는 [   ] 원짜리 한 장을 주셨다.

① 만　② 억　③ 조　④ 십만　⑤ 백만

✎ 26～27쪽에서 공부한 낱말을 떠올리며 문제를 풀어 보세요.

4 뜻에 알맞은 낱말에 ○표 하세요.

(1) 각의 크기를 나타내는 단위. (도 , 초)

(2) 각의 크기. (각도 , 온도)

(3) 무엇을 다른 것에 닿게 하다. (맞서다 , 맞추다)

(4) 어떤 상태나 결과를 생기게 하다. (이루다 , 이르다)

5 밑줄 친 낱말의 뜻을 보기에서 찾아 기호를 쓰세요.

보기
㉠ 갈라져서 사이가 뜨다. ㉡ 어떤 일이 일어나거나 진행되다.

(1) 운동장에서 놀던 친구들 사이에 싸움이 <u>벌어졌다</u>. (   )

(2) 친구들의 응원 막대가 <u>벌어진</u> 정도가 얼마쯤 될지 어림해 보았다. (   )

6 밑줄 친 낱말의 쓰임이 알맞으면 ○표, 알맞지 <u>않으면</u> ×표로 가서 몇 번으로 나오는지 쓰세요.

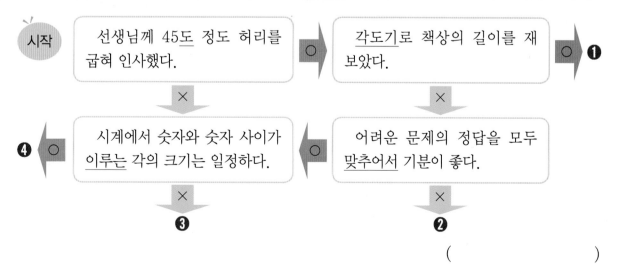

시작 → 선생님께 45<u>도</u> 정도 허리를 굽혀 인사했다.
- ○ → <u>각도기</u>로 책상의 길이를 재 보았다.
  - ○ → ❶
  - × → <u>맞추어서</u> 어려운 문제의 정답을 모두 맞추어서 기분이 좋다.
- × → 시계에서 숫자와 숫자 사이가 <u>이루는</u> 각의 크기는 일정하다.
  - ○ → ❹
  - × → ❸

(어려운 문제의 정답을 모두 <u>맞추어서</u> 기분이 좋다. ○ → 시계에서 숫자와 숫자 사이가 이루는 각의 크기는 일정하다. / × → ❷)

(   )

과학 교과서 어휘

수록 교과서 과학 4-1
1. 과학자처럼 탐구해 볼까요?

다음 중 낱말의 뜻을 잘 알고 있는 것에 ✓ 하세요.

□ 감각 기관 □ 변화 □ 과정 □ 규칙 □ 공통점 □ 부리

친구들의 모습이 과학자처럼
보이네! 과학자들은 여러 가지 현상을
탐구할 때 다양한 활동을 해.
관련 낱말을 공부해서 우리도
과학자처럼 탐구해 볼까?

낱말을 읽고, 부분에 밑줄을 그으면서 낱말 공부를 해 보세요.

이것만은 꼭!

감각 기관

感 느낄 감 + 覺 깨달을 각 + 器 기관 기 + 官 기관 관

'기(器)'의 대표 뜻은 '그릇', '관(官)'의 대표 뜻은 '벼슬'이야.

뜻 눈, 코, 입, 귀, 피부처럼 모양, 냄새, 맛, 소리, 촉감 등을 느끼는 기관.

예 관찰할 때에는 눈, 코, 입, 귀, 피부와 같은 감각 기관을 사용한다.

관련 어휘 '감각'에 포함되는 말

- 시각: 눈으로 보고 느끼는 감각
- 후각: 냄새를 느끼는 감각
- 미각: 혀로 맛을 느끼는 감각
- 청각: 소리를 느끼는 감각
- 촉각: 피부에 무엇이 닿았을 때 느끼는 감각

변화

變 변할 변 + 化 될 화

뜻 무엇의 모양이나 성질, 상태 등이 바뀌어 달라짐.

예 식용 소다가 들어 있는 물에 식용 구연산을 넣었더니 거품이 생기는 변화가 일어났다.

과정

過 지날 과 + 程 단위 정

뜻 어떤 일이 되어 가는 동안.

예 탄산수가 만들어지는 과정을 관찰해 보자.

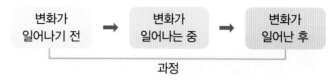

변화가 일어나기 전 ➡ 변화가 일어나는 중 ➡ 변화가 일어난 후

과정

규칙

規 법 규 + 則 법칙 칙

뜻 어떤 일이나 현상에 일정하게 나타나는 질서나 법칙.

예 식용 구연산의 양을 1g씩 늘릴 때마다 생기는 거품의 최고 높이는 1cm씩 높아진다는 규칙을 알아냈다.

공통점

共 한가지 공 + 通 통할 통 + 點 점 점

뜻 여럿 사이에 서로 비슷하거나 같은 점.

예 참새와 비둘기의 공통점은 둘 다 날개가 있다는 것이다.

반대말 **차이점**

'차이점'은 서로 같지 않고 다른 점을 뜻해.

예 몸 색깔이 까마귀는 검고 백조는 희다는 차이점이 있다.

부리

뜻 단단하고 뾰족한 새의 주둥이.

예 새의 가늘고 긴 부리는 나무 틈에 있는 벌레를 잡아먹기에 알맞다.

뾰족한 새의 주둥이가
보이지? 이 부분을
'부리'라고 해.

과학 교과서 어휘

수록 교과서 과학 4-1
2. 지층과 화석

다음 중 낱말의 뜻을 잘 알고 있는 것에 ✓ 하세요.

☐ 지층 ☐ 퇴적암 ☐ 이암 ☐ 사암 ☐ 역암 ☐ 화석

여러 가지 종류의 돌들이 층을 이루고 있네. 산기슭이나 바닷가 절벽에서 볼 수 있는 지층의 모습이야. 이번 회에서는 지층과 관련된 낱말을 공부해 보자.

낱말을 읽고, 부분에 밑줄을 그으면서 낱말 공부를 해 보세요.

지층

地 땅 지 + 層 층 층

뜻 자갈, 모래, 진흙 등으로 이루어진 암석들이 층을 이루고 있는 것.

예 자갈, 모래, 진흙 등이 쌓이고 오랜 시간이 지나면 단단한 지층이 만들어진다.

암석들이 층을 이루어서 줄무늬를 만들었네.

이것만은 꼭!

퇴적암

堆 쌓을 퇴 + 積 쌓을 적 + 巖 바위 암

뜻 물이 운반한 자갈, 모래, 진흙 등의 퇴적물이 굳어져 만들어진 암석.

예 퇴적물이 쌓여 퇴적암이 만들어지는 데는 오랜 시간이 걸린다.

관련 어휘 퇴적

'퇴적'은 물이나 바람에 의해 운반되어 간 알갱이들이 쌓이는 것을 뜻해.

이암

泥 진흙 이 + 巖 바위 암

뜻 진흙과 같이 작은 알갱이로 되어 있는 퇴적암.

예 이암은 알갱이의 크기가 작은 진흙이 굳어진 거야.

사암

砂 모래 사 + 巖 바위 암

뜻 주로 모래로 되어 있는 퇴적암.

예 이 돌은 모래 크기의 알갱이들이 보이는 것으로 보아 사암이다.

역암

礫 자갈 역 + 巖 바위 암

뜻 주로 자갈, 모래 등으로 되어 있는 퇴적암.

예 역암은 주로 모래와 자갈로 되어 있어서 이암이나 사암보다 알갱이가 크다.

포함하는 말 **퇴적암**

'이암', '사암', '역암'을 포함하는 말은 '퇴적암'이야.

화석

化 될 화 + 石 돌 석

뜻 아주 오랜 옛날에 살았던 생물이나 생물의 흔적이 퇴적암 속에 남아 있는 것.

예 화석이 된 생물이 살아 있을 때는 어떤 모습이었을지 상상해 보세요.

확인 문제

30～31쪽에서 공부한 낱말을 떠올리며 문제를 풀어 보세요.

1 낱말의 뜻은 무엇인지 (　　) 안에서 알맞은 말을 골라 ○표 하세요.

(1) 과정 | 어떤 일이 (끝난 때 , 되어 가는 동안).

(2) 공통점 | 여럿 사이에 서로 비슷하거나 (같은 , 다른) 점.

(3) 부리 | 단단하고 뾰족한 새의 (발톱 , 주둥이).

(4) 변화 | 무엇의 모양이나 상태, 성질 등이 바뀌어 (같아짐 , 달라짐).

2 '감각'에 포함되는 말 중 무엇을 설명한 것인지 보기에서 찾아 기호를 쓰세요.

보기
㉠ 시각　㉡ 후각　㉢ 미각　㉣ 청각　㉤ 촉각

(1) 냄새를 느끼는 감각 (　　　)　(2) 소리를 느끼는 감각 (　　　)

(3) 혀로 맛을 느끼는 감각 (　　　)　(4) 눈으로 보고 느끼는 감각 (　　　)

(5) 피부에 무엇이 닿았을 때 느끼는 감각 (　　　)

3 밑줄 친 낱말이 알맞게 쓰였는지 ○, ×를 따라가며 선을 긋고 몇 번으로 나오는지 쓰세요.

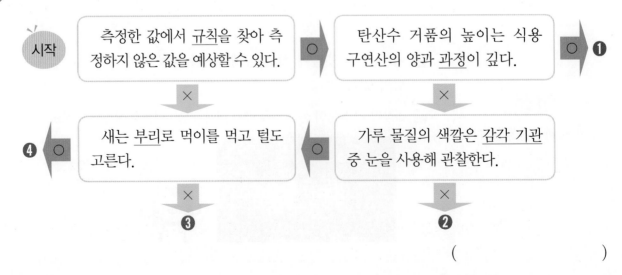

시작

측정한 값에서 규칙을 찾아 측정하지 않은 값을 예상할 수 있다. (○ → 다음 칸, × → ↓)

탄산수 거품의 높이는 식용 구연산의 양과 과정이 깊다. (○ → ❶, × → ↓)

새는 부리로 먹이를 먹고 털도 고른다. (○ → ❹, × → ❸)

가루 물질의 색깔은 감각 기관 중 눈을 사용해 관찰한다. (○ → 왼쪽 칸, × → ❷)

(　　　　　　　　　)

32~33쪽에서 공부한 낱말을 떠올리며 문제를 풀어 보세요.

4 낱말의 뜻을 보기에서 찾아 사다리를 타고 내려간 곳에 기호를 쓰세요.

보기

㉠ 주로 모래로 되어 있는 퇴적암.
㉡ 주로 자갈, 모래 등으로 되어 있는 퇴적암.
㉢ 진흙과 같이 작은 알갱이로 되어 있는 퇴적암.
㉣ 물이 운반한 자갈, 모래, 진흙 등의 퇴적물이 굳어져 만들어진 암석.

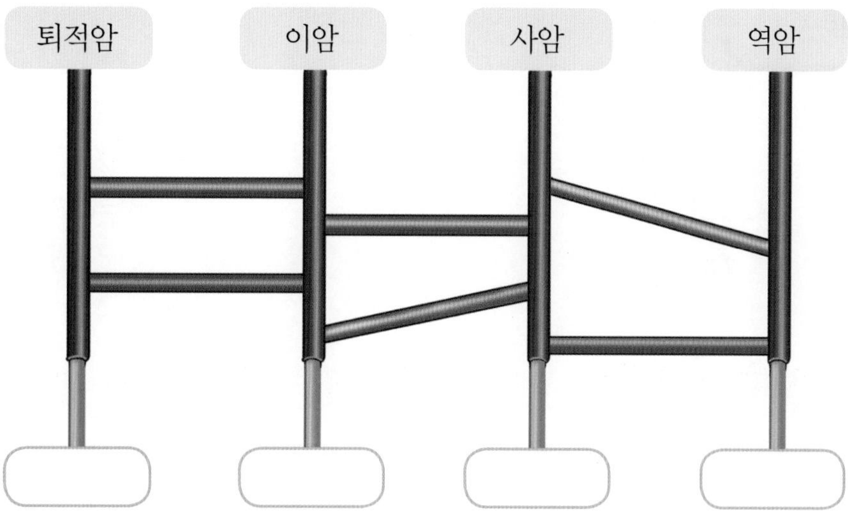

5 낱말의 뜻은 무엇인지 빈칸에 들어갈 알맞은 말을 완성하세요.

(1) 지층 — 자갈, 모래, 진흙 등으로 이루어진 암석들이 [ㅊ]을 이루고 있는 것.

(2) 화석 — 아주 오랜 옛날에 살았던 생물이나 생물의 흔적이 [ㅌ][ㅈ][ㅇ] 속에 남아 있는 것.

6 (　　) 안에 들어갈 알맞은 낱말을 보기에서 찾아 쓰세요.

보기
지층
퇴적
화석

(1) 강물에 실려 온 흙이 강 하류에 (　　　　)되었다.

(2) (　　　　)은 아래에 있는 층이 먼저 만들어진 것이다.

(3) 동물의 뼈나 식물의 잎과 같은 생물의 몸뿐만 아니라 동물의 발자국이나 기어간 흔적도 (　　　　)이 될 수 있다.

한자 어휘

長(장)이 들어간 낱말

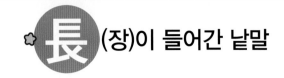

'長(장)'이 들어간 낱말을 읽고, 부분에 밑줄을 그으면서 낱말 공부를 해 보세요.

長

길 장

노인이 긴 머리카락을 날리며 서 계시네. '장(長)'은 이런 노인의 모습을 본떠 만들었어. 그래서 '장(長)'이 들어간 말은 주로 '길다'라는 뜻을 나타내. '우두머리', '자라다'라는 뜻을 나타낼 때도 있어.

불로長생 / 長신 / 교長 / 성長

길다 長

불로장생

不 아닐 불 + 老 늙을 로 + 長 길 장 + 生 살 생

'생(生)'의 대표 뜻은 '나다'야.

뜻 늙지 않고 오래 삶.

예 부모님께서 건강하게 불로장생을 하셨으면 좋겠다.

장신

長 길 장 + 身 몸 신

뜻 키가 큰 몸.

예 키가 크면 공을 바스켓에 잘 던져 넣을 수 있어서 농구 선수 중에는 장신이 많다.

반대말 단신

작은 키의 몸을 뜻하는 '단신'은 '장신'과 뜻이 반대야.

우두머리·자라다 長

교장

校 학교 교 + 長 우두머리 장

뜻 학교를 대표해서 학교의 일을 책임지는 사람.

예 교장 선생님께서 상장을 주셨다.

성장

成 이룰 성 + 長 자랄 장

뜻 사람이나 동식물 등이 자라서 점점 커짐.

예 형은 6학년 때 성장이 멈춰서 다른 친구들보다 키가 작다.

정답과 해설 ▶ 14쪽

要(요)가 들어간 낱말

'要(요)'가 들어간 낱말을 읽고, 부분에 밑줄을 그으면서 낱말 공부를 해 보세요.

要
중요할 요

'요(要)'는 여자가 손을 허리에 대고 서 있는 모습을 본뜬 글자야. 허리가 몸의 중요한 부분이라는 데서 '중요하다'라는 뜻을 나타내게 된 거야. '요구하다'라는 뜻을 나타낼 때도 있어.

불要불급 / 要점 / 要구 / 강要

중요하다 要

불요불급

不 아닐 불 + 要 중요할 요 + 不 아닐 불 + 急 급할 급

뜻 필요하지도 않고 급하지도 않음.

예 불요불급의 물건은 사지 않아야 돈을 아낄 수 있다.

요점

要 중요할 요 + 點 점 점

뜻 가장 중요하고 중심이 되는 내용.

예 요점만 간단히 정리해서 외우면 오랫동안 기억할 수 있다.

요구하다 要

요구

要 요구할 요 + 求 구할 구

뜻 필요하거나 받아야 할 것을 달라고 청함.

예 부모님은 내 요구라면 뭐든지 다 들어주셨다.

비슷한말 요청

'요청'은 필요한 일을 해 달라고 부탁하는 것을 뜻해.

강요

強 강할 강 + 要 요구할 요

뜻 강제로 요구함.

예 부모님의 강요로 어제부터 하기 싫은 운동을 시작했다.

확인 문제

36쪽에서 공부한 낱말을 떠올리며 문제를 풀어 보세요.

1 낱말과 그 뜻을 알맞게 선으로 이으세요.

(1) 교장 •	• 키가 큰 몸.
(2) 성장 •	• 늙지 않고 오래 삶.
(3) 장신 •	• 사람이나 동식물 등이 자라서 점점 커짐.
(4) 불로장생 •	• 학교를 대표해서 학교의 일을 책임지는 사람.

2 밑줄 친 낱말과 뜻이 반대인 낱말에 ○표 하세요.

형이 우리 집에서 가장 <u>장신</u>이다. (단신 , 망신 , 전신)

3 빈칸에 들어갈 알맞은 낱말을 글자 카드로 만들어 쓰세요.

(1) 식물은 물과 햇빛이 있어야 잘 ☐☐ 한다.

표 운 성 균 장

(2) 상대 팀은 키가 큰 ☐☐ 선수가 많아 우리 팀이 질 것 같다.

단 장 거 신 원

(3) 왕은 오래 살고 싶어서 ☐☐☐☐ 하는 약초를 구해 오라고 명령했다.

로 불 환 생 장

37쪽에서 공부한 낱말을 떠올리며 문제를 풀어 보세요.

4 뜻에 알맞은 낱말을 빈칸에 쓰세요.

❶	❷		❸	
			❹	

가로 열쇠
❶ 강제로 요구함.
❹ 가장 중요하고 중심이 되는 내용.

세로 열쇠
❷ 필요하거나 받아야 할 것을 달라고 청함.
❸ 필요하지도 않고 급하지도 않음.

5 뜻이 비슷한 낱말끼리 짝 지은 것에 ○표 하세요.

(1) 필요 – 강요 ( )

(2) 요구 – 요청 ( )

(3) 요점 – 요령 ( )

6 빈칸에 들어갈 알맞은 낱말을 찾아 선으로 이으세요.

(1) 시간이 많지 않아서 [ ]만 간단히 말했다. •

(2) 나는 무척 배가 고파서 조심스럽게 음식을 [ ]했다. •

(3) 아버지께서는 [ ]한 곳에는 절대로 돈을 쓰시지 않는다. •

(4) 엄마께서 채소를 먹으라고 여러 번 말씀하시면 [ ]로 느껴져서 더 먹기 싫다. •

• 강요

• 요구

• 요점

• 불요불급

앞에서 공부한 낱말을 떠올리며 문제를 풀어 보세요.

낱말 뜻

1 **낱말의 뜻이 알맞지 않은 것은 무엇인가요? (　　　)**

① 각도: 각의 크기.
② 금액: 돈이 얼마나 되는지 수로 나타낸 것.
③ 답사: 어떤 것에 대해 인터넷으로 조사하는 것.
④ 지층: 자갈, 모래, 진흙 등으로 이루어진 암석들이 층을 이루고 있는 것.
⑤ 등고선: 지도에서 땅의 높이가 같은 곳을 연결해 땅의 높고 낮음을 나타낸 선.

낱말 뜻

2 **(　　) 안에서 알맞은 낱말을 골라 ○표 하세요.**

(1) (억 , 조)은/는 천만의 열 배가 되는 수이다.
(2) (실천 , 의견)은 생각한 것을 실제로 하는 것이다.
(3) (산업 , 행정)은 나라에서 정한 규칙에 따라 국가나 사회와 관계있는 일을 처리하는 것이다.

비슷한말

3 **밑줄 친 낱말과 뜻이 비슷한 낱말은 무엇인가요? (　　　)**

짝꿍에게 오늘 학교에 늦게 온 까닭을 물어보았다.

① 경험　② 방법　③ 상황
④ 이유　⑤ 부분

포함하는 말

4 **다음 중 다른 낱말을 포함하는 말에 ○표 하세요.**

이암　사암　역암　퇴적암

뜻을 더해 주는 말

5 빈칸에 공통으로 들어갈 말은 무엇인가요? (   )

계산☐   주사☐   가습☐

① 대   ② 위   ③ 서
④ 식   ⑤ 기

헷갈리는 말

6 '축척'과 '축적'을 바르게 사용한 친구에게 ○표 하세요.

(1)

독서를 통해 지식을
축척해야 해.
(   )

(2)

지도는 쓰임에 따라
축적이 달라져.
(   )

(3)

지도에는 축척과
방위가 표시되어 있어.
(   )

낱말 활용

7 ~ 10 (   ) 안에 들어갈 알맞은 낱말을 보기에서 찾아 쓰세요.

보기

상업   의심   줄거리   감각 기관

7 (   )이/가 발달한 곳에는 다양한 가게가 있다.

8 우리 몸에 있는 눈, 코, 귀, 혀, 피부는 (   )이다.

9 형이 『심청전』의 (   )을/를 말해 주어서 내용을 대강 알 수 있었다.

10 나는 잃어버린 짝의 지우개를 가져갔다는 (   )을/를 받고 기분이 나빴다.

2 주차 어휘 미리 보기

한 주 동안
공부할 어휘들이야.
쏙 한번 훑어볼까?

1회 학습 계획일 ( )월 ( )일

국어 교과서 어휘

상황	사실
말투	구별
소감	기사
배려	주제
전달	흐름
경우	이어질 내용

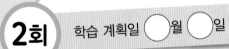

2회 학습 계획일 ( )월 ( )일

사회 교과서 어휘

유형 문화재	문화유산 안내도
무형 문화재	관람
세계 유산	어진
지정	대웅전
보존	경관
유물	홍보

3회 학습 계획일 ( )월 ( )일

수학 교과서 어휘

예각	계산식
둔각	사용량
떼다	절약
구하다	달
맞대다	쪽수
기울다	값

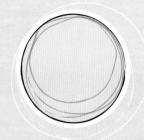

4회 학습 계획일 ( )월 ( )일

과학 교과서 어휘

- 씨
- 식물의 한살이
- 뿌리
- 줄기
- 떡잎
- 본잎
- 한해살이 식물
- 여러해살이 식물
- 새순
- 꼬투리
- 조건
- 품종

5회 학습 계획일 ( )월 ( )일

한자 어휘

- 각자
- 각기
- 각양각색
- 각종
- 작심삼일
- 애국심
- 원심력
- 심혈

어휘력 테스트

3주차 어휘 학습으로 가 보자!

국어 교과서 어휘

수록 교과서 국어 4-1 ㉮
3. 느낌을 살려 말해요

다음 중 낱말의 뜻을 잘 알고 있는 것에 ✔ 하세요.

☐ 상황 ☐ 말투 ☐ 소감 ☐ 배려 ☐ 전달 ☐ 경우

낱말을 읽고, 부분에 밑줄을 그으면서 낱말 공부를 해 보세요.

상황

狀 형상 상 + 況 상황 황

뜻 일이 되어 가는 과정이나 상태.

예 말을 하는 상황에 따라 표정과 몸짓을 다르게 해야 한다.

왼쪽 남자아이는 무언가 궁금한 상황이고, 오른쪽 여자아이는 놀란 상황인 것 같아. 친구들의 표정과 몸짓을 보니 알겠어.

이것만은 꼭!

말투

말 + 套 버릇 투

'투(套)'의 대표 뜻은 '씌우다'야.

뜻 말의 빠르기, 높낮이, 세기 등과 같이 말을 할 때의 버릇이나 방식.

예 기분이 좋으면 밝고 즐거운 말투로 말한다.

비슷한말 어투

'어투'는 말을 할 때의 버릇이나 방식을 뜻해.

예 동생이 비웃는 어투로 말해서 기분이 나빴다.

소감

所 것 소 + 感 느낄 감

'소(所)'의 대표 뜻은 '바'야.

뜻 어떤 일을 겪으면서 느끼고 생각한 것.

예 펜싱 선수는 우승한 소감을 차분히 말했다.

우승 소감을 말씀해 주세요.
국민 여러분께 감사드립니다.

비슷한말 감상

'감상'은 마음속에서 일어나는 느낌이나 생각을 뜻해.

예 일기에 하루의 감상을 적는다.

배려

配 나눌 배 + 慮 생각할 려

뜻 관심을 가지고 보살펴 주거나 도와주는 것.

예 동생에게 어려운 내용을 설명할 때에는 동생을 배려해서 쉬운 말로 말하는 것이 좋다.

전달

傳 전할 전 + 達 통할 달

뜻 말, 물건, 지식 같은 것을 다른 사람에게 전하는 것.

예 내 생각을 정확하게 전달하려면 큰 목소리로 또박또박 말해야 한다.

어법 '-하다' 붙여쓰기

'전달'은 '-하다'를 붙여서 '전달하다'와 같이 쓰기도 해. 이때 '전달 하다'로 띄어 쓰지 않아. 낱말과 낱말이 만나 하나의 낱말이 되는 거지.

경우

境 경우 경 + 遇 때 우

'경(境)'의 대표 뜻은 '지경', '우(遇)'의 대표 뜻은 '만나다'야.

뜻 어떤 일이 일어나는 때나 상황.

예 여러 사람 앞에서 말해야 하는 경우에는 높임말로 말한다.

'경우'와 '상황'은 뜻이 비슷해서 바꾸어 쓸 수도 있어.

꼭! 알아야 할 속담

빈칸 채우기 '까마귀 날자 [   ] 떨어진다'는 아무 관계 없이 한 일이 우연히 때가 같아 어떤 관계가 있는 것처럼 의심을 받게 됨을 이르는 말입니다.

2주차 1회

국어 교과서 어휘

수록 교과서 국어 4-1 ㉮
4. 일에 대한 의견 ~
5. 내가 만든 이야기

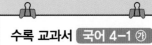

다음 중 낱말의 뜻을 잘 알고 있는 것에 ✓ 하세요.

☐ 사실 ☐ 구별 ☐ 기사 ☐ 주제 ☐ 흐름 ☐ 이어질 내용

낱말을 읽고, ▭ 부분에 밑줄을 그으면서 낱말 공부를 해 보세요.

이것만은 꼭!

사실

事 일 사 + 實 참으로 실

'실(實)'의 대표 뜻은 '열매'야.

뜻 실제로 있었던 일.

예 박물관 현장 체험 학습을 다녀온 것은 실제로 있었던 일이므로 사실이다.

사실	의견
토끼는 풀을 먹는다.	토끼는 귀엽다.

실제로 있었던 일은 '사실'이고, 그 일에 대한 생각은 '의견'이야.

구별

區 구분할 구 + 別 나눌 별

뜻 성질이나 종류에 따라 나누는 일.

예 사실을 나타내는 문장과 의견을 나타내는 문장을 구별해 보자.

헷갈리는 말 **차별**

'차별'은 차이를 두어서 구별하는 것을 뜻해. '남녀 차별'과 같이 쓰이지. '구별'과 '차별'은 뜻이 다르니까 구분해서 써야 해.

기사

記 기록할 기 + 事 일 사

뜻 신문이나 잡지 등에서 어떤 사실을 알리는 글.

예 강우가 전학 온 일을 학급 신문에 기사로 썼다.

글자는 같지만 뜻이 다른 낱말 **기사**

'기사'는 직업적으로 자동차나 기계 등을 운전하는 사람을 뜻하는 낱말로도 쓰여.

예 우리 동네 버스 기사 아저씨는 매우 친절하시다.

주제

主 주인 주 + 題 제목 제

뜻 이야기에서 나타내려고 하는 생각.

예 『흥부와 놀부』의 주제는 "착한 사람은 복을 받고 나쁜 사람은 벌을 받는다."야.

흐름

뜻 일이나 시간이 잇달아 나아가는 상태.

예 일어난 일을 처음, 가운데, 끝의 흐름으로 정리했다.

어법 흐르다 → 흐름

'흐르다'와 같이 형태가 바뀌는 낱말은 형태가 바뀌지 않는 부분에 받침 'ㅁ'을 붙여서 사용할 수 있어. '흐르다'는 '흐르'에 받침 'ㅁ'을 붙인 거야.

이어질 내용

이어질 + 內 안 내 + 容 얼굴 용

뜻 어떤 이야기의 흐름을 생각할 때 뒷부분에 자연스럽게 이어서 나올 수 있는 내용.

예 이야기의 뒷부분에 이어질 내용을 상상해 보자.

꼭! 알아야 할 관용어

지희야, 할머니 댁에 저녁 먹으러 가자.
지희야, 어서 가자.
네.
지희야, 할머니께서 용돈 주신다고 얼른 오라시네.
쫑긋
용돈 얘기에는 귀가 번쩍 뜨이나 보네.
쌔
앵~

○표 하기 '(귀 , 가슴)이/가 번쩍 뜨이다'는 들리는 말에 마음이 끌린다는 뜻입니다.

확인 문제

44～45쪽에서 공부한 낱말을 떠올리며 문제를 풀어 보세요.

1 낱말의 뜻을 보기에서 찾아 사다리를 타고 내려간 곳에 기호를 쓰세요.

보기
㉠ 일이 되어 가는 과정이나 상태.
㉡ 어떤 일을 겪으면서 느끼고 생각한 것.
㉢ 관심을 가지고 보살펴 주거나 도와주는 것.
㉣ 말의 빠르기, 높낮이, 세기 등과 같이 말을 할 때의 버릇이나 방식.

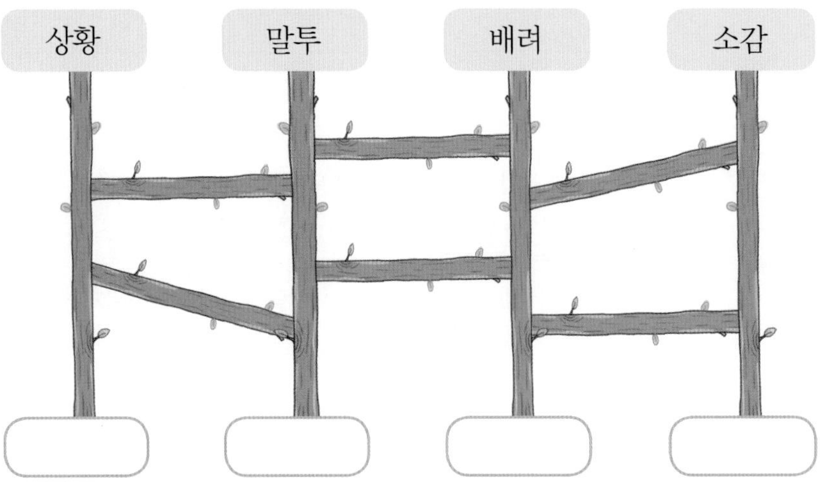

2 ( ) 안의 낱말 중 띄어쓰기가 바른 것을 골라 ○표 하세요.

(1) 음식물 쓰레기를 줄여야 한다는 생각을 (전달했다 , 전달 했다).

(2) 친구가 하는 말이 무슨 뜻인지 (이해했다 , 이해 했다).

3 ( ) 안에 들어갈 알맞은 낱말을 보기에서 찾아 쓰세요.

보기
말투 경우 소감 전달 배려

(1) 웃어른께는 공손한 ( )(으)로 말해야 한다.

(2) 친구들 앞에서 회장이 된 ( )을/를 말했다.

(3) 말을 할 때에는 듣는 사람을 ( )하며 말해야 한다.

(4) 느낌을 표현하는 ( )에는 어울리는 표정을 짓는 것이 좋다.

(5) 비가 오면 교실에서 수업을 할 것이라는 선생님의 말씀을 친구들에게 ( )했다.

46～47쪽에서 공부한 낱말을 떠올리며 문제를 풀어 보세요.

4 뜻에 알맞은 낱말을 보기에서 찾아 쓰세요.

보기

구별　　기사　　사실　　주제

(1) 실제로 있었던 일. (　　　　　　)

(2) 성질이나 종류에 따라 나누는 일. (　　　　　　)

(3) 이야기에서 나타내려고 하는 생각. (　　　　　　)

(4) 신문이나 잡지 등에서 어떤 사실을 알리는 글. (　　　　　　)

5 친구의 말과 관련 있는 낱말에 ○표 하세요.

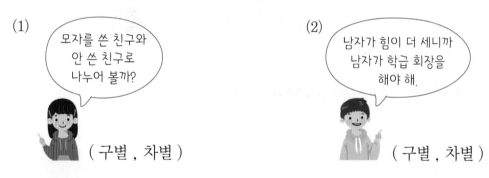

(1)

모자를 쓴 친구와
안 쓴 친구로
나누어 볼까?

(구별 , 차별)

(2)

남자가 힘이 더 세니까
남자가 학급 회장을
해야 해.

(구별 , 차별)

6 빈칸에 들어갈 알맞은 말을 글자 카드로 만들어 쓰세요.

(1) 이 글에서 전하려고 하는 [　][　]는 "어려운 이웃을 돕자."이다.

목　사　주　실　제

(2) 동화의 내용이 어떻게 이어졌는지 [　][　]을 간단히 정리해 보았다.

흐　의　름　사　견

(3) 동화책을 읽고 주인공이 다음에 어떻게 되었을지 [　][　][　] [　][　]을 상상해 보았다.

어　이　내　질　용

사회 교과서 어휘

수록 교과서 사회 4-1
2. 우리가 알아보는 지역의 역사

다음 중 낱말의 뜻을 잘 알고 있는 것에 ✓ 하세요.

□ 유형 문화재 □ 무형 문화재 □ 세계 유산 □ 지정 □ 보존 □ 유물

우리나라의 문화유산을 찍은 사진이야. 어떤 건 형태가 있고, 어떤 건 형태가 없네. 형태가 있는 문화유산과 형태가 없는 문화유산을 구분해서 부를 것 같은데, 우리 한번 알아볼까?

낱말을 읽고, 　　 부분에 밑줄을 그으면서 낱말 공부를 해 보세요.

유형 문화재

有 있을 유 + 形 모양 형 + 文 글월 문 + 化 될 화 + 財 재물 재

뜻 돌로 만든 석탑이나 책처럼 형태가 있는 문화재.

예 박물관에 가면 유형 문화재를 실제로 볼 수 있다.

▲ 김제 금산사 미륵전(유형 문화재)

이것만은 꼭!

무형 문화재

無 없을 무 + 形 모양 형 + 文 글월 문 + 化 될 화 + 財 재물 재

뜻 예술 활동이나 기술처럼 형태가 없는 문화재.

예 판소리는 무형 문화재이다.

▲ 판소리(무형 문화재)

세계 유산

世 인간 세 + 界 경계 계 + 遺 남길 유 + 産 낳을 산

뜻 유네스코가 전 세계를 위해 보호해야 한다고 인정한 문화유산 및 자연 유산.

예 한국의 갯벌은 유네스코가 정한 세계 유산이다.

관련 어휘 **유네스코(UNESCO)**

'유네스코'는 국제 연합(UN)의 여러 기구 가운데 하나야. 교육, 과학, 문화 등의 분야에서 나라들의 교류를 통해 세계 평화를 지키려는 목적으로 만들어졌어.

지정

指 가리킬 지 + 定 정할 정

뜻 어떤 것을 특별한 자격이 있는 것으로 정함.

예 유네스코 세계 유산으로 지정된 우리나라의 문화유산에는 무엇이 있나요?

1997년에 유네스코 세계 유산으로 지정된 수원 화성이야.

보존

保 지킬 보 + 存 있을 존

뜻 중요한 것을 잘 보호하여 그대로 남김.

예 소중한 문화유산을 아끼고 보존하기 위해 노력해야 한다.

비슷한말 **보호**

'보호'는 잘 지켜 원래대로 보존되게 하는 것을 뜻해.

예 문화재 보호에 앞장서자.

유물

遺 남길 유 + 物 물건 물

뜻 앞선 시대에 살았던 사람들이 뒤에 오는 시대에 남긴 물건.

예 우리는 유물을 통해 조상들의 삶을 짐작할 수 있다.

죽은 사람이 살아 있을 때 사용하다 남긴 물건은 '유품'이야. 유품을 유물이라고 하기도 해.

사회 교과서 어휘

수록 교과서 사회 4-1
2. 우리가 알아보는 지역의 역사

다음 중 낱말의 뜻을 잘 알고 있는 것에 ✔ 하세요.

□ 문화유산 안내도 □ 관람 □ 어진 □ 대웅전 □ 경관 □ 홍보

大雄殿
친구들이 충청남도 예산에 있는 수덕사를 관람하고 있어. 지금은 대웅전 앞에 서 있네. 관람을 한 뒤에는 수덕사를 알리는 자료를 만들 거래. 그러려면 관련된 낱말을 알아야겠지?

✎ 낱말을 읽고, 　　 부분에 밑줄을 그으면서 낱말 공부를 해 보세요.

문화유산 안내도

文 글월 문 + 化 될 화 + 遺 남길 유 + 産 낳을 산 + 案 인도할 안 + 內 안 내 + 圖 그림 도

'안(案)'의 대표 뜻은 '책상'이야.

뜻 지역에 있는 중요한 문화유산의 위치나 특징 등을 알려 주는 지도.

예 우리 지역의 문화유산을 소개하기 위해서 문화유산 안내도를 만들어 봅시다.

이것만은 꼭!

관람

觀 볼 관 + 覽 볼 람

뜻 연극, 영화, 운동 경기 등을 구경함.

예 문화유산을 관람할 때에는 조용히 질서를 지켜야 한다.

비슷한말 구경

'구경'은 흥미나 관심을 가지고 보는 것을 뜻해.

예 절을 구경하다.

▲ 유물을 관람하는 모습

어진
御 거느릴 어 + 眞 참 진

뜻 임금의 얼굴을 그린 그림이나 사진.

예 전주시에 있는 박물관에는 조선 시대 임금의 얼굴을 그린 어진이 전시되어 있다.

전주 어진 박물관에 있는 태조 이성계의 초상화야. 이런 걸 '어진'이라고 해.

대웅전
大 클 대 + 雄 수컷 웅 + 殿 큰 집 전

뜻 절에서 가장 중요한 불상을 모신 곳.

예 많은 사람들이 그 절에서 가장 널리 알려진 불상을 보기 위해 대웅전으로 갔다.

▲ 고창 선운사 참당암 대웅전

경관
景 경치 경 + 觀 볼 관

뜻 산이나 들, 강, 바다 등의 자연이나 주변의 전체적인 모습.

예 절에 가면 주변의 경관도 함께 살펴보는 것이 좋다.

비슷한말 경치, 풍경

'경관'과 뜻이 비슷한 낱말에는 '경치'와 '풍경'이 있어. 모두 자연이나 지역의 모습을 뜻해.

홍보
弘 넓을 홍 + 報 알릴 보

뜻 널리 알림.

예 우리 고장의 문화유산을 많은 사람들에게 널리 알릴 수 있도록 홍보 자료를 만들어 보자.

확인 문제

50～51쪽에서 공부한 낱말을 떠올리며 문제를 풀어 보세요.

1 낱말과 그 뜻을 알맞게 선으로 이으세요.

(1) 유물 •　　　　• 중요한 것을 잘 보호하여 그대로 남김.

(2) 보존 •　　　　• 앞선 시대에 살았던 사람들이 뒤에 오는 시대에 남긴 물건.

(3) 세계 유산 •　　　　• 유네스코가 전 세계를 위해 보호해야 한다고 인정한 문화유산 및 자연 유산.

2 친구가 말한 뜻을 가진 낱말은 무엇인지 빈칸에 알맞은 말을 쓰세요.

(1)

판소리처럼
형태가 없는 문화재야.

[　][　] 문화재

(2)

석탑이나 책처럼
형태가 있는 문화재야.

[　][　] 문화재

3 밑줄 친 낱말의 쓰임이 알맞으면 ○표, 알맞지 않으면 ×표로 가서 몇 번으로 나오는지 쓰세요.

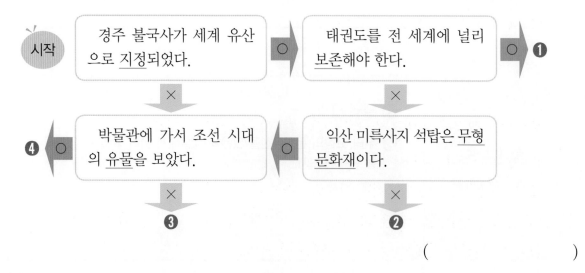

시작 → 경주 불국사가 세계 유산으로 <u>지정</u>되었다.
- ○ → 태권도를 전 세계에 널리 <u>보존</u>해야 한다.
  - ○ → ❶
  - × → 익산 미륵사지 석탑은 <u>무형 문화재</u>이다.
    - ○ → 박물관에 가서 조선 시대의 <u>유물</u>을 보았다.
    - × → ❷
- × → 박물관에 가서 조선 시대의 <u>유물</u>을 보았다.
  - ○ → ❹
  - × → ❸

(　　　　　　　　)

52～53쪽에서 공부한 낱말을 떠올리며 문제를 풀어 보세요.

4 뜻에 알맞은 낱말이 되도록 보기 에서 글자를 찾아 쓰세요.

보기

홍	양
구	관
어	대
웅	소

(1) 널리 알림. → [ ] 보

(2) 연극, 영화, 운동 경기 등을 구경함. → [ ] 람

(3) 임금의 얼굴을 그린 그림이나 사진. → [ ] 진

(4) 절에서 가장 중요한 불상을 모신 곳. → [ ] [ ] 전

5 다음 뜻을 가진 낱말은 무엇인지 빈칸에 알맞은 말을 쓰세요.

지역에 있는 중요한 문화유산의 위치나 특징 등을 알려 주는 지도.

문화유산 [ ] [ ] [ ]

6 밑줄 친 낱말과 뜻이 비슷한 낱말을 두 가지 고르세요. (　　　,　　　)

주변 경관을 둘러보았다.

① 경치　② 관광　③ 상태
④ 풍경　⑤ 상황

7 밑줄 친 낱말의 쓰임이 알맞으면 ○표, 알맞지 않으면 ×표 하세요.

(1) 가을 풍경이 담긴 어진이 전시되어 있다. (　　　)

(2) 설악산은 경관이 아름다운 산으로 유명하다. (　　　)

(3) 절에서 가장 중요한 불상은 대웅전에 가면 볼 수 있다. (　　　)

(4) 기차 시간을 알아보기 위해서 문화유산 안내도를 보았다. (　　　)

수학 교과서 어휘

수록 교과서 수학 4-1
2. 각도

다음 중 낱말의 뜻을 잘 알고 있는 것에 ✔ 하세요.

☐ 예각 ☐ 둔각 ☐ 떼다 ☐ 구하다 ☐ 맞대다 ☐ 기울다

친구들이 응원 막대를 이용해서 응원을 하고 있어. 응원 막대를 직각보다 작게 벌리기도 하고, 크게 벌리기도 했어. 직각보다 큰 각과 직각보다 작은 각을 각각 무엇이라고 하는지 알아볼까?

낱말을 읽고, 　　　 부분에 밑줄을 그으면서 낱말 공부를 해 보세요.

예각

銳 날카로울 예 + 角 모 각
'각(角)'의 대표 뜻은 '뿔'이야.

뜻 각도가 0°보다 크고 직각인 90°보다 작은 각.

예 1시 15분일 때 긴바늘과 짧은바늘이 이루는 각은 예각이다.

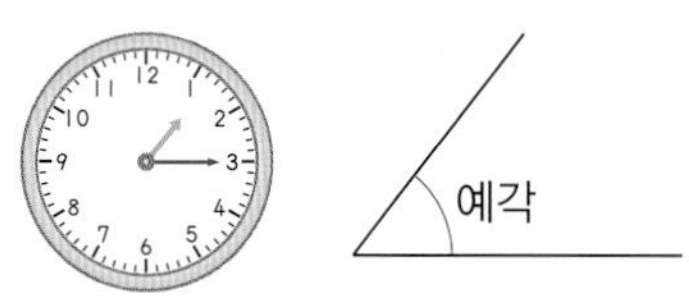

이것만은 꼭!

둔각

鈍 둔할 둔 + 角 모 각

뜻 각도가 직각인 90°보다 크고 180°보다 작은 각.

예 1시 45분일 때 긴바늘과 짧은바늘이 이루는 각은 둔각이다.

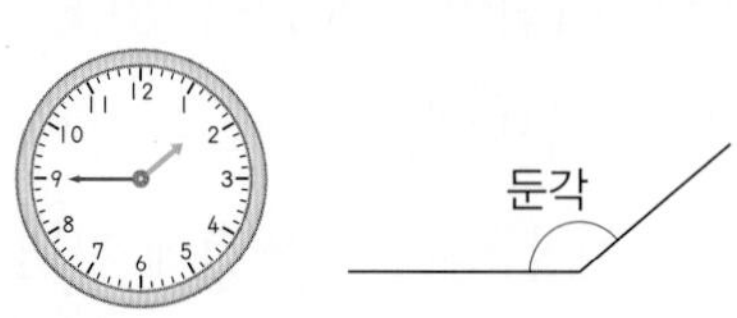

떼다

뜻 붙어 있거나 이어져 있는 것을 떨어지게 하다.

예 각도기를 이용해 각도가 90°가 되는 곳에 점을 표시한 뒤, 각도기를 떼고 자를 이용해 선을 그린다.

헷갈리는 말 **때다**

'때다'는 "난로 등에 불을 태우다."라는 뜻이니까 '떼다'와 구분해서 써야 해.
예 스티커를 떼다. / 불을 때다.

구하다

求 구할 구 + 하다

뜻 문제에 대한 답이나 수, 양을 알아내다.

예 물건들 사이의 각도를 재서 다양한 각을 구해 보세요.

글자는 같지만 뜻이 다른 낱말 **구하다**

'구하다'는 "어렵거나 위험한 상황에서 벗어나게 하다."라는 전혀 다른 뜻으로도 쓰여. 예 물에 빠진 사람을 구하다.

맞대다

뜻 서로 마주 닿게 하다.

예 각의 한 변을 맞댄 뒤 두 각도의 차를 각도기로 재어 구해 보세요.

'맞대다'와
'맞추다'는
뜻이 비슷해.

기울다

뜻 비스듬하게 한쪽이 낮아지거나 비뚤어지다.

예 놀이터에 있는 미끄럼틀은 30° 정도 기울어져 있다.

시소가 한쪽으로
기울어져 있네!

수학 교과서 어휘

수록 교과서 수학 4-1
3. 곱셈과 나눗셈

다음 중 낱말의 뜻을 잘 알고 있는 것에 ✔ 하세요.

☐ 계산식 ☐ 사용량 ☐ 절약 ☐ 달 ☐ 쪽수 ☐ 값

1. 우리나라 사람 1인당 하루 물 사용량이 282L일 때, 20명이 하루에 사용하는 물의 양은?

☐ × ☐ = ☐

2. 동화책의 전체 쪽수가 210쪽일 때, 일주일 동안 다 읽으려면 일정하게 하루에 읽어야 하는 쪽수는?

☐ ÷ ☐ = ☐

친구가 곱셈 문제와 나눗셈 문제를 풀어야 해. 계산식을 잘 만들려면 문장에 나온 낱말의 뜻도 알아야겠다. 우리도 필요한 낱말을 공부해서 곱셈과 나눗셈 문제를 잘 풀어 보자.

✎ 낱말을 읽고, ______ 부분에 밑줄을 그으면서 낱말 공부를 해 보세요.

이것만은 꼭!

계산식

計 셀 계 + 算 셈 산 + 式 법 식

뜻 어떤 셈을 하기 위해서 숫자나 문자를 +, −, ×, ÷ 같은 기호로 연결한 것.

예 다음 문장을 읽고, 계산식을 만들어 계산해 보세요.

곱셈식: 150 × 30 = 4500

나눗셈식: 180 ÷ 30 = 6

이런 걸 계산식이라고 해.

사용량

使 부릴 사 + 用 쓸 용 + 量 헤아릴 량

뜻 쓰는 양.

예 손을 한 번 씻을 때의 물 사용량을 어떻게 구할 수 있을까요?

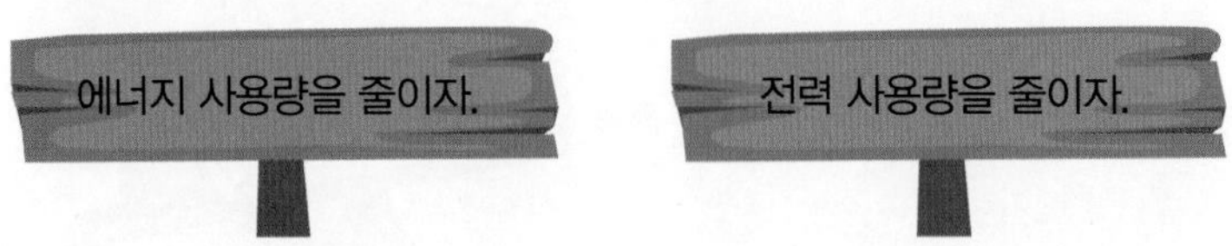

에너지 사용량을 줄이자.
전력 사용량을 줄이자.

정답과 해설 ▶ 25쪽

절약

節 절약할 절 + 約 아낄 약

'절(節)'의 대표 뜻은 '마디', '약(約)'의 대표 뜻은 '맺다'야.

뜻 꼭 필요한 데에만 써서 아낌.

예 수민이가 손을 한 번 씻을 때 어제와 비교해서 오늘 절약한 물의 양을 구해 보세요.

반대말 낭비

'낭비'는 돈, 시간, 물건 등을 함부로 쓰는 것을 뜻해.

예 용돈을 낭비하다.

달

뜻 일 년을 열둘로 나눈 것 가운데 하나를 세는 말.

예 한 달 동안 아낀 물의 양을 구해 보세요.

'달' 앞에 수를 나타내는 말이 오면 띄어 써야 해.
한 달, 두 달!

쪽수

쪽 + 數 셈 수

뜻 신문이나 책의 페이지 수.

예 두 책의 쪽수를 더해 보자.

비슷한말 면수

'면수'는 신문이나 책의 페이지 수를 말해.

예 신문의 면수가 많다.

값

뜻 물건을 얼마에 사고팔지 정해 놓은 것.

예 2000원으로 공책을 5권 샀다면, 공책 한 권의 값은 얼마인가요?

비슷한말 가격

'가격'은 물건의 값을 말해.

예 과일 가격이 싸다.

확인 문제

56～57쪽에서 공부한 낱말을 떠올리며 문제를 풀어 보세요.

1 뜻에 알맞은 낱말을 빈칸에 쓰세요.

(1)

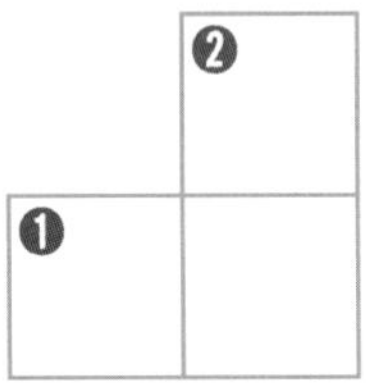

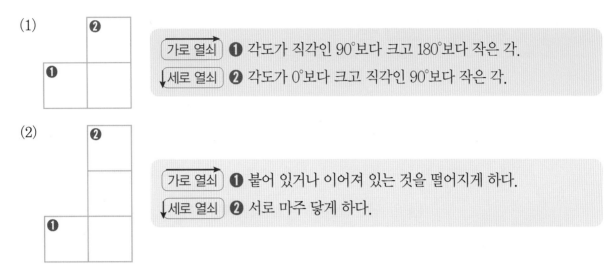

가로 열쇠 ❶ 각도가 직각인 90°보다 크고 180°보다 작은 각.

세로 열쇠 ❷ 각도가 0°보다 크고 직각인 90°보다 작은 각.

(2)

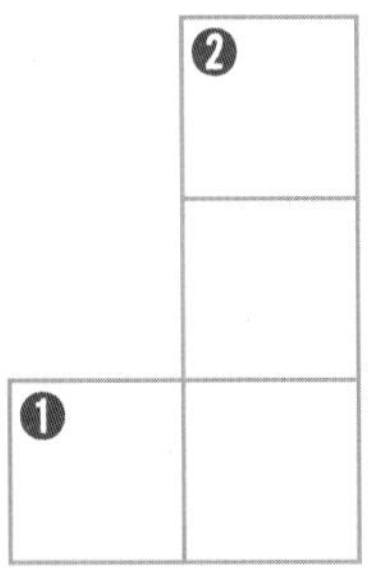

가로 열쇠 ❶ 붙어 있거나 이어져 있는 것을 떨어지게 하다.

세로 열쇠 ❷ 서로 마주 닿게 하다.

2 (　　) 안에 들어갈 알맞은 낱말을 보기에서 찾아 쓰세요.

보기

떼고　　　　때고

(1) 날씨가 추워서 난로에 불을 (　　　　　) 잤다.

(2) 자를 대고 선을 그은 다음 자를 (　　　　　) 이어서 그림을 그린다.

3 빈칸에 공통으로 들어갈 낱말에 ○표 하세요.

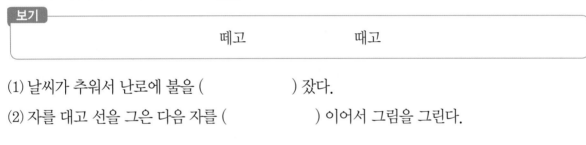

• 목숨을 바쳐 나라를 [　　].
• 친구의 도움을 받아 문제의 답을 [　　].

(구했다 , 위했다 , 틀렸다)

4 밑줄 친 낱말의 쓰임이 알맞으면 ○표, 알맞지 않으면 ×표 하세요.

(1) 허리를 90°보다 더 숙여 <u>둔각</u>을 만들었다. (　　　)

(2) 두 줄의 길이를 비교하기 위해서 줄을 <u>맞대었다</u>. (　　　)

(3) 지붕에 걸쳐 놓은 사다리의 <u>기울어진</u> 각도를 재 보았다. (　　　)

58～59쪽에서 공부한 낱말을 떠올리며 문제를 풀어 보세요.

5 뜻에 알맞은 낱말을 색칠하고, 어떤 숫자가 나오는지 쓰세요.(낱말은 가로(—), 세로(|) 방향에 숨어 있어요.)

값	사	절	약
수	용	달	계
확	량	비	산
량	쪽	수	식

❶ 쓰는 양.
❷ 신문이나 책의 페이지 수.
❸ 꼭 필요한 데에만 써서 아낌.
❹ 어떤 셈을 하기 위해서 숫자나 문자를 +, −, ×, ÷ 같은 기호로 연결한 것.

(　　　　　　　　)

6 밑줄 친 낱말의 반대말은 무엇인가요? (　　　　)

한 달 동안 민지네 가족이 절약한 물의 양을 구해 보았다.

① 부족　② 저장　③ 낭비
④ 추가　⑤ 완성

7 빈칸에 들어갈 알맞은 낱말에 ○표 하세요.

(1) 한 [　　　] 동안 실천한 횟수를 세 보았다. (달 , 개)

(2) 연필 한 자루의 [　　　]이/가 300원이므로 5자루를 사려면 1500원이 필요하다. (값 , 수)

(3) 이 책은 [　　　]이/가 많아서 읽는 데 오래 걸려. (가격 , 쪽수)

(4) 우리 가족은 전기 [　　　]을 줄이기 위해 노력하고 있다. (사용량 , 운동량)

2주차 4회

과학 교과서 어휘

수록 교과서 과학 4-1
3. 식물의 한살이

다음 중 낱말의 뜻을 잘 알고 있는 것에 ✔ 하세요.

□ 씨 □ 식물의 한살이 □ 뿌리 □ 줄기 □ 떡잎 □ 본잎

사진 속 식물은 강낭콩이야. 친구가 강낭콩을 키우면서 자라는 과정을 찍었대. 식물이 자라는 과정과 관련 있는 낱말을 공부해 보자.

낱말을 읽고, 　　　 부분에 밑줄을 그으면서 낱말 공부를 해 보세요.

씨

뜻 식물의 열매 속에 있는, 앞으로 싹이 터서 자라게 될 단단한 물질.

예 화분에 씨를 심으면 싹이 난다.

비슷한말 씨앗

'씨앗'은 곡식이나 채소, 꽃 등의 씨를 말해.

예 밭에 씨앗을 뿌렸다.

▲ 호박씨 ▲ 수박씨

이것만은 꼭!

식물의 한살이

植 심을 식 + 物 물건 물 + 의 한살이

뜻 식물의 씨가 싹 터서 자라며, 꽃이 피고 열매를 맺어 다시 씨가 만들어지는 과정.

예 식물을 직접 기르면서 식물의 한살이를 관찰해 보자.

관련 어휘 한살이

'한살이'는 태어나서 죽을 때까지의 동안을 말해.

예 동물의 한살이.

뿌리

뜻 땅속으로 뻗어서 몸을 받치고 물과 영양분을 빨아올리는 식물의 한 부분.

예 강낭콩이 싹 터서 자라는 과정을 살펴보면 먼저 땅속에서 뿌리가 나오고 껍질이 벗겨진다.

여러 가지 뜻을 가진 낱말 뿌리

'뿌리'는 다른 곳에 깊게 박힌 사물의 아랫부분을 뜻하기도 해.

예 치아의 뿌리가 흔들려서 치과에 갔다.

줄기

뜻 식물을 받치고 뿌리에서 빨아들인 물이나 영양분을 나르며, 잎이나 가지, 열매 등이 붙는 부분.

예 강낭콩이 자라면서 줄기가 점점 굵어지고 길어졌다.

떡잎

뜻 씨앗에서 싹이 틀 때 처음에 나오는 잎.

예 강낭콩을 심고 7~10일이 지나면 땅 위로 떡잎 두 장이 나온다.

속담 될성부른 나무는 떡잎부터 알아본다

앞으로 크게 잘 자랄 나무는 떡잎부터 다른 것처럼, 잘될 사람은 어려서부터 남달리 앞으로 잘될 가능성이 보인다는 뜻이야.

본잎

本 근본 본 + 잎

뜻 떡잎 뒤에 나오는 잎.

예 떡잎이 나온 뒤에는 떡잎 사이에서 본잎이 나온다.

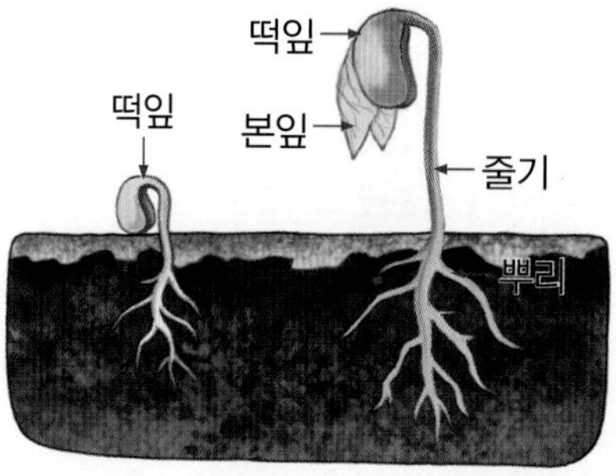

과학 교과서 어휘

수록 교과서 과학 4-1
3. 식물의 한살이

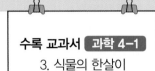

다음 중 낱말의 뜻을 잘 알고 있는 것에 ✔ 하세요.

☐ 한해살이 식물 ☐ 여러해살이 식물 ☐ 새순 ☐ 꼬투리 ☐ 조건 ☐ 품종

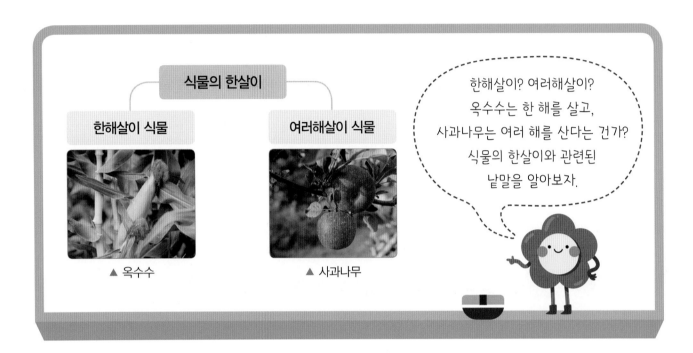

식물의 한살이

한해살이 식물

▲ 옥수수

여러해살이 식물

▲ 사과나무

한해살이? 여러해살이?
옥수수는 한 해를 살고,
사과나무는 여러 해를 산다는 건가?
식물의 한살이와 관련된
낱말을 알아보자.

낱말을 읽고, 부분에 밑줄을 그으면서 낱말 공부를 해 보세요.

한해살이 식물

한해살이 + 植 심을 식 + 物 물건 물

뜻 한 해만 사는 식물.

예 벼는 한 해만 사는 한해살이 식물이다.

▲ 벼

이것만은 꼭!

여러해살이 식물

여러해살이 + 植 심을 식 + 物 물건 물

뜻 여러 해 동안 죽지 않고 살아가는 식물.

예 개나리, 감나무, 사과나무 등은 몇 년 동안 죽지 않고 살아가는 여러해살이 식물이다.

▲ 감나무

새순

새 + 筍 죽순 순

뜻 나무의 가지나 풀의 줄기에서 새로 돋아 나는 잎.

예 봄이 되면 나뭇가지에서 새순이 나온다.

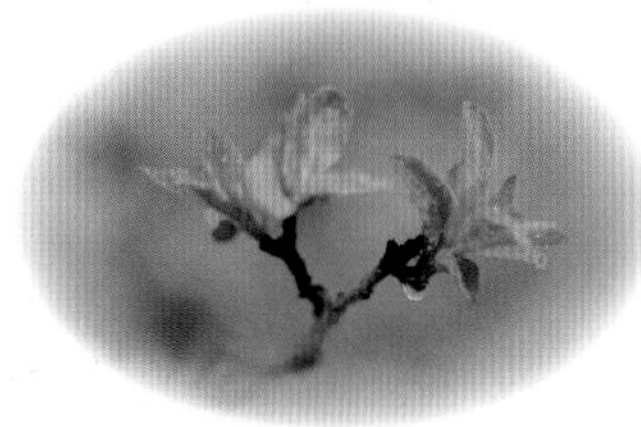

여러해살이 식물은 열매가 떨어진 뒤에도 나뭇가지가 죽지 않고 살아남아 다음 해에 새순이 나.

꼬투리

뜻 콩이나 팥과 같은 식물의 씨앗을 싸고 있는 껍질.

예 꼬투리 속에 들어 있는 강낭콩이 땅에 떨어지면 다시 싹이 트고 자란다.

▲ 콩 꼬투리

조건

條 가지 조 + 件 사건 건

뜻 어떤 일을 이루기 위해 미리 갖추어야 하는 것.

예 씨가 싹 트는 데 필요한 조건을 알아보는 실험을 했다.

비슷한말 요건

'요건'은 어떤 일을 하는 데 필요한 조건을 뜻해.

예 요건을 갖추어야 그 학교에 입학할 수 있어.

품종

品 물건 품 + 種 종류 종

'종(種)'의 대표 뜻은 '씨'야.

뜻 한 덩어리의 종으로 묶은 생물을 그 특성에 따라 더 작게 나눈 것.

예 강낭콩은 콩의 종류에 속하지만 품종이 150여 종이나 된다.

관련 어휘 종

'종'은 생물을 나누는 가장 기본적인 단위를 말해. 일반적으로 생물의 종류라고 하는 것이 종에 해당해.

확인 문제

62～63쪽에서 공부한 낱말을 떠올리며 문제를 풀어 보세요.

1 뜻에 알맞은 말이 되도록 보기에서 글자를 찾아 쓰세요.

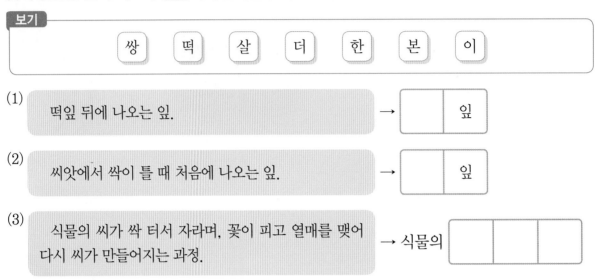

보기

쌍　떡　살　더　한　본　이

(1) 떡잎 뒤에 나오는 잎. → ☐ 잎

(2) 씨앗에서 싹이 틀 때 처음에 나오는 잎. → ☐ 잎

(3) 식물의 씨가 싹 터서 자라며, 꽃이 피고 열매를 맺어 다시 씨가 만들어지는 과정. → 식물의 ☐☐☐

2 빈칸에 들어갈 알맞은 낱말은 무엇인가요? (　　　　)

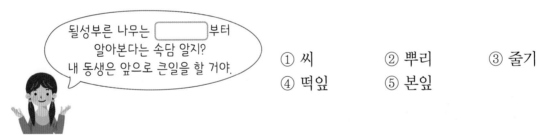

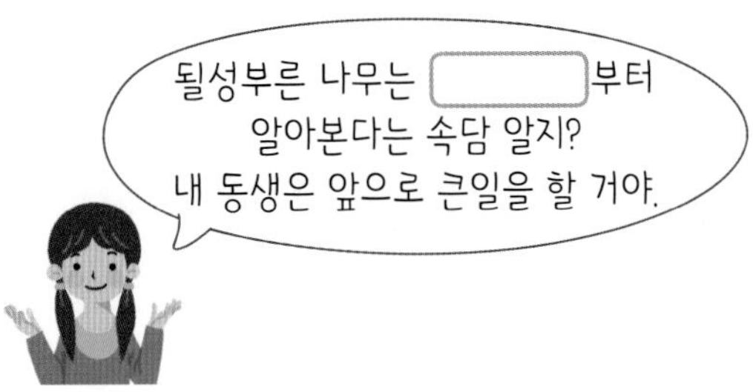

될성부른 나무는 ☐ 부터
알아본다는 속담 알지?
내 동생은 앞으로 큰일을 할 거야.

① 씨　② 뿌리　③ 줄기
④ 떡잎　⑤ 본잎

3 (　) 안에 들어갈 알맞은 낱말을 보기에서 찾아 쓰세요.

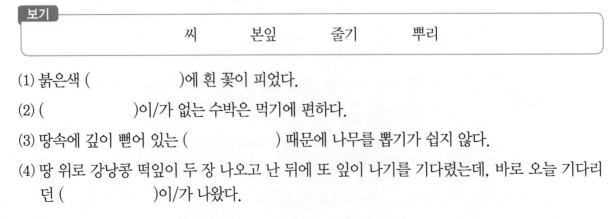

보기

씨　본잎　줄기　뿌리

(1) 붉은색 (　　　　　　)에 흰 꽃이 피었다.

(2) (　　　　　　)이/가 없는 수박은 먹기에 편하다.

(3) 땅속에 깊이 뻗어 있는 (　　　　　　) 때문에 나무를 뽑기가 쉽지 않다.

(4) 땅 위로 강낭콩 떡잎이 두 장 나오고 난 뒤에 또 잎이 나기를 기다렸는데, 바로 오늘 기다리던 (　　　　　　)이/가 나왔다.

64~65쪽에서 공부한 낱말을 떠올리며 문제를 풀어 보세요.

4 낱말의 뜻은 무엇인지 빈칸에 들어갈 알맞은 말을 완성하세요.

(1) 새순 | 나무의 가지나 풀의 줄기에서 새로 돋아나는 [ㅇ].

(2) 꼬투리 | 콩이나 팥과 같은 식물의 씨앗을 싸고 있는 [ㄲ][ㅈ].

(3) 품종 | 한 덩어리의 종으로 묶은 생물을 그 [ㅌ][ㅅ]에 따라 더 작게 나눈 것.

5 다음 뜻을 가진 낱말은 무엇인지 빈칸에 알맞은 말을 쓰세요.

(1) 한 해만 사는 식물. → [ ][ ][ ][ ] 식물

(2) 여러 해 동안 죽지 않고 살아가는 식물. → [ ][ ][ ][ ][ ] 식물

6 뜻이 비슷한 낱말끼리 짝 지은 것에 ○표 하세요.

(1) 품종 – 품질 ( )

(2) 조건 – 요건 ( )

(3) 꼬투리 – 알맹이 ( )

7 ( ) 안에서 알맞은 낱말을 골라 ○표 하세요.

(1) 빛은 씨가 싹 트는 데 필요한 (규칙 , 조건)은 아니다.

(2) (꽃 , 꼬투리) 속에 들어 있는 콩의 개수를 세어 보았다.

(3) 눈이 녹은 자리에 (새순 , 줄기)이/가 파릇파릇 돋아났다.

(4) 우리 연구진은 새로운 식물 (인종 , 품종)을 개발하기 위해 연구하고 있다.

(5) (한해살이 , 여러해살이) 식물은 여러 해를 살면서 열매 맺는 것을 반복한다.

한자 어휘

各(각)이 들어간 낱말

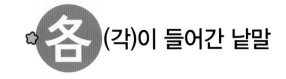

'各(각)'이 들어간 낱말을 읽고, 　　　 부분에 밑줄을 그으면서 낱말 공부를 해 보세요.

各
각각 각

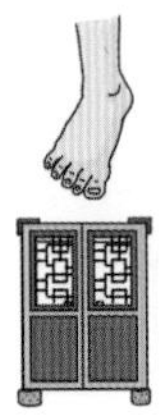

'각(各)'은 발과 입구를 합해 표현한 글자야. 입구 가까이에 발이 있다는 것에서 '도착하다'라는 뜻으로 쓰이다가 이후에 여럿이 따로 도착한다 해서 '각각'이라는 뜻을 갖게 되었어. '여러'라는 뜻을 나타낼 때도 있어.

各자 / 各기 / 各양各색 / 各종

각각 各

각자

各 각각 각 + 自 스스로 자

뜻 각각의 사람. 또는 각각 자기 자신.

예 친구들은 각자의 위치로 돌아갔다.

각기

各 각각 각 + 基 그 기

뜻 각각 저마다.

예 세계 여러 나라는 각기 다른 문화를 가지고 있다.

여러 各

각양각색

各 여러 각 + 樣 모양 양 + 各 여러 각 + 色 빛 색

뜻 여러 가지 모양과 색깔.

예 꽃밭에는 각양각색의 꽃들이 피어 있다.

비슷한말 가지각색, 형형색색

'가지각색'과 '형형색색'은 모양과 색이 서로 다른 여러 가지를 뜻해.

각종

各 여러 각 + 種 종류 종

'종(種)'의 대표 뜻은 '씨'야.

뜻 여러 가지 종류.

예 우리는 각종 나물로 비빔밥을 만들어 먹었다.

정답과 해설 ▶ 30쪽

心(심)이 들어간 낱말

'心(심)'이 들어간 낱말을 읽고, 부분에 밑줄을 그으면서 낱말 공부를 해 보세요.

心

마음 심

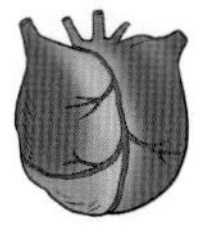

'심(心)'은 사람이나 동물의 심장을 본뜬 글자야. 그래서 '심장'을 뜻해. 또 심장은 중앙에 있으니까 '중심'이라는 뜻도 가지지. 옛날 사람들은 감정과 관련된 일을 심장이 한다고 생각했어. 그래서 '심(心)'이 '마음'을 뜻하기도 해.

작心삼일
애국心
원心력
心혈

마음 心

작심삼일

作 지을 작 + 心 마음 심 + 三 석 삼 + 日 날 일

뜻 단단히 먹은 마음이 사흘(3일)을 가지 못한다는 뜻으로, 결심이 굳지 못함을 이르는 말.

예 담배를 끊겠다는 아빠의 결심은 작심삼일로 끝났다.

애국심

愛 사랑 애 + 國 나라 국 + 心 마음 심

뜻 자기 나라를 사랑하는 마음.

예 그 사람은 누구보다 애국심이 강했기 때문에 나라를 위해 목숨을 바칠 수 있었다.

중심 · 심장 心

원심력

遠 멀 원 + 心 중심 심 + 力 힘 력

뜻 원을 도는 운동을 하는 물체가 중심에서 바깥으로 나아가려는 힘.

예 둥근 경기장을 달리던 선수는 원심력에 의해 몸이 밖으로 휘었다.

심혈

心 심장 심 + 血 피 혈

뜻 심장의 피.

예 살이 많이 찐 사람은 심혈 기능이 좋지 않을 수 있다.

여러 가지 뜻을 가진 낱말 심혈

'심혈'은 마음과 힘을 뜻하기도 해.

예 심혈을 기울여 작품을 완성하다.

확인 문제

68쪽에서 공부한 낱말을 떠올리며 문제를 풀어 보세요.

1 낱말의 뜻을 보기에서 찾아 사다리를 타고 내려간 곳에 기호를 쓰세요.

보기

㉠ 각각 저마다.
㉡ 여러 가지 종류.
㉢ 여러 가지 모양과 색깔.
㉣ 각각의 사람. 또는 각각 자기 자신.

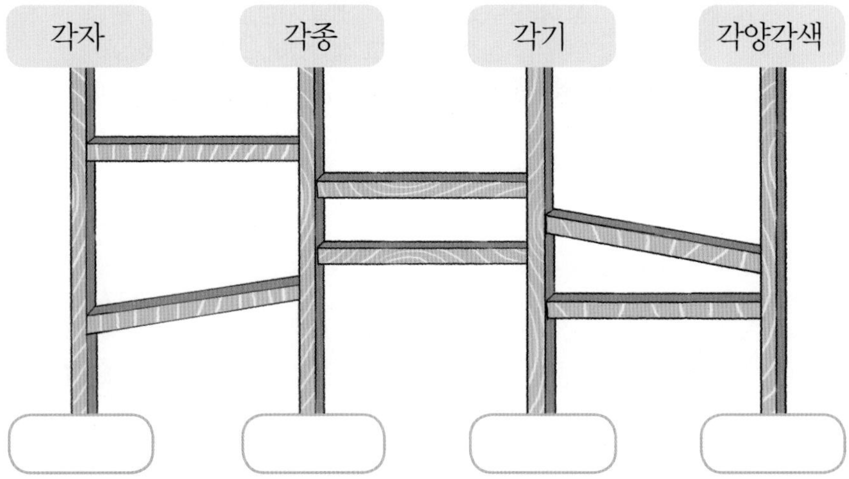

2 빈칸에 들어갈 낱말로 알맞은 것을 모두 고르세요. (　　　,　　　,　　　)

시장에서는 [　　　]의 물건들을 팔고 있다.

① 가지각색　② 각양각색　③ 시시각각
④ 우왕좌왕　⑤ 형형색색

3 (　　) 안에서 알맞은 낱말을 골라 ○표 하세요.

(1) 나는 (각종 , 최종) 운동을 다 배웠다.

(2) 우리는 (혼자 , 각자)의 일로 매우 바빴다.

(3) 두 상품은 (각기 , 자기) 다른 기능을 가졌다.

69쪽에서 공부한 낱말을 떠올리며 문제를 풀어 보세요.

4 뜻에 알맞은 낱말을 보기에서 찾아 쓰세요.

보기

원심력 애국심 작심삼일

(1) 자기 나라를 사랑하는 마음. (   )

(2) 원을 도는 운동을 하는 물체가 중심에서 바깥으로 나아가려는 힘. (   )

(3) 단단히 먹은 마음이 사흘을 가지 못한다는 뜻으로, 결심이 굳지 못함을 이르는 말.

(   )

5 밑줄 친 낱말의 뜻으로 알맞은 것에 ○표 하세요.

의사는 환자를 살리기 위해 심혈을 다했다.

(1) 심장의 피. (   ) (2) 마음과 힘. (   )

6 빈칸에 들어갈 알맞은 낱말을 글자 카드로 만들어 쓰세요.

(1) 등 푸른 생선을 많이 먹으면 [ ][ ]이 맑아져 심장 건강에 좋다.

심 삼 혈 일 작

(2) 우주선이 지구 주위를 엄청 빠른 속도로 돌아서 [ ][ ][ ]이 생겼다.

속 원 능 심 력

(3) 동생은 한번 하려고 마음먹은 일은 꼭 잘 지켜서 [ ][ ][ ][ ]로 끝나지 않게 한다.

삼 작 혈 심 일

(4) 유관순이 죽음을 두려워하지 않고 3 · 1 운동에 참가한 것은 [ ][ ][ ] 때문이다.

애 원 력 국 심

앞에서 공부한 낱말을 떠올리며 문제를 풀어 보세요.

낱말 뜻

1 뜻에 알맞은 낱말에 ○표 하세요.

(1) 이야기에서 나타내려고 하는 생각. (소감 , 주제)

(2) 어떤 것을 특별한 자격이 있는 것으로 정함. (보존 , 지정)

(3) 어떤 일을 이루기 위해 미리 갖추어야 하는 것. (상황 , 조건)

(4) 각도가 직각인 90°보다 크고 180°보다 작은 각. (둔각 , 예각)

비슷한말

2 뜻이 비슷한 낱말끼리 짝 짓지 않은 것은 무엇인가요? ( )

① 값 – 가격 ② 경관 – 풍경 ③ 말투 – 어투
④ 전달 – 홍보 ⑤ 보존 – 보호

반대말

3 다음 문장에서 뜻이 서로 반대되는 두 낱말을 찾아 ○표 하세요.

에너지를 낭비하는 사람이 많아서 에너지 절약 포스터를 그려서 붙였다.

글자는 같지만 뜻이 다른 낱말

4 밑줄 친 낱말과 같은 뜻으로 쓰인 것에 ○표 하세요.

인터넷 기사에 수천 개의 댓글이 달렸다.

(1) 아버지는 택시 기사를 하고 계신다. ( )

(2) 신문에 강도 사건에 대한 기사가 났다. ( )

헷갈리는 말

5 ~ 6 빈칸에 들어갈 알맞은 낱말을 찾아 선으로 이으세요.

5 새 학기가 되어 예전 작품을 게시판에서 (   ) 새로운 작품을 붙였다. •

• 때고

• 떼고

6 나와 언니는 쌍둥이라서 사람들이 누가 언니이고 나인지 (   )하지 못한다. •

• 구별

• 차별

낱말 활용

7 ~ 10 (   ) 안에 들어갈 알맞은 낱말을 보기에서 찾아 쓰세요.

보기

유물　　무형　　품종　　한해살이

7 새로운 토마토 (   )이/가 개발되었다.

8 민속 박물관에 가면 조상의 (   )을/를 많이 볼 수 있다.

9 (   ) 식물은 다음 해에 또 키우려면 씨를 다시 심어야 한다.

10 머리에 탈을 쓰고 연극을 하거나 춤을 추는 탈춤은 (   ) 문화재이다.

3주차 어휘 미리 보기

한 주 동안
공부할 어휘들이야.
쏙 한번 훑어볼까?

1회 학습 계획일 ( )월 ( )일

국어 교과서 어휘

회의	사회자
절차	채택
개회	기회
주제 선정	사전
주제 토의	기본형
표결	싣다

2회 학습 계획일 ( )월 ( )일

사회 교과서 어휘

업적	주민
발명품	공공 기관
읍성	민원
인재	도청
노비	교육청
화폐	견학

3회 학습 계획일 ( )월 ( )일

수학 교과서 어휘

이동	막대그래프
위치	눈금
밀다	수
뒤집다	역대
돌리다	종목
조각	장단점

4회 학습 계획일 ( )월 ( )일

과학 교과서 어휘

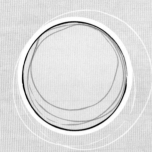

무게	수평
그램중	받침점
저울	양팔저울
용수철저울	전자저울
영점 조절	회전
기기	인공 중력

5회 학습 계획일 ( )월 ( )일

한자 어휘

이구동성	십중팔구
이목구비	중앙
출구	부재중
배수구	중식

어휘력 테스트

국어 교과서 어휘

수록 교과서 국어 4-1 ㉯
6. 회의를 해요

다음 중 낱말의 뜻을 잘 알고 있는 것에 ✔ 하세요.

□ 회의 □ 절차 □ 개회 □ 주제 선정 □ 주제 토의 □ 표결

낱말을 읽고, ▭ 부분에 밑줄을 그으면서 낱말 공부를 해 보세요.

이것만은 꼭!

회의

會 모일 회 + 議 의논할 의

뜻 여러 사람이 모여 어떤 문제에 대해 의견을 나누는 것.

예 가족 여행 장소를 정하기 위해서 가족들이 모여 회의를 했다.

글자는 같지만 뜻이 다른 낱말 회의

'회의'는 마음속에 품은 의심을 뜻하는 낱말로도 쓰여.

예 내가 이 일을 끝마칠 수 있을지에 대한 회의가 생겼다.

피겨 스케이팅 선수가 될
수 있을까? 회의가 드네.

절차

節 마디 절 + 次 버금 차

뜻 일을 해 나갈 때 거쳐야 하는 차례나 방법.

예 회의 절차에 따라 이번에는 주제를 정하도록 하겠습니다.

비슷한말 순서

'순서'는 어떤 일이 이루어지는 차례를 뜻해.

예 경기 순서는 가위바위보를 해서 정하자.

개회

開 열 개 + 會 모일 회

뜻 회의를 시작하는 것.

예 회의의 첫 번째 절차는 '개회'로, 회의의 시작을 알린다.

반대말 폐회

'폐회'는 회의를 끝내는 것을 뜻해.

예 오늘 회의를 이만 폐회하겠습니다.

주제 선정

主 주인 **주** + 題 제목 **제** + 選 가릴 **선** + 定 정할 **정**

뜻 회의할 때 주제를 정하는 것.

예 학급 회의 주제를 정하기 위해서 **주제 선정** 시간을 가졌다.

관련 어휘 선정

'선정'은 여럿 가운데서 어떤 것을 뽑아 정하는 것을 뜻해.

예 내 작품이 선정되었다.

주제 토의

主 주인 **주** + 題 제목 **제** + 討 찾을 **토** + 議 의논할 **의**

'토(討)'의 대표 뜻은 '치다'야.

뜻 회의에 참여한 사람들이 주제에 맞는 의견을 제시하며 의견을 나누는 일.

예 주제 선정이 끝나면 **주제 토의** 시간을 통해 서로 의견을 나눈다.

관련 어휘 토의

'토의'는 가장 좋은 해결 방법을 찾기 위해 여럿이 함께 의논하는 것을 말해.

표결

表 겉 **표** + 決 결정할 **결**

뜻 회의에서 나온 의견에 대하여 찬성과 반대를 표시하여 결정하는 일.

예 어떤 주제로 정할지 **표결**을 하겠습니다.

꼭! 알아야 할 속담

빈칸 채우기 '윗물이 맑아야 [　　　]이 맑다'는 윗사람이 잘하면 아랫사람도 따라서 잘하게 된다는 말입니다.

3주차 1회

국어 교과서 어휘

수록 교과서 국어 4-1 ㉯
6. 회의를 해요 ~ 7. 사전은 내 친구

다음 중 낱말의 뜻을 잘 알고 있는 것에 ✔ 하세요.

□ 사회자 □ 채택 □ 기회 □ 사전 □ 기본형 □ 싣다

낱말을 읽고, 부분에 밑줄을 그으면서 낱말 공부를 해 보세요.

사회자

司 맡을 사 + 會 모일 회 + 者 놈 자

뜻 모임이나 회의 등에서 진행하는 일을 하는 사람.

예 회의에서 사회자 역할을 맡은 친구는 회의를 잘 이끌어야 한다.

비슷한말 사회

'사회'는 모임이나 회의 등에서 진행을 맡아 보는 사람을 뜻해.

예 오늘 학예 발표회의 사회를 소개하겠습니다.

학예발표회
사회자

채택

採 고를 채 + 擇 가릴 택

'채(採)'의 대표 뜻은 '캐다'야.

뜻 여럿 가운데 골라서 뽑아 쓰는 것.

예 20명 가운데 15명이 찬성했으므로 채택하겠습니다.

비슷한말 선택

'선택'은 여럿 중에서 필요한 것을 골라 뽑는 것을 뜻해.

예 많은 물건 중 가운데에 있는 것을 선택했다.

기회

機 기회 기 + 會 기회 회

'기(機)'의 대표 뜻은 '틀', '회(會)'의 대표 뜻은 '모이다'야.

뜻 어떤 일을 하기에 알맞은 때.

예 회의할 때 사회자는 회의 참여자에게 말할 기회를 골고루 주어야 한다.

드디어
내가 골을 넣을
기회야!

사전

事 일 사 + 典 책 전

'전(典)'의 대표 뜻은 '법'이야.

뜻 어떤 내용을 차례대로 늘어놓고 자세하게 설명한 책.

예 널리 알려진 사람의 이름이나 한 일을 모아 이름 순서로 실은 인명사전도 사전의 종류이다.

이것만은 꼭!

기본형

基 터 기 + 本 근본 본 + 形 모양 형

뜻 형태가 바뀌는 낱말에서 형태가 바뀌지 않는 부분에 '-다'를 붙여 만드는 것.

예 형태가 바뀌는 낱말은 국어사전에서 찾을 때 기본형으로 찾아야 한다.

뛰고 / 뛰어서 (형태가 바뀌는 부분: 고, 어서 / 형태가 바뀌지 않는 부분: 뛰) → 뛰 + -다 ➡ 뛰다

싣다

뜻 글, 그림, 사진 등을 책이나 신문 등에 넣다.

예 국어사전에 낱말이 실리는 차례를 확인해 보자.

여러 가지 뜻을 가진 낱말 싣다

'싣다'는 "무엇을 나르기 위해 차, 배, 비행기 등에 올려놓다."라는 뜻도 있어.

예 차에 짐을 싣다.

꼭! 알아야 할 관용어

○표 하기 '(입 , 꼬리)이/가 빠지게'는 몹시 빨리 도망치거나 달아나는 모습을 이르는 말입니다.

확인 문제

76~77쪽에서 공부한 낱말을 떠올리며 문제를 풀어 보세요.

1 낱말의 뜻이 알맞은 것은 무엇인가요? (　　　)

① 주제 토의: 회의할 때 주제를 정하는 것.
② 표결: 일을 해 나갈 때 거쳐야 하는 차례나 방법.
③ 회의: 여러 사람이 모여 어떤 문제에 대해 의견을 나누는 것.
④ 절차: 회의에서 나온 의견에 대하여 찬성과 반대를 표시하여 결정하는 일.
⑤ 주제 선정: 회의에 참여한 사람들이 주제에 맞는 의견을 제시하며 의견을 나누는 일.

2 다음 뜻을 가진 낱말의 반대말을 쓰세요.

회의를 시작하는 것.	(　　　　)

3 밑줄 친 낱말과 뜻이 비슷한 낱말에 ○표 하세요.

그 일은 <u>절차</u>가 복잡하다.	(내용 , 순서 , 상황)

4 빈칸에 들어갈 알맞은 낱말을 글자 카드로 만들어 쓰세요.

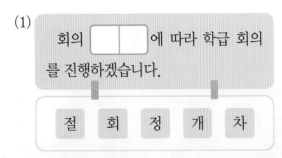

(1) 회의 [　][　]에 따라 학급 회의를 진행하겠습니다.

절 회 정 개 차

(2) 여러 의견 중에서 무엇으로 정할지 [　][　]을 하겠습니다.

표 개 회 결 폐

(3) 이번 주 주제는 "깨끗한 교실을 만들자."로 [　][　] 되었습니다.

회 토 선 의 정

(4) 주제가 정해졌으므로 이제 주제 [　][　]를 시작하겠습니다.

표 토 결 의 개

78~79쪽에서 공부한 낱말을 떠올리며 문제를 풀어 보세요.

5 뜻에 알맞은 낱말을 빈칸에 쓰세요.

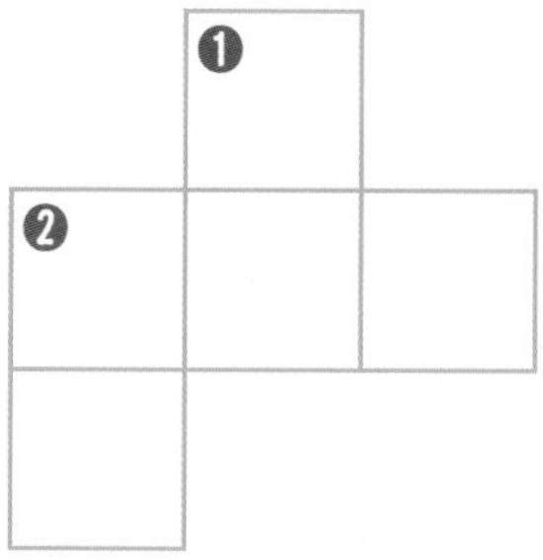

세로 열쇠 ❶ 어떤 일을 하기에 알맞은 때.
❷ 어떤 내용을 차례대로 늘어놓고 자세하게 설명한 책.

가로 열쇠 ❷ 모임이나 회의 등에서 진행하는 일을 하는 사람.

6 낱말의 뜻에 어울리게 (   ) 안에서 알맞은 말을 골라 ○표 하세요.

(1) 채택: 여럿 가운데 골라서 뽑아 (쓰는 , 버리는) 것.

(2) 기본형: 형태가 바뀌는 낱말에서 형태가 바뀌지 않는 부분에 '(-다 , -요)'를 붙여 만드는 것.

7 밑줄 친 낱말의 뜻을 찾아 알맞게 선으로 이으세요.

(1) 트럭에 이삿짐을 <u>싣다</u>. •

(2) 사진을 찍어 학급 신문에 <u>싣다</u>. •

• 글, 그림, 사진 등을 책이나 신문 등에 넣다.

• 무엇을 나르기 위해 차, 배, 비행기 등에 올려놓다.

8 (   ) 안에 들어갈 알맞은 낱말을 보기에서 찾아 쓰세요.

보기

기회 채택 기본형 사회자

(1) '먹고', '먹어서', '먹었다'의 (   )은/는 '먹다'이다.

(2) 표결이 끝난 뒤 (   )이/가 회의 결과를 발표하였다.

(3) 회의할 때에는 손을 들어 말할 (   )을/를 얻어야 한다.

(4) 회의에서 내가 말한 의견이 (   )되어서 기분이 좋았다.

사회 교과서 어휘

수록 교과서 사회 4–1
2. 우리가 알아보는 지역의 역사

다음 중 낱말의 뜻을 잘 알고 있는 것에 ✓ 하세요.

□ 업적 □ 발명품 □ 읍성 □ 인재 □ 노비 □ 화폐

장영실의 업적?
장영실이 노비?
장영실의 발명품은……
부산 지역 친구들이 부산의 역사적 인물 중 장영실에 대해 여러 가지 방법으로 조사하고 있어. 우리도 관련 낱말을 공부해서 우리 지역의 역사적 인물을 조사해 볼까?

낱말을 읽고, 　　 부분에 밑줄을 그으면서 낱말 공부를 해 보세요.

이것만은 꼭!

업적

業 업 업 + 績 성과 적
'적(績)'의 대표 뜻은 '길쌈하다'야.

뜻 열심히 노력하여 이룬 훌륭한 결과.

예 세종 대왕은 한글을 만드는 업적을 남겼다.

비슷한말 공적

'공적'은 많은 사람들을 위하여 힘을 들여 이루어 놓은 훌륭한 일을 뜻해.

예 이순신 장군의 공적을 기리기 위해 기념관을 세웠다.

발명품

發 드러낼 발 + 明 밝힐 명 + 品 물건 품
'발(發)'의 대표 뜻은 '피다', '명(明)'의 대표 뜻은 '밝다'야.

뜻 지금까지 없던 물건을 새로 생각하여 만들어 낸 것.

예 물을 이용해 시간을 알려 주는 자격루는 장영실이 만든 발명품이다.

뜻을 더해 주는 말 –품

'–품'은 쓸모 있게 만들어진 물건을 말하는 '물품'의 뜻을 더해 주는 말이야.

예 기념품, 신상품, 장식품

읍성

邑 고을 읍 + 城 성 성

'성(城)'의 대표 뜻은 '재'야.

뜻 한 도시 전체를 성벽으로 둘러싸고 곳곳에 문을 만들어 바깥과 연결하게 쌓은 성.

예 읍성은 산 위에 쌓는 산성과 달리 사람들이 사는 평평한 지역을 둘러서 쌓은 성이다.

인재

人 사람 인 + 材 재목 재

뜻 어떤 일을 할 수 있는 지식과 능력을 갖춘 사람.

예 세종 대왕은 나라에 힘이 될 수 있는 훌륭한 인재를 찾았다.

글자는 같지만 뜻이 다른 낱말 인재

'인재'는 사람에 의해 일어난 불행한 사고나 힘든 일을 뜻하는 낱말로도 쓰여.

예 이번 산불은 담뱃불 때문에 일어난 인재이다.

노비

奴 종 노 + 婢 여자 종 비

뜻 옛날에 남의 집에 매여서 하찮은 일을 하던 사람.

예 장영실은 노비로 태어났지만 뛰어난 손재주를 알아본 세종 대왕 덕분에 벼슬까지 했다.

비슷한말 종

'종'은 옛날에 남의 집에 매여서 하찮은 일을 하던 사람을 말해.

예 주인이 종에게 물을 떠 오라고 시켰다.

화폐

貨 재물 화 + 幣 화폐 폐

뜻 물건을 사고팔기 위해서 필요한 돈.

예 우리가 사용하는 화폐에는 우리나라를 빛낸 훌륭한 인물이 그려져 있다.

비슷한말 돈

'돈'은 물건을 사고팔 때나 일한 값으로 주고받는 동전이나 지폐를 말해.

▲ 여러 가지 화폐

3주차 2회

사회 교과서 어휘

수록 교과서 사회 4–1
3. 지역의 공공 기관과 주민 참여

다음 중 낱말의 뜻을 잘 알고 있는 것에 ✓ 하세요.

□ 주민 □ 공공 기관 □ 민원 □ 도청 □ 교육청 □ 견학

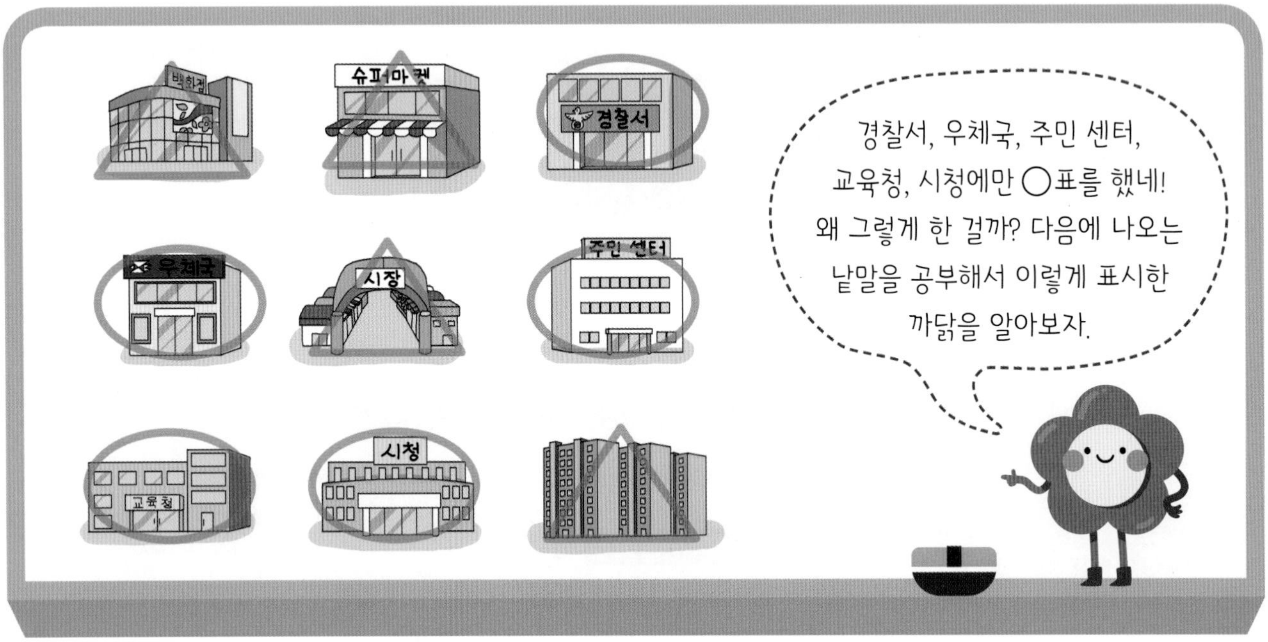

백화점
슈퍼마켓
경찰서
우체국
시장
주민 센터
교육청
시청
경찰서, 우체국, 주민 센터, 교육청, 시청에만 ○표를 했네! 왜 그렇게 한 걸까? 다음에 나오는 낱말을 공부해서 이렇게 표시한 까닭을 알아보자.

낱말을 읽고, 부분에 밑줄을 그으면서 낱말 공부를 해 보세요.

주민

住 살 주 + 民 백성 민

뜻 일정한 지역에 살고 있는 사람.

예 도서관을 지으면 그 지역에 살고 있는 주민들에게 도움이 될 것이다.

비슷한말 거주민

'거주민'은 일정한 지역에 머물러 사는 사람을 말해.

예 농촌 지역의 거주민이 줄고 있다.

이것만은 꼭!

공공 기관

公 공평할 공 + 共 한가지 공 + 機 틀 기 + 關 관계할 관

뜻 개인보다 주민 전체가 이롭고 편하기 위해 국가가 세우거나 관리하는 곳.

예 경찰서, 우체국, 주민 센터 등은 지역 주민들에게 도움을 주는 공공 기관이다.

관련 어휘 공공

'공공'은 국가 또는 사회의 모든 사람에게 관계되는 것을 뜻해.

예 공공장소, 공공시설, 공공질서

민원

民 백성 **민** + 願 바랄 **원**

뜻 주민이 경찰서나 구청같이 국가의 일을 하는 곳에 어떤 일을 해 달라고 하는 것.

예 공공 기관은 지역 주민들이 요청하는 민원을 해결하기 위해 노력한다.

○○초등학교 가는
길에 자전거 전용
도로를 만들어 주세요.

도청

道 행정 구역 단위 **도** + 廳 관청 **청**

'도(道)'의 대표 뜻은 '길'이야.

뜻 한 도의 행정 관련 일을 맡아 하는 기관.

예 도청은 주민들이 더 나은 생활을 할 수 있도록 노력하고 있다.

글자는 같지만 뜻이 다른 낱말 도청

'도청'은 남이 하는 이야기, 전화 통화 내용 등을 몰래 엿듣거나 녹음하는 일을 뜻하는 낱말로도 쓰여.

예 남의 전화를 함부로 도청하면 안 된다.

교육청

敎 가르칠 **교** + 育 기를 **육** + 廳 관청 **청**

뜻 학교의 교육과 관련된 일을 맡아 하는 기관.

예 교육청은 각 학교에 온라인 학습 관련 정보를 제공했다.

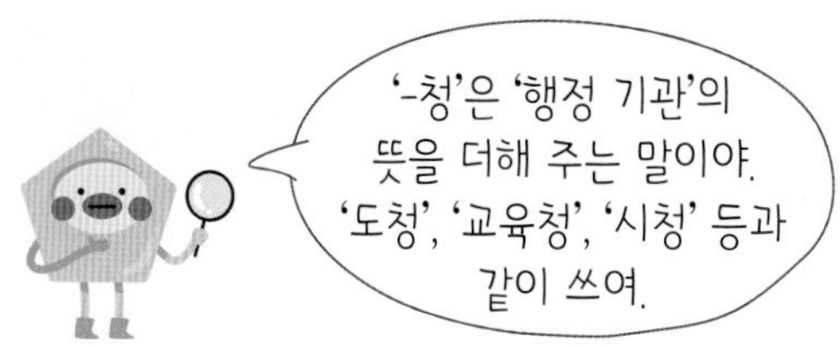
'-청'은 '행정 기관'의
뜻을 더해 주는 말이야.
'도청', '교육청', '시청' 등과
같이 쓰여.

견학

見 볼 **견** + 學 배울 **학**

뜻 어떤 일과 관련된 곳을 직접 찾아가서 보고 배움.

예 교육청에서 하는 일이 무엇인지 알아보기 위해 경상남도 교육청을 견학하기로 했다.

확인 문제

82～83쪽에서 공부한 낱말을 떠올리며 문제를 풀어 보세요.

1 **뜻에 알맞은 낱말을 글자판에서 찾아 묶으세요.** (낱말은 가로(—), 세로(|), 대각선(╱╲) 방향에 숨어 있어요.)

노	양	반	읍	성
임	비	인	견	발
금	업	사	재	명
산	적	화	폐	품

❶ 물건을 사고팔기 위해서 필요한 돈.
❷ 열심히 노력하여 이룬 훌륭한 결과.
❸ 어떤 일을 할 수 있는 지식과 능력을 갖춘 사람.
❹ 옛날에 남의 집에 매여서 하찮은 일을 하던 사람.
❺ 한 도시 전체를 성벽으로 둘러싸고 곳곳에 문을 만들어 바깥과 연결하게 쌓은 성.

2 **보기와 두 낱말의 관계가 같은 것에 ○표 하세요.**

보기

화폐 – 돈

(1) 노비 – 종 (　　　)　　(2) 업적 – 성적 (　　　)

3 **낱말의 뜻으로 보아, 빈칸에 들어갈 말이 <u>다른</u> 하나는 무엇인가요?** (　　　)

발명□: 지금까지 없던 물건을 새로 생각하여 만들어 낸 것.

① 기념□　② 귀중□　③ 원시□
④ 신상□　⑤ 장식□

4 **밑줄 친 낱말의 쓰임이 알맞으면 ○표, 알맞지 <u>않으면</u> ×표 하세요.**

(1) 우리나라에서 만든 물건을 <u>발명품</u>이라고 한다. (　　　)

(2) 충남 서산에는 왜구의 침입을 막기 위해 쌓은 <u>읍성</u>이 있다. (　　　)

(3) 장영실이 만든 물건들을 조사하여 장영실의 <u>업적</u>을 정리했다. (　　　)

(4) 장영실의 스승인 이천이 세종 대왕에게 장영실을 <u>인재</u>로 추천했다. (　　　)

84～85쪽에서 공부한 낱말을 떠올리며 문제를 풀어 보세요.

5 뜻에 알맞은 낱말을 보기에서 찾아 쓰세요.

보기

견학　　도청　　민원　　주민　　교육청

(1) 일정한 지역에 살고 있는 사람. (　　　　)

(2) 한 도의 행정 관련 일을 맡아 하는 기관. (　　　　)

(3) 학교의 교육과 관련된 일을 맡아 하는 기관. (　　　　)

(4) 어떤 일과 관련된 곳을 직접 찾아가서 보고 배움. (　　　　)

(5) 주민이 경찰서나 구청같이 국가의 일을 하는 곳에 어떤 일을 해 달라고 하는 것.
(　　　　)

6 밑줄 친 낱말의 공통된 뜻으로 알맞은 것에 ○표 하세요.

<u>공공</u> 기관　　<u>공공</u>장소　　<u>공공</u>질서

(1) 개인이 가진 것. 또는 개인과 관계되는 것. (　　)

(2) 국가 또는 사회의 모든 사람에게 관계되는 것. (　　)

(3) 어떤 사실이나 생각이 맞다거나 옳다고 인정하는 것. (　　)

7 밑줄 친 낱말이 알맞게 쓰였는지 ○, ×를 따라가며 선을 긋고 몇 번으로 나오는지 쓰세요.

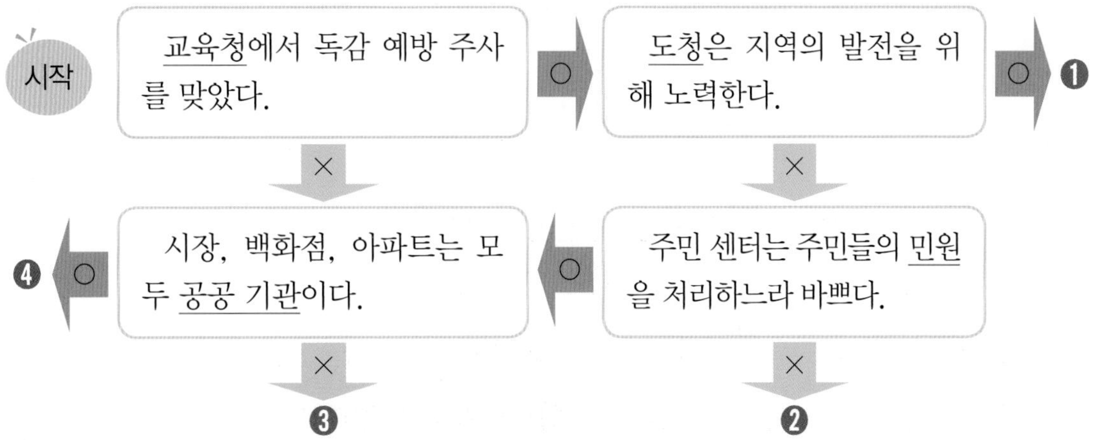
시작
교육청에서 독감 예방 주사를 맞았다.
○
×
도청은 지역의 발전을 위해 노력한다.
○
❶
×
주민 센터는 주민들의 민원을 처리하느라 바쁘다.
○
×
❷
시장, 백화점, 아파트는 모두 공공 기관이다.
○
❹
×
❸

(　　　　　　)

수학 교과서 어휘

수록 교과서 수학 4-1
4. 평면도형의 이동

다음 중 낱말의 뜻을 잘 알고 있는 것에 ✓ 하세요.

☐ 이동 ☐ 위치 ☐ 밀다 ☐ 뒤집다 ☐ 돌리다 ☐ 조각

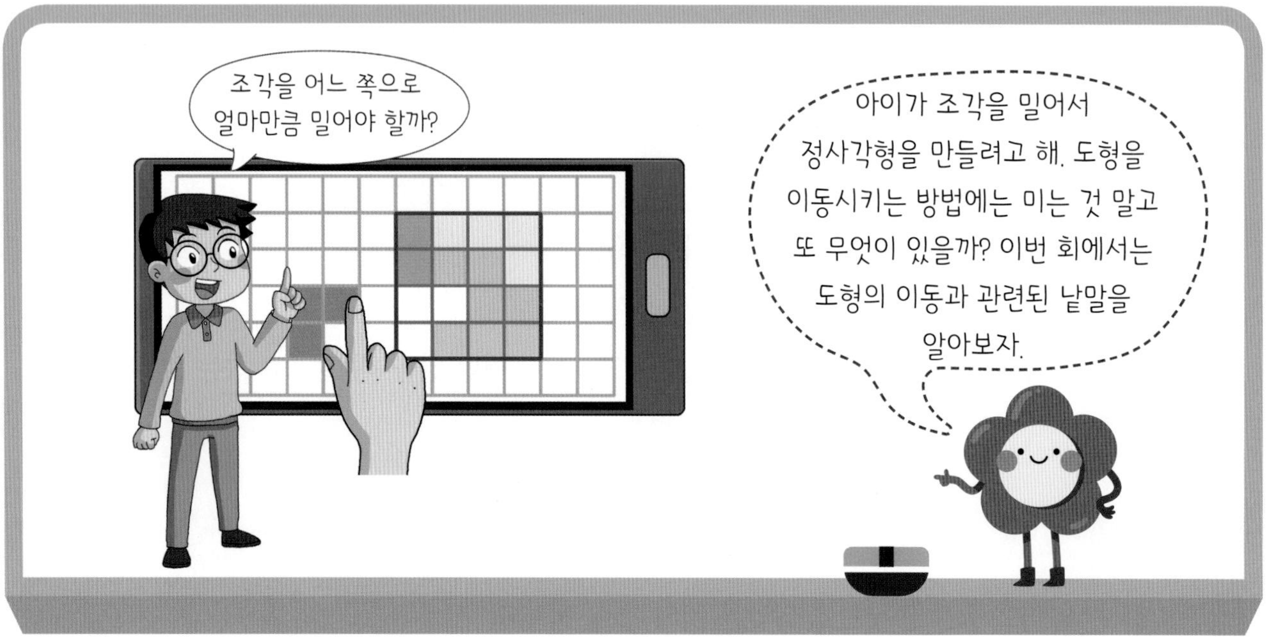

조각을 어느 쪽으로 얼마만큼 밀어야 할까?
아이가 조각을 밀어서 정사각형을 만들려고 해. 도형을 이동시키는 방법에는 미는 것 말고 또 무엇이 있을까? 이번 회에서는 도형의 이동과 관련된 낱말을 알아보자.

낱말을 읽고, 부분에 밑줄을 그으면서 낱말 공부를 해 보세요.

이것만은 꼭!

이동

移 옮길 이 + 動 움직일 동

뜻 움직여서 옮김.

예 삼각형을 오른쪽으로 이동해 보자.

반대말 고정

'고정'은 움직이지 않게 한다는 뜻이야.

예 문이 자꾸 닫혀서 의자로 고정해 놓았다.

위치

位 자리 위 + 置 둘 치

뜻 사람이나 물건이 있는 자리.

예 도형을 이동시키면 위치가 바뀐다.

비슷한말 자리

'자리'는 사람이나 물건이 차지하고 있는 공간을 뜻해.

예 내가 좋아하는 인형을 잘 보이는 자리에 놓았다.

밀다

뜻 일정한 방향으로 움직이도록 반대쪽에서 힘을 주다.

예 사각형을 왼쪽으로 밀어도 모양은 바뀌지 않는다.

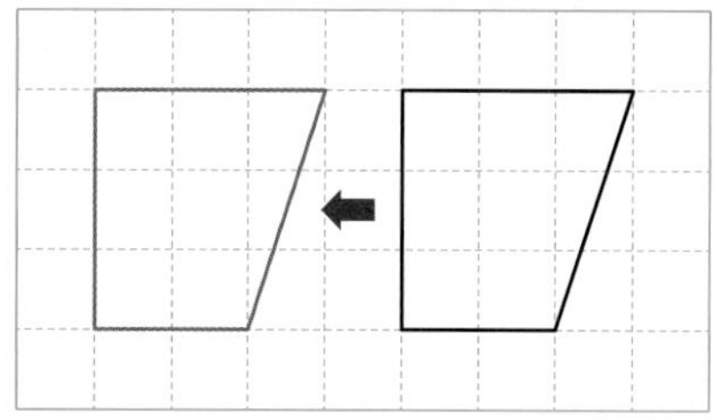

반대말 당기다

'당기다'는 "무엇을 잡아 자기 쪽으로 가까이 오게 하다."라는 뜻이야.

예 의자를 당겨서 앉다.

뒤집다

뜻 어떤 것의 위와 아래, 왼쪽과 오른쪽을 서로 바꾸다.

예 숫자 2를 오른쪽으로 뒤집으면 숫자 5가 된다.

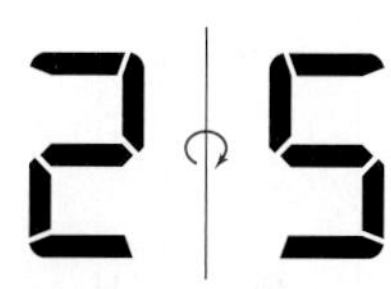

여러 가지 뜻을 가진 낱말 뒤집다

'뒤집다'는 "어떤 것의 안과 겉을 서로 바꾸다."라는 뜻도 가지고 있어.

예 양말을 뒤집어서 빨았다.

돌리다

뜻 어떤 것을 원을 그리면서 움직이게 하다.

예  모양 조각을 시계 방향으로 90° 돌리면 가 된다.

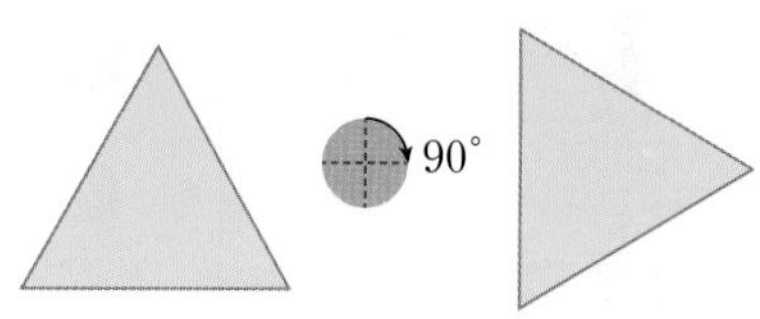

어법 돌다 → 돌리다

'돌리다'는 '돌다'에 '–리'를 붙여서 시킨다는 뜻을 더한 거야.

조각

뜻 한 물건에서 따로 떨어져 나온 작은 부분.

예 떨어져 있는 조각을 맞추었더니 사각형이 되었다.

글자는 같지만 뜻이 다른 낱말 조각

'조각'은 재료를 새기거나 깎아서 모양을 만드는 것을 뜻하는 낱말로도 쓰여.

예 나무로 만든 다양한 조각 작품이 전시되어 있다.

3주차 3회

수학 교과서 어휘

수록 교과서 수학 4-1
5. 막대그래프

다음 중 낱말의 뜻을 잘 알고 있는 것에 ✓ 하세요.

□ 막대그래프 □ 눈금 □ 수 □ 역대 □ 종목 □ 장단점

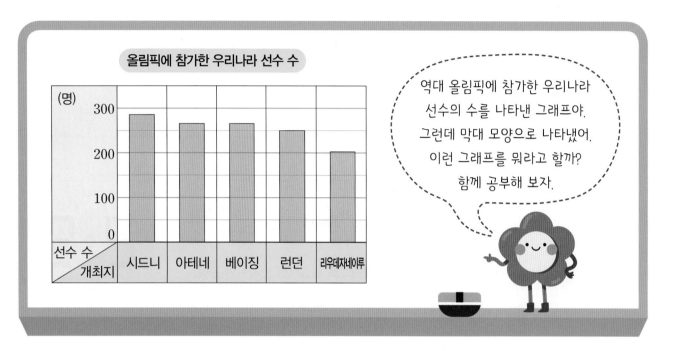

올림픽에 참가한 우리나라 선수 수

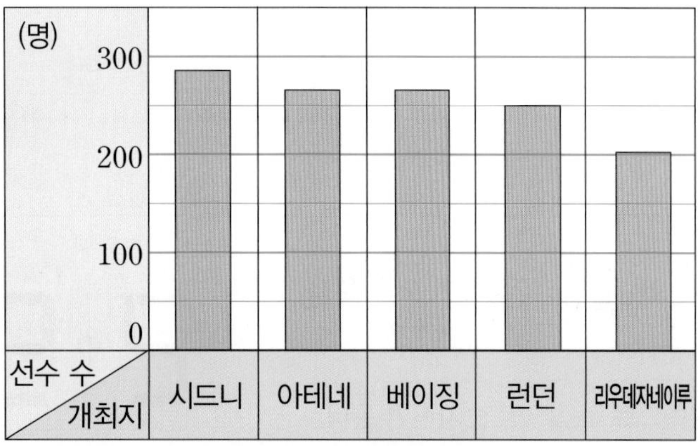

역대 올림픽에 참가한 우리나라 선수의 수를 나타낸 그래프야. 그런데 막대 모양으로 나타냈어. 이런 그래프를 뭐라고 할까? 함께 공부해 보자.

낱말을 읽고, 부분에 밑줄을 그으면서 낱말 공부를 해 보세요.

막대그래프

이것만은 꼭!

뜻 조사한 자료를 막대 모양으로 나타낸 그래프.

예 막대그래프를 그릴 때 막대를 가로로 나타낼 수도 있고 세로로 나타낼 수도 있다.

관련 어휘 그래프

'그래프'는 수나 양 등의 변화를 직선, 곡선, 점선, 막대 등으로 나타낸 그림을 말해.

눈금

뜻 길이나 온도 등을 표시하기 위해 자나 온도계 등에 표시해 놓은 선.

예 이 막대그래프의 세로 눈금 한 칸은 50명을 나타낸다.

눈금

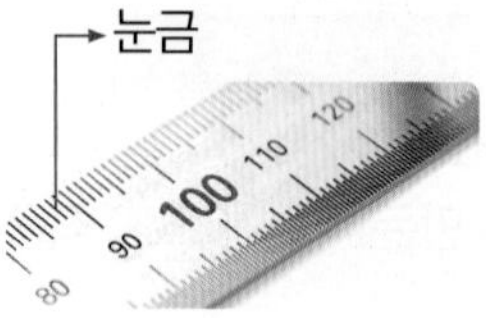

눈금

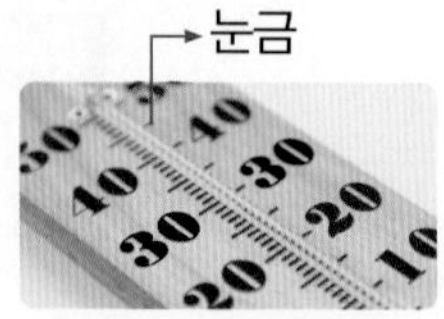

수

數 셈 수

뜻 셀 수 있는 것을 세어서 나타낸 값.

예 런던 올림픽에 참가한 우리나라 선수 수는 248명이다.

비슷한말 숫자

'숫자'는 사물이나 사람의 수를 말해.

예 농촌의 학생 숫자가 줄고 있다.

역대

歷 지날 역 + 代 세대 대

'대(代)'의 대표 뜻은 '대신하다'야.

뜻 이전부터 이어 내려오는 동안.

예 시드니 올림픽부터 리우데자네이루 올림픽까지 역대 올림픽에 참가한 우리나라 선수 수를 표로 나타냈다.

종목

種 종류 종 + 目 항목 목

'종(種)'의 대표 뜻은 '씨', '목(目)'의 대표 뜻은 '눈'이야.

뜻 종류에 따라 나누어 놓은 부분.

예 우리나라는 양궁 종목에서 금메달을 가장 많이 땄다.

장단점

長 나을 장 + 短 모자랄 단 + 點 점 점

'장(長)'의 대표 뜻은 '길다', '단(短)'의 대표 뜻은 '짧다'야.

뜻 좋은 점과 나쁜 점.

예 막대그래프는 어떤 점이 좋고 어떤 점이 나쁜지 장단점을 파악해 보자.

관련 어휘 장점, 단점

'장단점'은 장점과 단점을 말해. '장점'은 좋거나 잘하는 점이고, '단점'은 잘못되고 모자라는 점이지. 두 낱말은 뜻이 반대야.

확인 문제

88～89쪽에서 공부한 낱말을 떠올리며 문제를 풀어 보세요.

1 낱말의 뜻을 보기 에서 찾아 사다리를 타고 내려간 곳에 기호를 쓰세요.

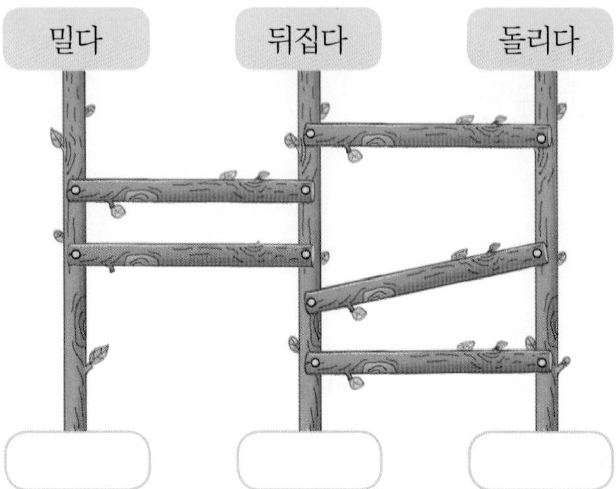

보기

㉠ 어떤 것을 원을 그리면서 움직이게 하다.

㉡ 일정한 방향으로 움직이도록 반대쪽에서 힘을 주다.

㉢ 어떤 것의 위와 아래, 왼쪽과 오른쪽을 서로 바꾸다.

2 보기 와 같이 문장을 바꾸어 쓸 때, 빈칸에 알맞은 말을 쓰세요.

보기

물레방아가 돌다. → 물레방아를 돌리다.

(1) 연이 날다. → 연을 (   ).　　(2) 아기가 울다. → 아기를 (   ).

3 (   ) 안에 들어갈 알맞은 낱말을 보기 에서 찾아 쓰세요.

보기

이동　　　위치　　　조각

(1) 도형을 아래쪽으로 6cm 밀면 도형은 아래로 6cm (   )한다.

(2) 4개의 삼각형 (   )을/를 하나로 맞추었더니 사각형이 되었다.

(3) 도형을 왼쪽으로 밀면 모양은 변화가 없지만 (   )은/는 변한다.

4 (   ) 안에서 알맞은 낱말을 골라 ○표 하세요.

(1) 글자 '용'을 위쪽으로 (밀면 , 뒤집으면) 글자 '융'이 된다.

(2) 모양 조각을 시계 반대 방향으로 90° (당기면 , 돌리면) 가 된다.

정답과 해설 ▶ 42쪽

90～91쪽에서 공부한 낱말을 떠올리며 문제를 풀어 보세요.

5 낱말의 뜻은 무엇인지 빈칸에 들어갈 알맞은 말을 완성하세요.

(1)	종목	[ㅈ][ㄹ]에 따라 나누어 놓은 부분.
(2)	수	셀 수 있는 것을 세어서 나타낸 [ㄱ].
(3)	막대그래프	조사한 자료를 [ㅁ][ㄷ] 모양으로 나타낸 그래프.
(4)	눈금	길이나 온도 등을 표시하기 위해 자나 온도계 등에 표시해 놓은 [ㅅ].

6 밑줄 친 말과 바꾸어 쓸 수 있는 낱말은 무엇인가요? (　　　)

표와 막대그래프의 좋은 점과 나쁜 점을 비교해 보았다.

① 단점　② 장점　③ 공통점
④ 장단점　⑤ 차이점

7 빈칸에 들어갈 알맞은 낱말을 찾아 선으로 이으세요.

(1) 육상 [　　]의 금메달 수가 가장 많다. •　　• 수

(2) 경기에 참가한 선수의 [　　]이/가 줄었다. •　　• 역대

(3) 우리나라는 [　　] 최고 성적을 거두었다. •　　• 종목

3주차 4회

과학 교과서 어휘

수록 교과서 과학 4-1
4. 물체의 무게

다음 중 낱말의 뜻을 잘 알고 있는 것에 ✓ 하세요.

□ 무게 □ 그램중 □ 저울 □ 용수철저울 □ 영점 조절 □ 기기

낱말을 읽고, 부분에 밑줄을 그으면서 낱말 공부를 해 보세요.

무게

이것만은 꼭!

뜻 물체의 무거운 정도. 지구가 물체를 끌어당기는 힘의 크기.

예 수박과 참외의 무게를 비교해 보았더니, 수박이 더 무거웠다.

비슷한말 **중량**

'중량'은 물체의 무거운 정도를 뜻해.

예 중량이 무거울수록 값이 비싸다.

그램중

그램 + 重 무거울 중

뜻 무게의 단위. 1그램중은 '1g중'이라고 씀.

예 사과 한 개의 무게가 200그램중이다.

관련 어휘 **킬로그램중(kg중)**

1000g중 = 1kg중

사람들은 'g중', 'kg중'을 'g', 'kg'으로 줄여서 사용하기도 해.

저울

뜻 물체의 무게를 재는 데 쓰는 기구.

예 사람들은 저울을 사용해 물체의 무게를 잰다.

이건 물체의 무게를 재는 저울이야.

이건 사람의 무게를 재는 저울이야.

용수철저울

龍 용 용 + 鬚 수염 수 + 鐵 쇠 철 + 저울

뜻 물체의 무게에 따라 일정하게 늘어나거나 줄어드는 용수철의 성질을 이용해 만든 저울.

예 용수철저울의 고리에 물체를 걸면 용수철이 늘어난다.

▲ 용수철

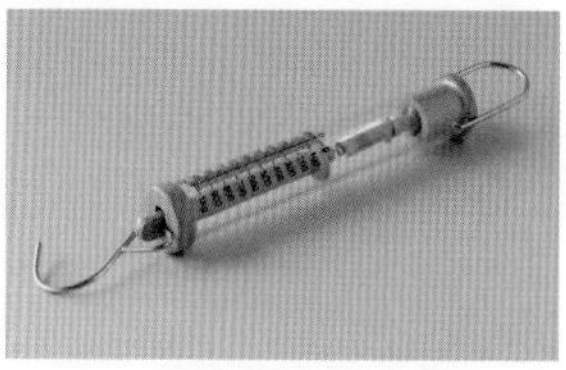

▲ 용수철저울

영점 조절

零 영 영 + 點 점 점 + 調 고를 조 + 節 알맞은 정도 절

'영(零)'의 대표 뜻은 '떨어지다', '절(節)'의 대표 뜻은 '마디'야.

뜻 저울로 물체의 무게를 재기 전에 표시 자를 눈금의 '0'에 맞추어 놓는 것.

예 저울로 물체의 무게를 잴 때, 영점 조절을 하지 않으면 무게를 정확하게 잴 수 없다.

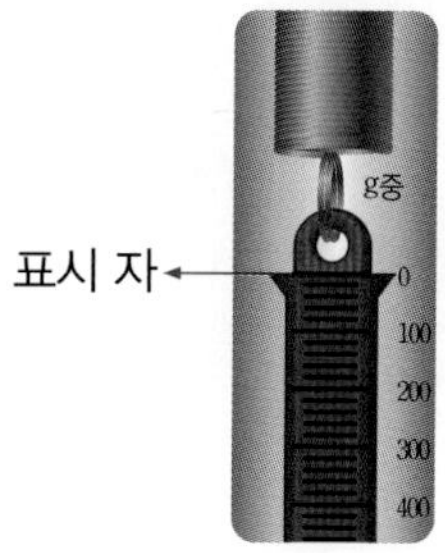

기기

機 기계 기 + 器 도구 기

'기(機)'의 대표 뜻은 '틀', '기(器)'의 대표 뜻은 '그릇'이야.

뜻 기계, 기구 등을 통틀어 이르는 말.

예 우리 생활에서 사용하는 저울의 이름과 쓰임새를 스마트 기기로 조사해 보자.

비슷한말 기계

'기계'는 일정한 일을 하는 도구나 장치를 말해.

예 복사 기계가 고장 났다.

3주차 4회

과학 교과서 어휘

수록 교과서 과학 4-1
4. 물체의 무게

다음 중 낱말의 뜻을 잘 알고 있는 것에 ✓ 하세요.

□ 수평 □ 받침점 □ 양팔저울 □ 전자저울 □ 회전 □ 인공 중력

수평대가 계란이 있는 쪽으로 기울어져 있어. 계란이 메추리알보다 더 무겁다는 뜻이야. 이번 회에서는 물체의 무게를 비교하는 것과 관련된 낱말을 공부해 보자.

낱말을 읽고, 부분에 밑줄을 그으면서 낱말 공부를 해 보세요.

이것만은 꼭!

수평
水 물 수 + 平 평평할 평

뜻 어느 한쪽으로 기울지 않은 상태.

예 시소가 어느 한쪽으로도 기울지 않고 수평이 되었다.

'수평'과 '수직'은 뜻이 서로 반대되는 낱말이야.

받침점
받침 + 點 점 점

뜻 받침대 위에 나무판자를 놓았을 때 나무판자와 받침대가 서로 닿는 부분.

예 무게가 같은 두 물체는 받침점으로부터 같은 거리에 놓아야 수평이 된다.

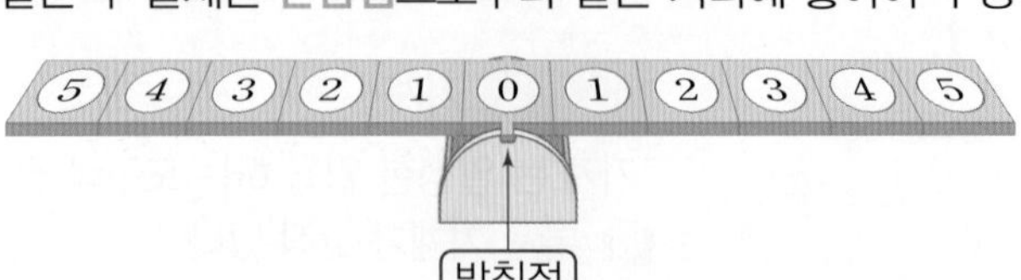

양팔저울
兩 두 양 + 팔 + 저울

뜻 양쪽에 접시가 달려 있어서 양쪽 접시에 물체를 올려놓고 무게를 재는 저울.

예 양팔저울의 받침점으로부터 같은 거리에 있는 저울접시에 물체를 각각 올려놓고, 저울대가 어느 쪽으로 기울었는지 확인해 물체의 무게를 비교할 수 있다.

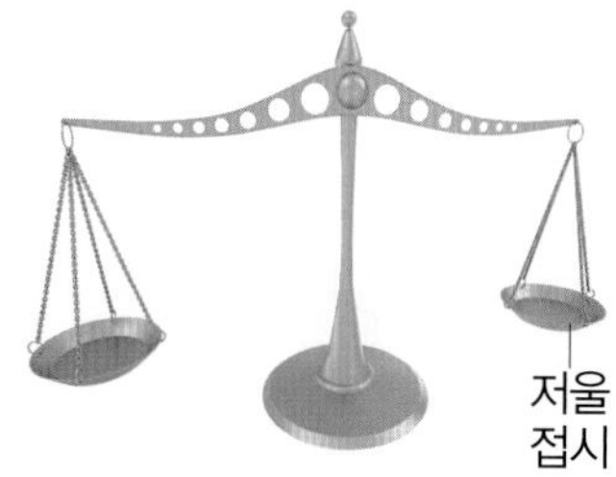

전자저울
電 전기 전 + 子 아들 자 + 저울

'전(電)'의 대표 뜻은 '번개'야.

뜻 전기적 성질을 이용해 화면에 숫자로 물체의 무게를 표시하는 저울.

예 과일을 전자저울에 올려놓으면 화면에 무게가 표시된다.

회전
回 돌아올 회 + 轉 구를 전

뜻 물체 자체가 빙빙 돎.

예 우리는 빠르게 회전하는 놀이 기구를 탈 때 바깥쪽으로 밀려나는 것을 느낄 수 있다.

▲ 빠르게 회전하는 놀이 기구

인공 중력
人 사람 인 + 工 장인 공 + 重 무거울 중 + 力 힘 력

뜻 지구가 물체를 잡아당기는 힘인 중력이 없는 상태에서 만들어 낸 중력.

예 회전하는 놀이 기구처럼 우주선의 일부분이 회전하면 인공 중력이 만들어져 중력이 없는 우주선 안이 중력이 있는 것처럼 된다.

관련 어휘 인공

'인공'은 자연적인 것이 아니라 사람의 힘으로 만들어 낸 것을 말해.

예 인공 폭포, 인공 호수

확인 문제

94～95쪽에서 공부한 낱말을 떠올리며 문제를 풀어 보세요.

1 뜻에 알맞은 낱말을 색칠하고, 어떤 숫자가 나오는지 쓰세요.(낱말은 가로(—), 세로(|) 방향에 숨어 있어요.)

무	게	용
영	점	수
저	울	철
산	적	저
기	기	울

❶ 물체의 무게를 재는 데 쓰는 기구.
❷ 기계, 기구 등을 통틀어 이르는 말.
❸ 물체의 무거운 정도. 지구가 물체를 끌어당기는 힘의 크기.
❹ 물체의 무게에 따라 일정하게 늘어나거나 줄어드는 용수철의 성질을 이용해 만든 저울.

(　　　　　　)

2 빈칸에 들어갈 낱말로 알맞은 것에 ○표 하세요.

(1) 그램중은 [　　　] 의 단위이다.

(각도 , 무게 , 온도)

(2) [　　　] 조절은 저울로 물체의 무게를 재기 전에 표시 자를 눈금의 '0'에 맞추어 놓는 것이다.

(영점 , 위치 , 크기)

3 밑줄 친 낱말을 알맞게 사용한 친구에게 ○표 하세요.

(1)

동생의 키가
많이 큰 것 같아서
저울로 재 보았어.

(　　)

(2)

우리 집 거실에는
장식장, 소파 같은
기기가 놓여 있어.

(　　)

(3)

무게를 정확히
재기 위해서
영점 조절을 했어.

(　　)

96~97쪽에서 공부한 낱말을 떠올리며 문제를 풀어 보세요.

4 뜻에 알맞은 낱말이 되도록 보기에서 글자를 찾아 쓰세요.

보기

회 침
직 고
평 반

(1) 물체 자체가 빙빙 돎. → [ ][전]

(2) 어느 한쪽으로 기울지 않은 상태. → [수][ ]

(3) 받침대 위에 나무판자를 놓았을 때 나무판자와 받침대가 서로 닿는 부분. → [ ][ ][점]

5 친구는 어떤 저울에 대해 말하고 있는지 빈칸에 알맞은 말을 쓰세요.

(1)

이 저울은 양쪽 접시에
물체를 올려놓고
무게를 재.

[ ][ ][저][울]

(2)

이 저울로 무게를 재면
화면에 숫자로 물체의
무게를 표시해 줘.

[ ][ ][저][울]

6 빈칸에 공통으로 들어갈 낱말은 무엇인가요? (   )

- [   ] 중력: 중력이 없는 상태에서 만들어 낸 중력.
- [   ] 호수: 물을 가두어서 사람의 힘으로 만든 호수.

① 가공　② 자연　③ 천연
④ 인공　⑤ 지구

7 (   ) 안에서 알맞은 낱말을 골라 ○표 하세요.

(1) 팽이가 얼마나 빠르게 (회복 , 회전)하는지 속도를 재 보았다.

(2) (양팔저울 , 전자저울)의 화면에 택배 상자의 무게가 표시되었다.

(3) 몸무게가 같은 두 친구가 시소에 앉아서 (수직 , 수평)을 잡기 편했다.

(4) 사람이 우주선 안에서 지구에서와 같이 생활하려면 (시력 , 인공 중력)이 필요하다.

口(구)가 들어간 낱말

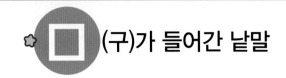

'口(구)'가 들어간 낱말을 읽고, 　　　 부분에 밑줄을 그으면서 낱말 공부를 해 보세요.

口

입 구

'구(口)'는 사람의 입을 본떠 만든 글자야. 그래서 '입'이라는 뜻을 갖지. '어귀'나 '구멍'과 같은 뜻으로 쓰일 때도 있어. '어귀'는 어떤 곳을 드나들 때 거치는 첫머리를 말해.

이□동성
이목□비
출□
배수□

입 口

이구동성

異 다를 이 + 口 입 구 + 同 한가지 동 + 聲 소리 성

뜻 입은 다르나 목소리는 같다는 뜻으로, 여러 사람의 말이 똑같음을 이르는 말.

예 아이들은 모두 더 놀고 싶다고 이구동성으로 말했다.

이목구비

耳 귀 이 + 目 눈 목 + 口 입 구 + 鼻 코 비

뜻 귀, 눈, 입, 코를 이르는 말. 또는 귀, 눈, 입, 코를 중심으로 한 얼굴의 생김새.

예 동생은 이목구비가 뚜렷하고 잘생겨서 인기가 많다.

어귀 · 구멍 口

출구

出 나갈 출 + 口 어귀 구

'출(出)'의 대표 뜻은 '나다'야.

뜻 밖으로 나가는 문이나 길.

예 겨우 출구를 찾아 밖으로 나왔다.

반대말 입구

'입구'는 안으로 들어가는 문이나 길을 말해.

배수구

排 밀칠 배 + 水 물 수 + 口 구멍 구

뜻 물이 빠져나갈 수 있도록 만든 구멍.

예 욕조의 배수구가 막혀서 물이 잘 내려가지 않는다.

정답과 해설 ▶ 46쪽

中(중)이 들어간 낱말

'中(중)'이 들어간 낱말을 읽고, 　　　 부분에 밑줄을 그으면서 낱말 공부를 해 보세요.

中

가운데 중

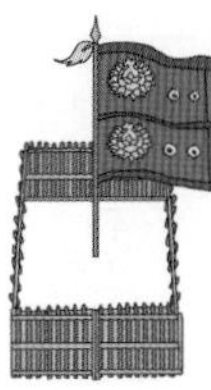

'중(中)'은 군대가 전투를 하기 위해 진을 치고 있는 곳의 가운데에 깃발을 꽂아 놓은 모습을 본떠서 만든 글자야. 그래서 '가운데'라는 뜻을 갖지. '사이'나 '중국'과 같은 뜻으로 쓰일 때도 있어.

십中팔구 / 中앙 / 부재中 / 中식

가운데 中

십중팔구

十 열 십 + 中 가운데 중 + 八 여덟 팔 + 九 아홉 구

뜻 열 가운데 여덟이나 아홉 정도로 거의 대부분이거나 거의 틀림없음.

예 나처럼 다른 친구들도 십중팔구는 시험이 어려웠을 것이다.

중앙

中 가운데 중 + 央 가운데 앙

뜻 어떤 장소나 물체의 중심이 되는 한가운데.

예 연필이 떨어지지 않도록 책상의 중앙에 두렴.

비슷한말 한가운데

'한가운데'는 어떤 장소나 시간, 상황 등의 바로 가운데를 뜻해.

사이·중국 中

부재중

不 아닐 부 + 在 있을 재 + 中 사이 중

뜻 자기 집이나 회사 등의 일정한 장소에 있지 않는 동안.

예 선생님께서 부재중이셔서 뵙지 못했다.

중식

中 중국 중 + 食 밥 식

뜻 중국식 음식.

예 중식을 먹고 싶어서 자장면을 먹었다.

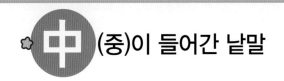

확인 문제

100쪽에서 공부한 낱말을 떠올리며 문제를 풀어 보세요.

1 뜻에 알맞은 낱말을 빈칸에 쓰세요.

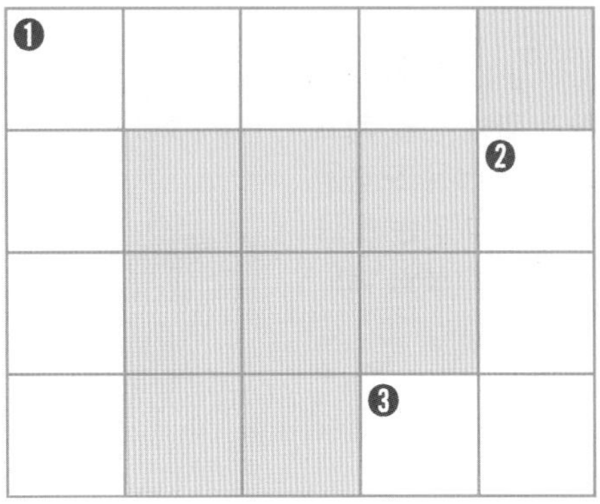

가로 열쇠
❶ 입은 다르나 목소리는 같다는 뜻으로, 여러 사람의 말이 똑같음을 이르는 말.
❸ 밖으로 나가는 문이나 길.

세로 열쇠
❶ 귀, 눈, 입, 코를 이르는 말. 또는 귀, 눈, 입, 코를 중심으로 한 얼굴의 생김새.
❷ 물이 빠져나갈 수 있도록 만든 구멍.

2 밑줄 친 낱말의 반대말은 무엇인가요? (　　　　)

영화관 출구를 찾지 못해서 한참을 헤맸다.

① 도구　② 식구　③ 입구
④ 항구　⑤ 탈출구

3 빈칸에 들어갈 알맞은 낱말을 찾아 선으로 이으세요.

(1) 세면대 [　　　](으)로 물이 빠르게 빠져나갔다. •　　• 출구

(2) 모두들 [　　　](으)로 동생의 행동을 칭찬했다. •　　• 배수구

(3) 나는 [　　　]이/가 큼직해서 표정 연기를 잘할 수 있다. •　　• 이구동성

(4) 사람들이 [　　　]을/를 막고 서 있어서 우리는 밖으로 나갈 수 없었다. •　　• 이목구비

101쪽에서 공부한 낱말을 떠올리며 문제를 풀어 보세요.

4 낱말의 뜻은 무엇인지 (　　) 안에서 알맞은 말을 골라 ○표 하세요.

(1) 중앙 — 어떤 장소나 물체의 중심이 되는 (가장자리 , 한가운데).

(2) 부재중 — 자기 집이나 회사 등의 일정한 장소에 (있는 , 있지 않는) 동안.

(3) 십중팔구 — 열 가운데 여덟이나 아홉 정도로 거의 대부분이거나 거의 (틀림없음 , 옳지 않음).

5 밑줄 친 낱말에서 '중'은 어떤 뜻으로 쓰였나요? (　　　　)

보기

내 생일이라서 가족들과 내가 가장 좋아하는 중식을 먹었다.

① 안　　② 마음　　③ 사이
④ 중국　　⑤ 가운데

6 밑줄 친 낱말이 알맞게 쓰였는지 ○, ×를 따라가며 선을 긋고 몇 번으로 나오는지 쓰세요.

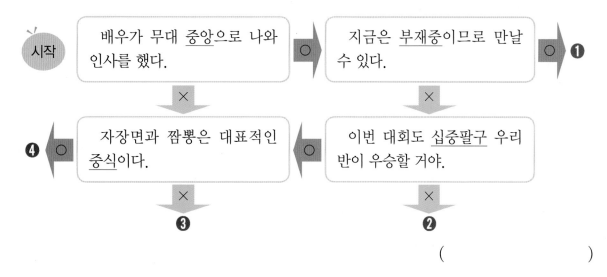

시작 → 배우가 무대 중앙으로 나와 인사를 했다.
- ○ → 지금은 부재중이므로 만날 수 있다.
  - ○ → ❶
  - × → 이번 대회도 십중팔구 우리 반이 우승할 거야.
    - × → ❷
    - ○ → 자장면과 짬뽕은 대표적인 중식이다.
- × → 자장면과 짬뽕은 대표적인 중식이다.
  - ○ → ❹
  - × → ❸

(　　　　　　　　)

앞에서 공부한 낱말을 떠올리며 문제를 풀어 보세요.

낱말 뜻

1 낱말의 뜻이 알맞지 않은 것은 무엇인가요? (   )

① 이동: 움직여서 옮김.
② 무게: 지구가 물체를 끌어당기는 힘의 크기.
③ 공공 기관: 개인의 이익을 위해 개인이 세우거나 관리하는 곳.
④ 표결: 회의에서 나온 의견에 대하여 찬성과 반대를 표시하여 결정하는 일.
⑤ 민원: 주민이 경찰서나 구청같이 국가의 일을 하는 곳에 어떤 일을 해 달라고 하는 것.

낱말 뜻

2 (   ) 안에서 알맞은 낱말을 골라 ○표 하세요.

(1) (기기 , 저울)은/는 기계, 기구 등을 통틀어 이르는 말이다.
(2) (수평 , 회전)은 어느 한쪽으로 기울지 않은 상태를 말한다.
(3) (절차 , 업적)은/는 열심히 노력하여 이룬 훌륭한 결과를 말한다.
(4) (십중팔구 , 이구동성)은/는 입은 다르나 목소리는 같다는 뜻으로, 여러 사람의 말이 똑같음을 이르는 말이다.

반대말

3 낱말의 관계가 다른 하나는 무엇인가요? (   )

① 수 – 숫자
② 채택 – 선택
③ 기기 – 기계
④ 밀다 – 당기다
⑤ 중앙 – 한가운데

글자는 같지만 뜻이 다른 낱말

4 빈칸에 공통으로 들어갈 낱말은 무엇인가요? (   )

• 그 학교에서 우수한 [   ]이/가 많이 나왔다.
• 사람들의 실수로 건물이 무너지는 [   ]이/가 발생했다.

① 사전
② 사람
③ 눈금
④ 인물
⑤ 인재

여러 가지 뜻을 가진 낱말

5 **밑줄 친 낱말이 보기와 같은 뜻으로 쓰인 것에 ○표 하세요.**

보기

가족 신문에 그림을 그려서 실기로 했다.

(1) 시장은 물건을 실는 차들로 복잡했다. (   )

(2) 잡지에 실린 아이스크림 광고를 보자 먹고 싶어졌다. (   )

뜻을 더해 주는 말

6 **밑줄 친 말의 공통된 뜻은 무엇인가요?** (   )

발명품 기념품 장식품

① 가구 ② 물품 ③ 성질
④ 사람 ⑤ 방향

낱말 활용

7 ~ 10 (   ) 안에 들어갈 알맞은 낱말을 보기에서 찾아 쓰세요.

보기

견학 노비 회의 장단점

7 옛날에 (   )은/는 양반이 시키는 하찮은 일을 해야만 했다.

8 물건을 살 때에는 물건의 (   )을/를 살펴보고 선택해야 한다.

9 우리 마을의 길을 넓히는 문제를 의논하기 위해 마을 (   )이/가 열렸다.

10 아버지를 따라 방송국을 (   )하고 나서 아나운서가 되고 싶다는 생각을 했다.

4주차 어휘 미리 보기

한 주 동안
공부할 어휘들이야.
쓱 한번 훑어볼까?

1회 학습 계획일 ( )월 ( )일

국어 교과서 어휘

해결	그림 문자
제안	말소리
문장의 짜임	문맹률
나아지다	음소 문자
강조	과장
모금	망신

2회 학습 계획일 ( )월 ( )일

사회 교과서 어휘

지역 문제	주민 참여
기피 시설	공청회
재생	시민 단체
노후화	우범 지역
대안	주민 투표
타협	규정

3회 학습 계획일 ( )월 ( )일

수학 교과서 어휘

일부	배열
기록	발견
획득	계산기
비기다	규칙적인 계산식
세트	지폐
절반	단순하다

4회 학습 계획일 ( )월 ( )일

과학 교과서 어휘

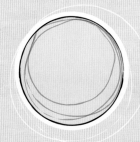

혼합물	철
진하다	알루미늄
재료	껍데기
분리	폐지
거르다	식용
체	원료

5회 학습 계획일 ( )월 ( )일

한자 어휘

내유외강	백지상태
외부	도화지
외면	일간지
소외	주간지

어휘력 테스트

1학기 어휘 학습 끝!
2학기 어휘 학습으로 가 보자.

국어 교과서 어휘

수록 교과서 국어 4-1 ㉯
8. 이런 제안 어때요

다음 중 낱말의 뜻을 잘 알고 있는 것에 ✔ 하세요.

☐ 해결 ☐ 제안 ☐ 문장의 짜임 ☐ 나아지다 ☐ 강조 ☐ 모금

낱말을 읽고, ▭ 부분에 밑줄을 그으면서 낱말 공부를 해 보세요.

해결

解 풀 **해** + 決 결정할 **결**

뜻 어려운 일이나 문제를 잘 풀어서 마무리함.

예 우리 주변에서 **해결**했으면 하는 문제를 떠올려 본다.

비슷한말 처리

'처리'는 일이나 사건을 절차에 따라 정리해 마무리하는 것을 뜻해.

예 이 일은 급하니까 빨리 처리해 주세요.

제안

이것만은 꼭!

提 제시할 **제** + 案 생각 **안**

'제(提)'의 대표 뜻은 '끌다', '안(案)'의 대표 뜻은 '책상'이야.

뜻 어떤 일에 대한 의견을 내는 것.

예 꽃밭에 쓰레기를 버리지 말자고 **제안**했다.

관련 어휘 제안하는 글

'제안하는 글'은 어떤 일을 더 좋은 쪽으로 해결하기 위해 제안을 쓴 글이야.

공원에 쓰레기를 함부로 버리지 말자고 제안해야겠어.

문장의 짜임

文 글월 **문** + 章 글 **장** + 의 짜임

뜻 문장이 이루어지는 형식. 문장은 '누가(무엇이) + 어찌하다(어떠하다)' 등의 짜임으로 이루어짐.

예 그림의 내용을 **문장의 짜임**에 맞게 표현해 보자.

눈이 + 내린다.

눈사람이 + 서 있다.

사람들이 + 눈싸움을 한다.

나아지다

뜻 어떤 일이나 상태가 좋아지다.

예 제안하는 까닭을 쓸 때에는 왜 그런 제안을 했는지, 제안하는 내용대로 했을 때 무엇이 더 나아지는지를 쓴다.

반대말 나빠지다

'나빠지다'는 "나쁘게 되다."라는 뜻이야. 예 건강이 나빠지다.

강조

強 강할 강 + 調 고를 조

뜻 어떤 것을 특별히 두드러지게 하거나 강하게 의견을 내세움.

예 제안하는 글을 써서 붙일 때 제목이나 강조하고 싶은 부분은 크고 진한 글씨로 쓴다.

모금

募 모을 모 + 金 돈 금

'금(金)'의 대표 뜻은 '쇠'야.

뜻 좋은 일을 하려고 여러 사람한테서 돈을 걷어 모음.

예 어려운 이웃을 도우려면 돈이 필요하므로 모금 운동을 하자.

▲ 불우 이웃 돕기 모금

꼭! 알아야 할 속담

빈칸 채우기 '불난 집에 (   )한다'는 남의 재앙을 점점 더 커지도록 만들거나 화난 사람을 더욱 화나게 함을 이르는 말입니다.

국어 교과서 어휘

수록 교과서 국어 4-1 ㉯
9. 자랑스러운 한글 ~
10. 인물의 마음을 알아봐요

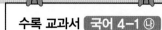

다음 중 낱말의 뜻을 잘 알고 있는 것에 ✔ 하세요.

□ 그림 문자 □ 말소리 □ 문맹률 □ 음소 문자 □ 과장 □ 망신

낱말을 읽고, ▭ 부분에 밑줄을 그으면서 낱말 공부를 해 보세요.

그림 문자

그림 + 文 글월 문 + 字 글자 자

뜻 전달하려는 내용을 그림으로 나타낸 문자.

예 그림 문자는 그림을 그리는 데 오래 걸리고 사람마다 다르게 표현해서 이해하기 어렵다.

이게 바로
그림 문자야.

말소리

이것만은 꼭!

뜻 사람이 성대, 목젖, 입천장, 이, 잇몸, 혀 등의 발음 기관을 통해 내는 구체적인 소리.

'말소리'와
'음성'은 뜻이
비슷해.

예 세종 대왕은 새로운 문자를 만들기 위해서 말소리를 내는 기관을 연구했다.

둘 이상의 낱말이 합쳐진 말 **'말'이 들어간 말**

'말소리'는 '말'과 '소리'가 합쳐진 낱말이야. '말소리'처럼 '말'과 합쳐져서 만들어진 낱말이 있어.

예 말대꾸, 말솜씨, 말버릇

문맹률

文 글월 문 + 盲 맹인 맹 + 率 비율 률

뜻 배우지 못해 글을 읽거나 쓸 줄 모르는 사람의 수가 전체 인구에 비해 얼마나 되는지 나타낸 것.

예 우리나라의 문맹률이 다른 나라에 비해 낮은 것은 한글이 배우기 쉽기 때문이라는 의견이 있다.

관련 어휘 **문맹**

'문맹'은 배우지 못하여 글을 읽거나 쓸 줄 모르는 사람을 뜻해. 비슷한말로 '까막눈'이 있어.

음소 문자

音 소리 음 + 素 본디 소 + 文 글월 문 + 字 글자 자

뜻 하나의 문자가 한 개의 소리를 나타내는 문자. 자음과 모음으로 갈라 적는 한글이 이것에 해당함.

예 음소 문자는 적은 수의 문자로 많은 소리를 적을 수 있다.

과장

誇 자랑할 과 + 張 크게 할 장

'장(張)'의 대표 뜻은 '베풀다'야.

뜻 사실보다 지나치게 크거나 좋게 부풀려 나타냄.

예 인물의 마음을 실감 나게 표현하려면 표정이나 행동을 크게 과장해서 흉내 내야 한다.

망신

亡 망할 망 + 身 몸 신

뜻 말이나 행동을 잘못해서 몹시 부끄럽게 되는 것.

예 소담이는 국어 문제를 풀지 못해서 망신을 당할까 봐 걱정했다.

비슷한말 창피

'창피'는 떳떳하지 못한 일 때문에 부끄러운 것을 뜻해.

예 친구들 앞에서 창피를 당해서 얼굴이 빨개졌다.

꼭! 알아야 할 관용어

○표 하기 '손이 (크다 , 맵다)'는 씀씀이가 후하고 크다는 뜻입니다.

확인 문제

108~109쪽에서 공부한 낱말을 떠올리며 문제를 풀어 보세요.

1 뜻에 알맞은 낱말을 보기에서 찾아 쓰세요.

보기

강조　　모금　　제안　　해결

(1) 어떤 일에 대한 의견을 내는 것. (　　　　　)

(2) 어려운 일이나 문제를 잘 풀어서 마무리함. (　　　　　)

(3) 좋은 일을 하려고 여러 사람한테서 돈을 걷어 모음. (　　　　　)

(4) 어떤 것을 특별히 두드러지게 하거나 강하게 의견을 내세움. (　　　　　)

2 밑줄 친 낱말의 반대말은 무엇인가요? (　　　　)

교실 청소를 다 같이 했더니 청소 상태가 <u>나아졌다</u>.

① 줄었다　　② 올랐다　　③ 나빠졌다
④ 이어졌다　　⑤ 좋아졌다

3 보기의 글자를 사용하여 문장에 알맞은 낱말을 완성하세요.

보기

모　강　짜　제

(1) 글의 제목은 진한 글씨로 [　][조]하면 더 눈에 띌 거야.

(2) 문장의 [　][임]이 바르지 않으면 뜻을 이해하기 힘들다.

(3) 내가 [　][안]하는 글을 읽고 친구들이 복도에서 조용히 다니면 뿌듯할 거야.

(4) 아프리카의 어린이가 깨끗한 물을 마실 수 있도록 도우려고 [　][금] 운동을 벌였다.

110～111쪽에서 공부한 낱말을 떠올리며 문제를 풀어 보세요.

4 뜻에 알맞은 낱말을 글자판에서 찾아 묶으세요.(낱말은 가로(—), 세로(|), 대각선(／＼) 방향에 숨어 있어요.)

말	음	그	림
소	망	소	문
리	글	신	맹
자	과	장	률

❶ 사실보다 지나치게 크거나 좋게 부풀려 나타냄.
❷ 말이나 행동을 잘못해서 몹시 부끄럽게 되는 것.
❸ 사람이 성대, 목젖, 입천장, 이, 잇몸, 혀 등의 발음 기관을 통해 내는 구체적인 소리.
❹ 배우지 못해 글을 읽거나 쓸 줄 모르는 사람의 수가 전체 인구에 비해 얼마나 되는지 나타낸 것.

5 친구가 말한 뜻을 가진 낱말은 무엇인지 빈칸에 알맞은 말을 쓰세요.

(1) 전달하려는 내용을 그림으로 나타낸 문자야.

☐☐ 문자

(2) 하나의 문자가 한 개의 소리를 나타내는 문자야.

☐☐ 문자

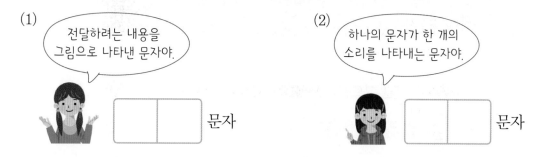

6 빈칸에 공통으로 들어갈 낱말은 무엇인가요? (   )

☐소리　☐솜씨　☐대꾸　☐버릇

① 목　② 물　③ 글　④ 손　⑤ 말

7 밑줄 친 낱말의 쓰임이 알맞으면 ○표, 알맞지 않으면 ×표 하세요.

(1) 어머니께서 망신을 주셔서 기분이 좋았다. (   )
(2) 글을 배우는 사람들이 많아져서 문맹률이 낮아졌다. (   )
(3) 광고는 과장된 내용이 있는지 생각하며 보는 것이 좋다. (   )
(4) 세종 대왕은 사람이 말소리를 내는 기관을 본떠 문자를 만들려고 했다. (   )

사회 교과서 어휘

수록 교과서 사회 4-1
3. 지역의 공공 기관과 주민 참여

다음 중 낱말의 뜻을 잘 알고 있는 것에 ✓ 하세요.

□ 지역 문제 □ 기피 시설 □ 재생 □ 노후화 □ 대안 □ 타협

공사중
시끄러운 공사 소리, 넘치는 쓰레기, 교통 혼잡 등 사람이 살기에 무척 불편해 보여. 그림과 같이 우리가 살아가는 지역에서는 여러 가지 문제가 발생해. 지역에서 발생하는 문제와 관련된 낱말을 공부해 보자.

낱말을 읽고, 부분에 밑줄을 그으면서 낱말 공부를 해 보세요.

이것만은 꼭!

지역 문제

地 땅 지 + 域 지경 역 + 問 물을 문 + 題 제목 제

뜻 지역 주민의 생활을 불편하게 하거나 지역 주민들 사이에 다툼을 일으키는 문제.

예 지역에서는 안전 문제, 환경 오염 문제, 시설 부족 문제 등 다양한 지역 문제가 일어날 수 있다.

'지역'은 어떤 특징이나 일정한 기준에 따라 테두리를 정해 놓은 땅을 말해.

기피 시설

忌 꺼릴 기 + 避 피할 피 + 施 베풀 시 + 設 베풀 설

뜻 주민들이 자신이 사는 지역에 생기는 것을 싫어하는 시설.

예 빗물이나 집, 공장 등에서 쓰고 버리는 더러운 물을 처리하는 하수 처리장은 기피 시설이다.

▲ 하수 처리장

재생

再 두 재 + 生 날 생

뜻 버리게 된 물건을 다시 쓸 수 있게 만드는 것.

예 쓰레기 중에서 재생할 수 있는 것을 분리수거하면 환경에 도움이 된다.

여러 가지 뜻을 가진 낱말 **재생**

'재생'은 죽게 되었다가 다시 살아나는 것을 뜻하기도 해.

예 새로운 치료약이 개발되어 암 환자들에게도 재생의 기회가 생겼다.

노후화

老 늙을 노 + 朽 썩을 후 + 化 될 화

뜻 오래되거나 낡아서 쓸모가 없게 됨.

예 지어진 지 오래된 집이 많은 지역은 주택 노후화 문제를 해결해야 한다.

뜻을 더해 주는 말 **-화**

'-화'는 "그렇게 만들거나 됨."의 뜻을 더해 주는 말이야.

예 도시화, 기계화

대안

對 대할 대 + 案 생각 안

'안(案)'의 대표 뜻은 '책상'이야.

뜻 어떤 일을 해결하기 위한 계획이나 의견.

예 지역의 주차 문제를 해결할 수 있는 대안을 찾아야 한다.

환경 오염 문제를
해결하기 위한
대안을 찾아야 해.

타협

妥 온당할 타 + 協 화합할 협

뜻 어떤 일을 서로 양보하여 의논함.

예 문제를 해결할 때에는 충분한 대화와 타협을 통해 해결해야 한다.

비슷한말 **협의**

'협의'는 여러 사람이 힘을 합해 서로 도우며 의논하는 것을 뜻해.

예 두 마을은 협의를 통해 문제를 해결해 나가기로 했다.

사회 교과서 어휘

수록 교과서 **사회 4-1**
3. 지역의 공공 기관과 주민 참여

다음 중 낱말의 뜻을 잘 알고 있는 것에 ✓ 하세요.

□ 주민 참여 □ 공청회 □ 시민 단체 □ 우범 지역 □ 주민 투표 □ 규정

불법 주차 하지 마세요!
불법주차 금지
불법 주차 안 돼요!
불법 주차 근절 캠페인
게시판
불법 주차 신고
주민들이 지역 문제를 해결하기 위해 여러 가지 활동에 참여하고 있어. 구체적으로 어떤 활동들을 하고 있는 것인지 관련 낱말을 통해 알아볼까?

낱말을 읽고, 　　　 부분에 밑줄을 그으면서 낱말 공부를 해 보세요.

이것만은 꼭!

주민 참여

住 살 주 + 民 백성 민 + 參 참여할 참 + 與 더불 여

뜻 지역의 문제를 해결할 때 지역 주민이 중심이 되어 참여하는 것.

예 시청에 전화를 걸어 지역의 문제를 알리는 것도 주민 참여의 방법이다.

‘참여’는 여러 사람이 같이 하는 어떤 일에 끼어들어 함께 일하는 것을 뜻해.

공청회

公 공평할 공 + 聽 들을 청 + 會 모일 회

뜻 정책을 결정하기 전에 관련된 사람들을 모아 놓고 다양한 의견을 듣는 회의.

예 공청회를 열어서 전문가와 주민이 모여 다양한 의견을 나누기도 한다.

관련 어휘 정책

‘정책’은 정치를 잘하거나 사회 문제를 해결하기 위해 내놓는 방법을 말해.

시민 단체

市 시장 **시** + 民 백성 **민** +
團 모일 **단** + 體 몸 **체**

'단(團)'의 대표 뜻은 '둥글다'야.

뜻 시민들이 스스로 모여 사회 전체의 이로움을 위해 일하는 단체.

예 환경 분야에서 일하는 **시민 단체**는 지역의 환경 문제에 관심을 가지고 환경 보호 활동을 한다.

관련 어휘 시민

'시민'은 한 나라의 국민으로서 권리와 의무를 가진 사람을 말해.

우범 지역

虞 염려할 **우** + 犯 범할 **범** +
地 땅 **지** + 域 지경 **역**

뜻 범죄가 자주 일어나거나 일어날 가능성이 높은 지역.

예 범죄가 많은 **우범 지역**은 경찰서에서 특별히 관리한다.

'우범'은 범죄가 일어날 수 있다는 것을 뜻하는 말이야. '우범 청소년'과 같이 주로 '우범 ○○'로 써.

주민 투표

住 살 **주** + 民 백성 **민** +
投 던질 **투** + 票 표 **표**

뜻 지역의 일을 결정하기 전에 주민의 의견을 알아보려고 하는 투표.

예 **주민 투표**를 하여 지역에 새로운 제도를 만드는 문제를 결정했다.

관련 어휘 투표

'투표'는 선거를 하거나 어떤 일을 정할 때 종이에 의견을 표시하여 내는 일을 말해.

규정

規 법 **규** + 定 정할 **정**

뜻 규칙으로 정해 놓은 것.

예 학교 앞에서 **규정** 속도를 지키지 않는 차들이 많아 아이들이 위험하다.

규정 속도를 알려 주는 표지판 ▶

확인 문제

114～115쪽에서 공부한 낱말을 떠올리며 문제를 풀어 보세요.

1 낱말의 뜻을 보기에서 찾아 사다리를 타고 내려간 곳에 기호를 쓰세요.

보기
㉠ 어떤 일을 서로 양보하여 의논함.
㉡ 어떤 일을 해결하기 위한 계획이나 의견.
㉢ 버리게 된 물건을 다시 쓸 수 있게 만드는 것.
㉣ 주민들이 자신이 사는 지역에 생기는 것을 싫어하는 시설.
㉤ 지역 주민의 생활을 불편하게 하거나 지역 주민들 사이에 다툼을 일으키는 문제.

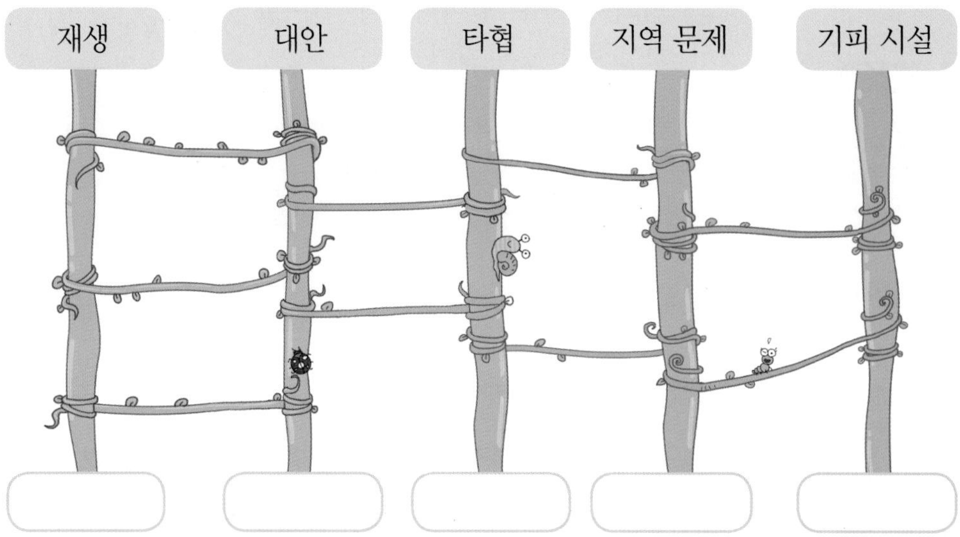

2 빈칸에 공통으로 들어갈 말은 무엇인가요? (　　　　)

- 노후☐: 오래되거나 낡아서 쓸모가 없게 됨.
- 기계☐: 사람이나 동물이 하던 일을 기계가 대신하게 됨.

① 개　② 용　③ 지　④ 품　⑤ 화

3 (　　) 안에서 알맞은 낱말을 골라 ○표 하세요.

(1) 주민들이 끝까지 양보하지 않아서 (다툼 , 타협)이 이루어지지 않았다.
(2) 내가 생각하는 (건강 문제 , 지역 문제) 중 가장 심각한 것은 교통 혼잡 문제이다.
(3) (노후화 , 도시화)된 지하철은 사고를 일으킬 수 있어서 당장 새것으로 바꿔야 한다.
(4) 주민들은 쓰레기를 태우는 시설은 (기피 시설 , 재생 시설)이기 때문에 만들지 말자고 했다.

116～117쪽에서 공부한 낱말을 떠올리며 문제를 풀어 보세요.

4 뜻에 알맞은 낱말을 완성하세요.

(1) ㄱ ㅈ — 규칙으로 정해 놓은 것.

(2) ㅅ ㅁ ㄷ ㅊ — 시민들이 스스로 모여 사회 전체의 이로움을 위해 일하는 단체.

(3) ㅈ ㅁ ㅊ ㅇ — 지역의 문제를 해결할 때 지역 주민이 중심이 되어 참여하는 것.

(4) ㄱ ㅊ ㅎ — 정책을 결정하기 전에 관련된 사람들을 모아 놓고 다양한 의견을 듣는 회의.

5 낱말의 뜻은 무엇인지 (　　) 안에서 알맞은 말을 골라 ○표 하세요.

(1) 우범 지역

(범죄 , 전쟁)이/가 자주 일어나거나 일어날 가능성이 높은 지역.

(2) 주민 투표

(국가 , 지역)의 일을 결정하기 전에 주민의 의견을 알아보려고 하는 투표.

6 (　　) 안에 들어갈 알맞은 낱말을 보기에서 찾아 쓰세요.

보기

규정　　공청회　　시민 단체　　우범 지역

(1) 학교 앞은 특히 (　　　　　　) 속도를 잘 지켜야 하는 곳이다.

(2) (　　　　　　)을/를 열어 지역 주민들의 생각을 알아보기로 했다.

(3) 어린이는 특히 늦은 시간에 (　　　　　　)에 가지 않는 것이 좋다.

(4) 나는 문화재 보호 활동을 하는 (　　　　　　)에서 문화재 보존을 위한 일을 하고 싶다.

4주차 3회

수학 교과서 어휘

수록 교과서 수학 4-1
5. 막대그래프

다음 중 낱말의 뜻을 잘 알고 있는 것에 ✔ 하세요.

☐ 일부 ☐ 기록 ☐ 획득 ☐ 비기다 ☐ 세트 ☐ 절반

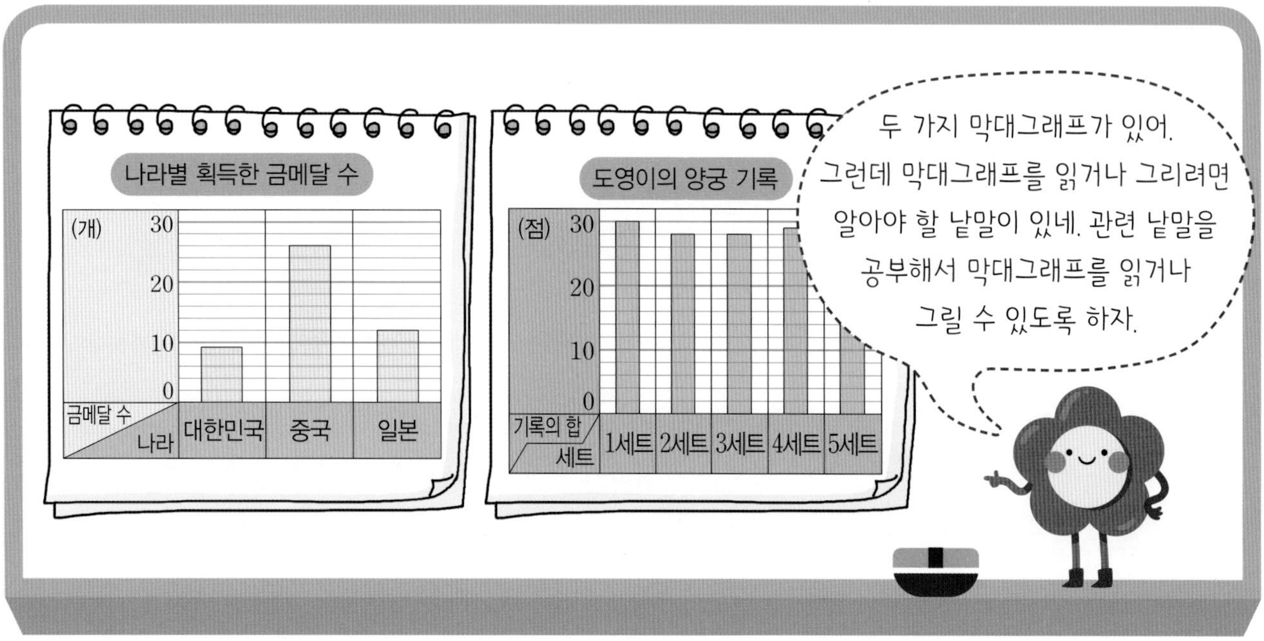

낱말을 읽고, [ ] 부분에 밑줄을 그으면서 낱말 공부를 해 보세요.

일부
一 하나 일 + 部 떼 부

뜻 전체 중에서 한 부분.

예 전체 올림픽 경기 종목 중 일부 경기 종목의 금메달 수만 조사하여 막대그래프로 나타내었다.

비슷한말 일부분

'일부분'은 전체 중에서 한 부분을 뜻해.

예 건물의 일부분이 무너졌다.

이것만은 꼭!

기록
記 기록할 기 + 錄 기록할 록

뜻 운동 경기 등에서 세운 성적이나 결과를 수로 나타냄.

예 반 친구들의 줄넘기 기록을 막대그래프로 나타낸다.

여러 가지 뜻을 가진 낱말 기록

'기록'은 어떤 사실이나 생각을 적거나 영상으로 남기는 것을 뜻하기도 해.

예 회의 내용을 기록하다.

획득

獲 얻을 획 + 得 얻을 득

뜻 얻어 냄.

예 우리나라는 여러 가지 올림픽 경기 종목 중 양궁에서 특히 금메달을 많이 획득하고 있다.

비기다

뜻 경기에서 점수가 같아 어느 쪽이 이기고 졌는지 승부를 내지 못하고 끝내다.

예 이기면 2점, 비기면 1점, 지면 0점을 얻는다.

세트

뜻 테니스, 배구, 탁구 등에서 경기의 한 판을 이르는 말.

예 경기는 5세트로 나누어 진행된다.

여러 가지 뜻을 가진 낱말 세트

'세트'는 가구나 도구, 그릇 등의 물건이 서로 어울리도록 같이 만들어진 것을 뜻하기도 해.

예 동생에게 문구 세트를 선물했다.

절반

折 꺾을 절 + 半 반 반

뜻 하나를 반으로 나눔.

예 100표 중 절반이 넘는 51표를 얻었다.

비슷한말 반절

'반절'은 반으로 자른 것을 뜻해.

예 우리는 빵 하나를 반절로 잘라 나누어 먹었다.

4주차 3회 수학 교과서 어휘

수록 교과서 수학 4-1
6. 규칙 찾기

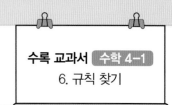

다음 중 낱말의 뜻을 잘 알고 있는 것에 ✓ 하세요.

☐ 배열 ☐ 발견 ☐ 계산기 ☐ 규칙적인 계산식 ☐ 지폐 ☐ 단순하다

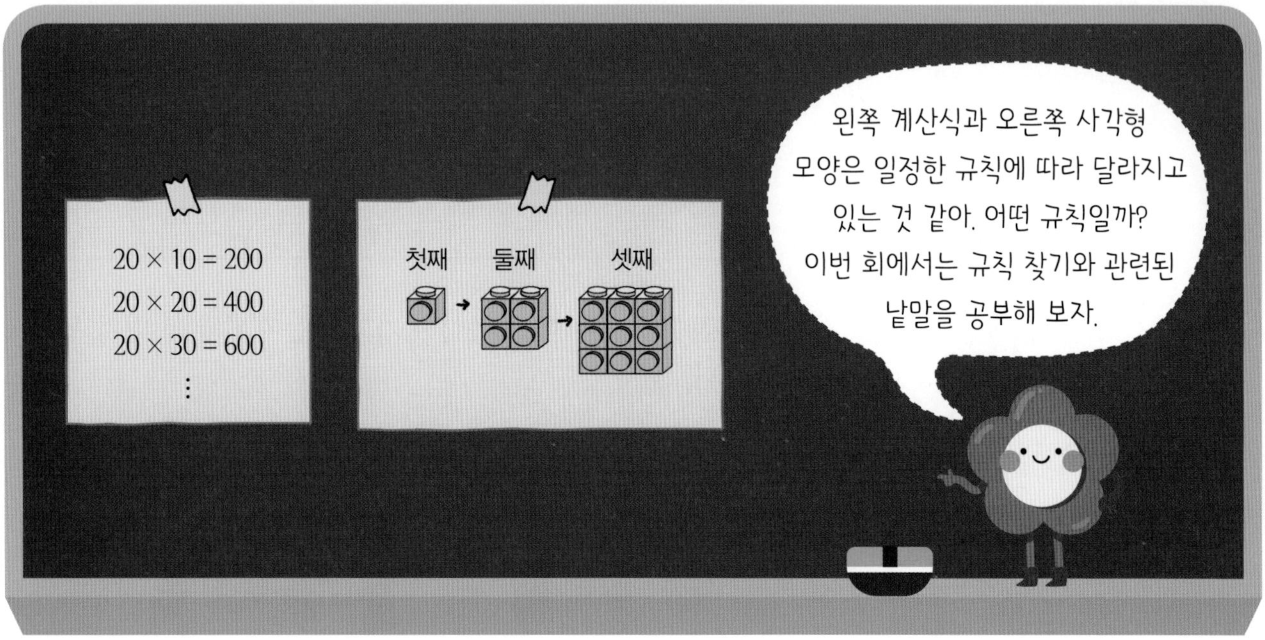

20 × 10 = 200
20 × 20 = 400
20 × 30 = 600
⋮
첫째
둘째
셋째
왼쪽 계산식과 오른쪽 사각형 모양은 일정한 규칙에 따라 달라지고 있는 것 같아. 어떤 규칙일까?
이번 회에서는 규칙 찾기와 관련된 낱말을 공부해 보자.

낱말을 읽고, 부분에 밑줄을 그으면서 낱말 공부를 해 보세요.

배열

配 나눌 배 + 列 벌일 열

뜻 일정한 차례나 거리에 따라 벌여 놓음.

예 모형의 수가 1개씩 늘어나도록 배열했다.

비슷한말 **배치**

'배치'는 사람이나 물건 등을 일정한 차례나 거리에 따라 벌여 놓는 것을 말해.
예 장난감을 크기대로 배치했다.

발견

發 드러낼 발 + 見 보일 견

'발(發)'의 대표 뜻은 '피다', '견(見)'의 대표 뜻은 '보다'야.

뜻 아직 찾아내지 못했거나 세상에 알려지지 않은 것을 처음으로 찾아냄.

예 안내도에서 100씩 커지는 수의 규칙을 발견했다.

헷갈리는 말 **발명**

'발명'은 지금까지 없던 새로운 기술이나 물건을 처음으로 생각하여 만들어 내는 것을 말해. '발견'은 처음으로 찾아낸 것이고, '발명'은 처음으로 만들어 낸 것이지.

계산기

計 셀 계 + 算 셈 산 + 器 도구 기

'기(器)'의 대표 뜻은 '그릇'이야.

뜻 계산을 빠르고 정확하게 하는 데 쓰는 기계.

예 **계산기**를 사용해 계산식에서 규칙을 찾아보는 활동을 했다.

계산할 때
사용하는
계산기야.

이것만은 꼭!

규칙적인 계산식

規 법 규 + 則 법칙 칙 + 的 ~한 상태로 되는 적 + 인 + 計 셀 계 + 算 셈 산 + 式 법 식

'적(的)'의 대표 뜻은 '과녁'이야.

뜻 일정한 규칙에 따라 만들어진 계산식.

예 달력에서도 **규칙적인 계산식**을 찾을 수 있다.

1 + 1 = 2
1 + 1 + 1 = 3
1 + 1 + 1 + 1 = 4
1 + 1 + 1 + 1 + 1 = 5

1씩 더 더하는
규칙이네!

지폐

紙 종이 지 + 幣 화폐 폐

뜻 종이로 만든 돈.

예 1000원짜리 **지폐**의 개수를 세어 보았다.

비슷한말 **종이돈**

'종이돈'은 종이로 만든 돈을 말해.

예 지갑에서 종이돈 몇 장을 꺼냈다.

단순하다

單 홑 단 + 純 순수할 순 + 하다

뜻 복잡하지 않고 간단하다.

예 이 문제는 더하기만 하면 되니까 무척 **단순하다**.

반대말 **복잡하다**

'복잡하다'는 "일, 감정 등이 정리하기 어려울 만큼 여러 가지가 얽혀 있다."라는 뜻이야.

예 이야기의 내용이 복잡해서 설명하기 어렵다.

확인 문제

120~121쪽에서 공부한 낱말을 떠올리며 문제를 풀어 보세요.

1 뜻에 알맞은 낱말에 ○표 하세요.

(1) 얻어 냄. (이득 , 획득)

(2) 전체 중에서 한 부분. (일부 , 절반)

(3) 테니스, 배구, 탁구 등에서 경기의 한 판을 이르는 말. (세로 , 세트)

(4) 경기에서 점수가 같아 어느 쪽이 이기고 졌는지 승부를 내지 못하고 끝내다. (비기다 , 이기다)

2 밑줄 친 낱말의 뜻을 보기에서 찾아 기호를 쓰세요.

보기

㉠ 어떤 사실이나 생각을 적거나 영상으로 남김.
㉡ 운동 경기 등에서 세운 성적이나 결과를 수로 나타냄.

(1) 오늘 있었던 일을 일기장에 기록해 놓았다. (   )

(2) 내가 우리 반에서 달리기 기록이 제일 좋다. (   )

3 밑줄 친 낱말이 알맞게 쓰였는지 ○, ×를 따라가며 선을 긋고 몇 번으로 나오는지 쓰세요.

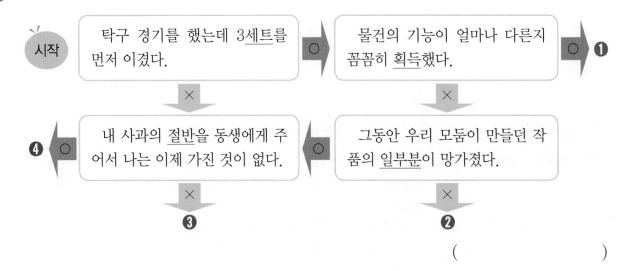

시작

탁구 경기를 했는데 3세트를 먼저 이겼다. (○ → 다음 칸, × → 아래 칸)

물건의 기능이 얼마나 다른지 꼼꼼히 획득했다. (○ → ❶, × → 아래 칸)

그동안 우리 모둠이 만들던 작품의 일부분이 망가졌다. (○ → 왼쪽 칸, × → ❷)

내 사과의 절반을 동생에게 주어서 나는 이제 가진 것이 없다. (○ → ❹, × → ❸)

(   )

122~123쪽에서 공부한 낱말을 떠올리며 문제를 풀어 보세요.

4 뜻에 알맞은 말을 보기에서 찾아 사다리를 타고 내려간 곳에 쓰세요.

보기: 배열 지폐 계산기 규칙적인 계산식

종이로 만든 돈.	일정한 규칙에 따라 만들어진 계산식.	일정한 차례나 거리에 따라 벌여 놓음.	계산을 빠르고 정확하게 하는 데 쓰는 기계.

( )	( )	( )	( )

5 밑줄 친 낱말을 알맞게 사용하지 못한 친구에게 ×표 하세요.

(1)

심각한 병도
빨리 발견하면
치료할 수 있어.

( )

(2)

아파트 공사장에서
조선 시대의 유물이
발명되었어.

( )

(3)

라이트 형제는
비행기를 발명하기
위해 노력했어.

( )

6 ( ) 안에서 알맞은 낱말을 골라 ○표 하세요.

(1) 이 계산식은 규칙이 (단순해서 , 복잡해서) 쉽게 풀 수 있다.

(2) 달력에 있는 수의 세로 (배열 , 현상)에서도 규칙을 찾을 수 있다.

(3) 한 달에 한 번 1000원짜리 (동전 , 지폐) 한 장을 저금하기로 했다.

(4) (게임기 , 계산기)와 같은 계산 도구를 이용하면 계산을 빨리 할 수 있다.

과학 교과서 어휘

수록 교과서 과학 4-1
5. 혼합물의 분리

다음 중 낱말의 뜻을 잘 알고 있는 것에 ✔ 하세요.

□ 혼합물 □ 진하다 □ 재료 □ 분리 □ 거르다 □ 체

사람들은 바다에서 소금을 얻으며 살아가고 있어. 여러 가지 물질이 포함된 바닷물에서 물이 날아가면 소금이 남지. 우리 주변에는 이렇게 두 가지 이상의 물질이 혼합된 것들이 많아. 관련된 낱말을 알아볼까?

낱말을 읽고, ▭ 부분에 밑줄을 그으면서 낱말 공부를 해 보세요.

이것만은 꼭!

혼합물

混 섞을 혼 + 合 합할 합 + 物 물건 물

뜻 두 가지 이상의 물질이 성질이 변하지 않은 채 서로 섞여 있는 것.

예 팥빙수는 과일, 팥, 얼음 등이 성질이 변하지 않은 채 섞여 있는 혼합물이다.

팥빙수도 혼합물이야.

진하다

津 진액 진 + 하다

'진(津)'의 대표 뜻은 '나루'야.

뜻 액체 속에 물보다 어떤 물질이 많이 들어 있어서 짙다.

예 소금을 많이 넣어서 진한 소금물을 만든다.

반대말 연하다

'연하다'는 "액체 속에 어떤 물질보다 물이 지나치게 많아서 옅다."라는 뜻이야.

예 된장을 연하게 풀다.

재료

材 재료 **재** + 料 헤아릴 **료**

'재(材)'의 대표 뜻은 '재목'이야.

뜻 물건을 만드는 데 쓰이는 것.

예 김밥은 김, 밥, 단무지, 달걀, 당근, 시금치 등 여러 가지 재료로 만든다.

분리

分 나눌 **분** + 離 떼어 놓을 **리**

'리(離)'의 대표 뜻은 '떠나다'야.

뜻 서로 나뉘어 떨어지게 함.

예 사탕수수에서 분리한 설탕을 다른 물질과 섞으면 사탕을 만들 수 있다.

어법 받침 'ㄴ'을 'ㄹ'로 발음하기

'분리'는 [불리]로 발음해야 해. '분'의 받침 'ㄴ'이 '리'의 첫 자음자 'ㄹ'과 만나 [ㄹ]로 소리 나기 때문이야. **예** 한라산[할라산]

거르다

뜻 거름종이 등으로 찌꺼기나 건더기가 있는 액체에서 다른 것이 섞이지 않은 액체만 받아 내다.

예 메주와 소금물이 섞인 혼합물을 천으로 거르면 물에 녹은 물질은 천을 빠져나가고 물에 녹지 않은 물질은 천에 남는다.

▲ 거름종이로 거르는 모습

글자는 같지만 뜻이 다른 낱말 거르다

'거르다'는 "차례대로 나아가다가 중간의 어느 차례를 빼고 넘기다."라는 전혀 다른 뜻으로도 쓰여. **예** 아침밥을 거르다.

체

뜻 가루를 곱게 만들거나 액체에서 찌꺼기를 거르는 데 쓰는 도구.

예 콩과 좁쌀이 섞여 있는 혼합물은 체를 사용해서 분리할 수 있다.

4주차 4회

과학 교과서 어휘

수록 교과서 과학 4-1
5. 혼합물의 분리

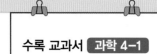

다음 중 낱말의 뜻을 잘 알고 있는 것에 ✔ 하세요.

☐ 철 ☐ 알루미늄 ☐ 껍데기 ☐ 폐지 ☐ 식용 ☐ 원료

자석 크레인으로 철로 된 쓰레기만 분리해 내고 있는 사진이야. 이처럼 혼합물을 분리할 때에는 물질의 성질을 이용해. 이와 관련 있는 낱말을 공부해 보자.

낱말을 읽고, ▭ 부분에 밑줄을 그으면서 낱말 공부를 해 보세요.

이것만은 꼭!

철

鐵 쇠 철

뜻 도구나 기계 같은 것을 만드는 데 쓰이는 은백색의 단단한 쇠붙이. 자석에 붙고, 물기가 있으면 녹슬기 쉬움.

예 플라스틱과 철이 섞여 있을 때 자석을 이용하면 분리하기 쉽다.

▲ 자석에 붙는 철 가루

알루미늄

뜻 잘 썩지 않고 가벼워 건물을 짓거나 가정용 제품 등을 만들 때 널리 쓰이는 은백색의 단단하지 않은 쇠붙이.

예 철 캔과 알루미늄 캔이 섞여 있을 때 자석을 이용하면 철 캔만 자석에 붙어서 쉽게 분리할 수 있다.

알루미늄 포일 ▶

껍데기

뜻 달걀이나 조개 등의 겉을 싸고 있는 단단한 물질.

예 해변 쓰레기 수거 장비는 체를 사용해서 체의 눈 크기보다 작은 모래와 체의 눈 크기보다 큰 동전, 조개 껍데기 등을 분리하여 쓰레기를 수거하기도 한다.

헷갈리는 말 **껍질**

'껍질'은 사과나 귤 등의 겉을 싸고 있는 단단하지 않은 물질을 말해. 단단한 건 '껍데기', 단단하지 않은 건 '껍질'이라는 걸 기억해!

▲ 조개 껍데기

▲ 호두 껍데기

▲ 양파 껍질

▲ 감자 껍질

폐지

廢 폐할 폐 + 紙 종이 지

뜻 쓰고 버린 종이.

예 생활 속에서 버려지는 폐지를 이용해서 다시 종이를 만들 수 있다.

글자는 같지만 뜻이 다른 낱말 **폐지**

'폐지'는 실시하던 제도나 일 등을 그만두거나 없애는 것을 뜻하는 낱말로도 쓰여.

예 프로그램을 폐지하다.

식용

食 먹을 식 + 用 쓸 용

뜻 먹을 것으로 씀.

예 폐지로 재생 종이를 만들 때 종이의 색깔을 다양하게 하려면 우리 몸에 해롭지 않은 식용 색소를 섞는다.

원료

原 근원 원 + 料 헤아릴 료

뜻 어떤 것을 만드는 데 들어가는 재료.

예 코끼리 똥에서 종이의 원료가 되는 물질을 분리한다.

확인 문제

126~127쪽에서 공부한 낱말을 떠올리며 문제를 풀어 보세요.

1 **뜻에 알맞은 낱말을 색칠하고, 어떤 숫자가 나오는지 쓰세요.** (낱말은 가로(—), 세로(|) 방향에 숨어 있어요.)

혼	재	분	거
합	료	리	르
물	진	하	다
연	하	체	물

❶ 서로 나뉘어 떨어지게 함.
❷ 액체 속에 물보다 어떤 물질이 많이 들어 있어서 짙다.
❸ 가루를 곱게 만들거나 액체에서 찌꺼기를 거르는 데 쓰는 도구.
❹ 두 가지 이상의 물질이 성질이 변하지 않은 채 서로 섞여 있는 것.

(　　　　　　　　)

2 **밑줄 친 낱말의 반대말에 ○표 하세요.**

국물이 진하다. (얕다 , 강하다 , 연하다)

3 **(　　) 안에 들어갈 알맞은 낱말을 보기 에서 찾아 쓰세요.**

보기

체　　분리　　거를　　혼합물

주영: 아빠, 콩과 좁쌀을 섞으셔서 (1)(　　　　　　)이/가 만들어졌네요. 그런데 밥 지을 때 콩은 빼 주시면 안 돼요?
아빠: 어떻게 콩만 (2)(　　　　　　)하지?
주영: (3)(　　　　　　)을/를 쓰면 돼요. 좁쌀은 체를 통과하니까 콩만 (4)(　　　　　　) 수 있어요.

4 **(　　) 안에서 알맞은 낱말을 골라 ○표 하세요.**

(1) 팥빙수는 과일, 팥, 얼음 등 여러 가지 (재료 , 성질)로 만든다.

(2) (거친 , 진한) 소금물로 만든 그림을 말리면 소금 알갱이가 생긴다.

133쪽에서 공부한 낱말을 떠올리며 문제를 풀어 보세요.

5 뜻에 알맞은 낱말이 되도록 (   ) 안에서 알맞은 말을 골라 ○표 하세요.

(1) 도화지 | 그림을 그리는 데 쓰는 (신문 , 종이).

(2) 주간지 | (날마다 , 일주일에 한 번씩) 펴내는 신문.

(3) 백지상태 | 종이에 (가득 차게 쓴 , 아무것도 쓰지 않은) 상태.

6 밑줄 친 낱말이 보기와 같은 뜻으로 쓰인 것에 ○표 하세요.

보기

영어를 한 번도 배운 적이 없어서 영어에 대해 백지상태이다.

(1) 미술 시간 내내 스케치북을 백지상태로 두었다. (   )

(2) 머릿속이 백지상태가 되어 달달 외운 것들이 하나도 생각나지 않았다. (   )

7 빈칸에 들어갈 알맞은 낱말을 글자 카드로 만들어 쓰세요.

(1) 미술 시간에 [ ][ ][ ]에 크레파스로 그림을 그렸다.

벽 도 일 화 지

(2) 매일 아침마다 오는 [ ][ ][ ]를 읽으면 지난 밤에 어떤 일이 있었는지 알 수 있다.

일 주 월 간 지

(3) 공부를 전혀 안 하는 동생의 공책은 언제나 [ ][ ][ ][ ]이다.

백 상 편 태 지

앞에서 공부한 낱말을 떠올리며 문제를 풀어 보세요.

낱말 뜻

1 낱말의 뜻이 알맞지 않은 것은 무엇인가요? (   )

① 제안: 어떤 일에 대한 의견을 내는 것.
② 노후화: 오래되거나 낡아서 쓸모가 없게 됨.
③ 세트: 테니스, 배구, 탁구 등에서 경기의 한 판을 이르는 말.
④ 기피 시설: 주민들이 자신이 사는 지역에 생기기를 바라는 시설.
⑤ 철: 도구나 기계 같은 것을 만드는 데 쓰이는 은백색의 단단한 쇠붙이. 자석에 붙고, 물기가 있으면 녹슬기 쉬움.

낱말 뜻

2 (   ) 안에서 알맞은 말을 골라 ○표 하세요.

(1) '배열'은 일정한 차례나 거리에 따라 (벌여 놓는 , 묶어 놓는) 것을 뜻한다.
(2) '혼합물'은 두 가지 이상의 물질이 성질이 (변한 , 변하지 않은) 채 서로 섞여 있는 것을 말한다.
(3) '시민 단체'는 시민들이 스스로 모여 사회 전체의 (해로움 , 이로움)을 위해 일하는 단체를 말한다.
(4) '문맹률'은 배우지 못해 글을 읽거나 쓸 줄 (아는 , 모르는) 사람의 수가 전체 인구에 비해 얼마나 되는지 나타낸 것이다.

반대말

3 뜻이 반대인 낱말끼리 짝 지은 것은 무엇인가요? (   )

① 망신 – 창피　② 절반 – 반절　③ 배열 – 배치
④ 일부 – 일부분　⑤ 단순하다 – 복잡하다

글자는 같지만 뜻이 다른 낱말

4 밑줄 친 낱말이 보기의 뜻으로 쓰인 것에 ○표 하세요.

보기
쓰고 버린 종이.

(1) 미술 시간이 끝나면 <u>폐지</u>가 많이 모인다. (   )
(2) 학생들은 벌점 제도가 <u>폐지</u>되기를 원했다. (   )

헷갈리는 말

5 ~ 6 (　　) 안에서 알맞은 낱말을 골라 ○표 하세요.

5

먼 옛날에 살던 사람들은 우연히 불을 (1)(발견 , 발명)하게 되었어요. 그 이후에 불을 피우는 도구를 (2)(발견 , 발명)하게 되었지요.

6

재아: 달걀을 삶고 나서 찬물에 담가 놓으면 (1)(껍질 , 껍데기)이/가 잘 까진다는 사실을 알고 있어?

민호: 그래? 몰랐어. 앞으로는 사과도 (2)(껍질 , 껍데기)이/가 잘 벗겨지라고 찬물에 담가 놓아야겠다.

재아: 뭐라고? 맙소사!

낱말 활용

7 ~ 10 (　　) 안에 들어갈 알맞은 낱말을 보기에서 찾아 쓰세요.

보기

규정　　원료　　공청회　　내유외강

7 두부, 콩기름, 콩나물의 (　　　　　)은/는 콩이다.

8 대회에 참가하려면 (　　　　　)을/를 잘 지켜야 한다.

9 도청은 쓰레기 처리장 설치에 대한 (　　　　　)을/를 열어 여러 전문가와 주민들의 의견을 들었다.

10 평소에는 전혀 웃으시지도 않던 아저씨께서 어려운 사람을 도왔다는 이야기를 듣고, 아저씨께서는 (　　　　　)이시라는 것을 알았다.

찾아보기

『어휘가 문해력이다』 초등 4학년 1학기에 수록된 모든 어휘를
과목별로 나누어 ㄱ, ㄴ, ㄷ … 순서로 정리했습니다.

과목별로 뜻이 궁금한 어휘를 바로바로 찾아보세요!

차례

국어 교과서 어휘

사회 교과서 어휘

수학 교과서 어휘

과학 교과서 어휘

한자 어휘

사진 자료 출처

- **문화재청** 사자춤(50쪽), 남사당놀이(50쪽), 삼국유사(50쪽),
불국사 다보탑(50쪽), 김제 금산사 미륵전(50쪽),
예산 수덕사 대웅전(52쪽), 고창 부곡리 고인돌(52쪽),
김제 벽골제(52쪽), 이성계 어진(53쪽),
고창 선운사 참당암 대웅전(53쪽), 서산 해미 읍성(83쪽)
- **국립민속박물관** 체(127쪽)
- **셔터스톡, 아이클릭아트**

통계 자료 출처

- **통계청** 2030년 나라별 예상 인구수 – 2018년(24쪽)
- **대한체육회** 올림픽에 참가한 우리나라 선수 수 – 2017년(90쪽)
나라별 획득한 금메달 수 – 2017년(120쪽)

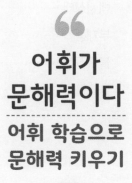

“
어휘가
문해력이다
어휘 학습으로
문해력 키우기
”

어휘가 문해력이다

초등 4학년 1학기

1주차 정답과 해설

국어 교과서 어휘

수록 교과서 국어 4-1 ㉮
1. 생각과 느낌을 나누어요

다음 중 낱말의 뜻을 잘 알고 있는 것에 ✓ 하세요.
□ 의견 □ 까닭 □ 오행시 □ 가훈 □ 의심 □ 활기차다

낱말을 읽고, 부분에 밑줄을 그으면서 낱말 공부를 해 보세요.

이것만은 꼭!

의견
意 뜻 의 + 見 볼 견

뜻 어떤 것에 대해 어떻다고 생각하는 것.

예 나는 친구를 끝까지 믿어 준 주인공의 행동이 옳다는 의견을 말했다.

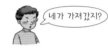

속담 사공이 많으면 배가 산으로 간다
여러 사람이 각자 자기 의견대로만 배를 몰려고 하면 배가 산으로 올라간다는 뜻이야. 이끄는 사람 없이 사람들이 서로 자기 의견만 내세우면 일이 제대로 되기 어렵지.

까닭

뜻 어떤 생각을 하게 된 이유나 뒷받침해 주는 내용.

예 이야기를 읽고 나서 왜 감동을 느꼈는지 그 까닭을 말해 보자.

비슷한말 이유
'이유'는 어떤 일이 생기게 된 까닭을 뜻해.
예 동생이 화를 내는 이유를 알고 싶다.

오행시
五 다섯 오 + 行 다닐 행 + 詩 시 시

뜻 다섯 줄로 이루어진 짧은 글. 다섯 글자로 된 낱말의 각 글자를 첫 글자로 이용해 지음.

예 '등 굽은 나무'로 오행시를 지었다.

등 굽은 나무는
굽이굽이 흐르는
은빛 강물처럼
나의 마음을
무척 편안하게 해 준다.

정답과 해설 ▶ 2쪽

가훈
家 집 가 + 訓 가르칠 훈

뜻 한집의 가족들이 지켜야 할 마음가짐과 행동을 표현한 말.

예 우리 집 가훈은 "어려운 이웃을 돕자."이다.

관련 어휘 교훈
'교훈'은 학교에서 학생들이 지켜야 할 마음가짐과 행동을 표현한 말이야.
Tip 한 학급의 친구들이 지켜야 할 마음가짐과 행동을 표현한 말은 '급훈'이에요.

의심
疑 의심할 의 + 心 마음 심

뜻 확실하지 않아서 믿지 못하는 마음.

예 나는 잃어버린 지우개를 영호가 가져갔을 거라는 의심이 들었다.

네가 가져갔지?
왜 나를 의심하니?

활기차다
活 살 활 + 氣 기운 기 + 차다

뜻 힘찬 기운이 가득하다.

예 자신이 할 일을 찾아 열심히 일하는 주인공의 모습이 활기차 보였다.

'활기'는 힘찬 기운을 뜻하는 말로, '차다' 없이 혼자 쓰이기도 해. "활기가 넘치다."와 같이 쓰이지.

꼭! 알아야 할 속담

빈칸 채우기 '공든 [탑]이 무너지랴'는 공들여 쌓은 탑은 무너질 리 없다는 뜻으로, 힘을 다하고 정성을 다하여 한 일은 그 결과가 반드시 헛되지 않음을 이르는 말입니다.

1주차 1회

국어 교과서 어휘

수록 교과서 국어 4-1 ㉮
2. 내용을 간추려요

다음 중 낱말의 뜻을 잘 알고 있는 것에 ✓ 하세요.

☐ 중심 내용 ☐ 줄거리 ☐ 방안 ☐ 실천 ☐ 전개 ☐ 목적

낱말을 읽고, 부분에 밑줄을 그으면서 낱말 공부를 해 보세요.

중심 내용

中 가운데 중 + 心 마음 심 + 內 안 내 + 容 얼굴 용

이것만은 꼭!

뜻 글이나 문단에서 가장 중요한 내용.

예 글의 내용을 간추릴 때에는 중심 내용이 드러나야 한다.

관련 어휘 문단

'문단'은 글에서 몇 개의 문장이 모여 하나의 생각을 나타내는 짤막한 덩어리를 말해. 문단이 모여서 한 편의 글이 완성되지.

문장 + 문장 ➡ 문단

줄거리

뜻 글에서 중요하지 않은 부분을 빼고 뼈대가 되는 내용.

예 글을 읽고, 중요한 내용만 연결해서 줄거리를 간추려 보았다.

여러 가지 뜻을 가진 낱말 줄거리

'줄거리'는 잎이 다 떨어진 나뭇가지를 뜻하기도 해.

예 겨울이 되어 나무들이 줄거리만 앙상했다.

▲ 영화의 줄거리를 검색하는 아이

▲ 줄거리만 남은 나무

방안

方 방법 방 + 案 생각 안

'방(方)'의 대표 뜻은 '모', '안(案)'의 대표 뜻은 '책상'이야.

뜻 일을 해 나가기 위한 방법이나 계획.

예 글에서 문제점을 해결하기 위한 방안으로 무엇을 말했는지 찾아본다.

비슷한말 방법

'방법'은 어떤 목적을 이루기 위해 하는 일이나 일을 해 나가는 형식을 뜻해.

예 시간을 아낄 방법을 찾았다. Tip '방안'과 뜻이 비슷한 낱말로 '방책'도 있어요. '방책'은 어떤 일을 해결할 방법이나 꾀를 뜻해요.

실천

實 실행할 실 + 踐 실행할 천

'실(實)'의 대표 뜻은 '열매', '천(踐)'의 대표 뜻은 '밟다'야.

뜻 생각한 것을 실제로 함.

예 에너지 절약을 실천하기 위해서 빈방에 전깃불을 켜 놓지 않는다.

비슷한말 실행

'실행'은 실제로 하는 것을 뜻해.

예 부모님과의 약속을 실행하다.

전개

展 펼 전 + 開 열 개

뜻 어떤 일이나 이야기를 자세하게 펼쳐 나가는 것.

예 의견을 내세우는 글은 문제점, 해결 방안, 실천 방법의 짜임으로 내용이 전개되는 경우가 많다.

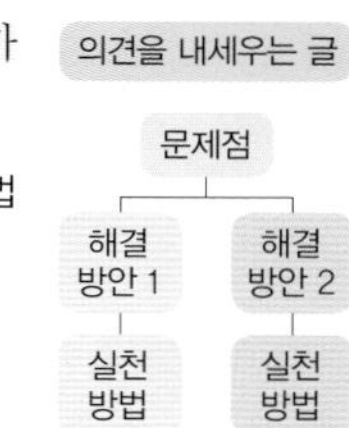

목적

目 눈 목 + 的 과녁 적

뜻 어떤 일을 통해서 이루려고 하는 것.

예 일기 예보를 들을 때에는 왜 들으려고 하는지 듣는 목적을 생각하며 들어야 한다.

꼭! 알아야 할 관용어

○표 하기 '발이 (크다 , 넓다)'는 사귀어 아는 사람이 많아 활동하는 범위가 넓다는 뜻입니다.

확인 문제

12~13쪽에서 공부한 낱말을 떠올리며 문제를 풀어 보세요.

1 뜻에 알맞은 낱말을 빈칸에 쓰세요.

(1)

❶의	심
견	

가로 열쇠 ❶ 확실하지 않아서 믿지 못하는 마음.
세로 열쇠 ❶ 어떤 것에 대해 어떻다고 생각하는 것.

(2)

	❷교
❶가	훈

가로 열쇠 ❶ 한집의 가족들이 지켜야 할 마음가짐과 행동을 표현한 말.
세로 열쇠 ❷ 학교에서 학생들이 지켜야 할 마음가짐과 행동을 표현한 말.

해설 | (1) 확실하지 않아서 믿지 못하는 마음은 '의심'이고, 어떤 것에 대하여 어떻다고 생각하는 것은 '의견'입니다. (2) 한집의 가족들이 지켜야 할 마음가짐과 행동을 표현한 말은 '가훈'이고, 학교에서 학생들이 지켜야 할 마음가짐과 행동을 표현한 말은 '교훈'입니다.

2 낱말의 뜻은 무엇인지 (   ) 안에서 알맞은 말을 골라 ○표 하세요.

(1) **오행시**
(세 , (다섯)) 줄로 이루어진 짧은 글.

(2) **활기차다**
((힘찬), 슬픈) 기운이 가득하다.

해설 | (1) '오행시'는 다섯 줄로 이루어진 짧은 글입니다. (2) '활기차다'는 "힘찬 기운이 가득하다."라는 뜻입니다.

3 밑줄 친 속담을 알맞게 사용한 친구에게 ○표 하세요.

(1) 사공이 많으면 배가 산으로 간다고 하잖아. 잘 아는 일도 세심하게 주의를 해야 해.
(   )

(2) 이제 그만 의견을 하나로 모으자. 사공이 많으면 배가 산으로 간다고 했어.
(○)

해설 | (2)는 각자 자신의 의견만 내세우지 말자는 생각을 말하고 있으므로 속담을 알맞게 사용한 것입니다. (1)과 같이 잘 아는 일도 세심하게 주의를 해야 한다는 생각을 말할 때에는 '돌다리도 두들겨 보고 건너라'라는 속담을 사용해야 합니다.

4 밑줄 친 낱말의 쓰임이 알맞으면 ○표, 알맞지 않으면 ×표 하세요.

(1) 힘들어서 천천히 걷는 아이의 모습이 활기차게 느껴졌다. (×)

(2) 사람마다 생각이나 느낌이 다른 까닭은 경험한 것이 다르기 때문이다. (○)

(3) 아이는 잃어버린 지갑을 찾고서야 짝이 지갑을 가져갔다는 의심을 풀었다. (○)

해설 | (1) 아이가 힘들어서 천천히 걷는다고 했으므로 '활기차게'는 알맞지 않습니다.

14~15쪽에서 공부한 낱말을 떠올리며 문제를 풀어 보세요.

5 뜻에 알맞은 낱말이 되도록 보기에서 글자를 찾아 쓰세요.

보기: 내, 거, 리, 심, 방, 천, 전, 용

(1) 글이나 문단에서 가장 중요한 내용.
→ 중 심 내 용

(2) 어떤 일이나 이야기를 자세하게 펼쳐 나가는 것.
→ 전 개

(3) 글에서 중요하지 않은 부분을 빼고 뼈대가 되는 내용.
→ 줄 거 리

해설 | (1) 글이나 문단에서 가장 중요한 내용은 '중심 내용'입니다. (2) 어떤 일이나 이야기를 자세하게 펼쳐 나가는 것은 '전개'입니다. (3) 글에서 중요하지 않은 부분을 빼고 뼈대가 되는 내용은 '줄거리'입니다.

6 밑줄 친 낱말과 뜻이 비슷한 낱말에 ○표 하세요.

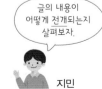

(1) 글에는 문제점과 함께 해결 방안도 나와 있었다.
(방면 , (방법), 방해)

(2) 에너지를 절약하기 위해서 작은 일부터 실천해 보자.
(실수 , (실행), 실험)

해설 | (1) '방안'은 일을 해 나가기 위한 방법이나 계획을 뜻하므로 '방법'과 뜻이 비슷합니다. (2) '실천'은 생각한 것을 실제로 하는 것을 뜻하므로 '실행'과 뜻이 비슷합니다.

7 밑줄 친 낱말을 알맞게 사용하지 못한 친구의 이름을 쓰세요.

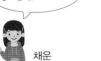

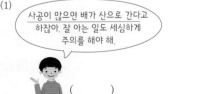

지민: 글의 내용이 어떻게 전개되는지 살펴보자.

채운: 줄거리가 복잡한 동화는 읽기 어려워.

하연: 최선을 다했으니까 좋은 목적이 있을 거야.

(하연)

해설 | '목적'은 어떤 일을 통해서 이루려고 하는 것을 뜻하므로 (3)은 어색합니다. "최선을 다했으니까 좋은 결과가 있을 거야."라고 고치는 것이 알맞습니다.

1주차 2회 사회 교과서 어휘

수록 교과서 사회 4-1
1. 지역의 위치와 특성

다음 중 낱말의 뜻을 잘 알고 있는 것에 ✔ 하세요.

□ 지도 □ 방위표 □ 기호 □ 범례 □ 축척 □ 등고선

사진 속 사람들은 지도를 보고 있어. 길을 찾고 있나 봐. 지도 보는 법을 잘 알아야 길을 찾을 수 있겠지? 이번 회에서는 지도와 관련된 낱말을 공부해서 지도를 잘 볼 수 있도록 해 보자.

낱말을 읽고, 부분에 밑줄을 그으면서 낱말 공부를 해 보세요.

지도
地 땅 지 + 圖 그림 도

이것만은 꼭!

뜻 하늘에서 내려다본 땅의 실제 모습을 줄여서 나타낸 그림.

예 인천광역시가 어디에 있는지 지도에서 찾아보았다.

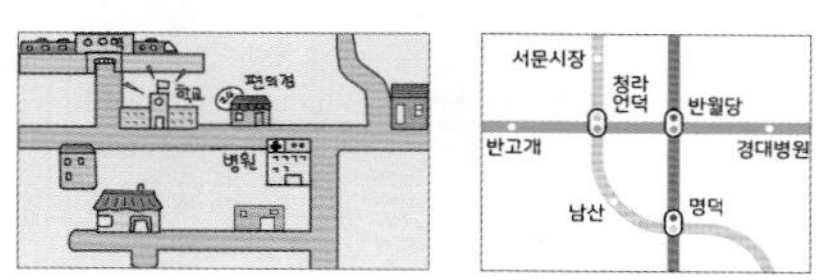

방위표
方 방향 방 + 位 자리 위 + 表 표 표

'방(方)'의 대표 뜻은 '모', '표(表)'의 대표 뜻은 '겉'이야.

뜻 지도에서 동쪽, 서쪽, 남쪽, 북쪽이 어느 쪽인지 나타낸 표.

예 방위표가 없으면 지도의 위쪽이 북쪽이다.

Tip '방위'는 방향의 위치를 말해요.

기호
記 기록할 기 + 號 이름 호

뜻 길, 산, 병원, 학교 등 지도에 나타낼 것을 간단히 그린 그림.

예 지도에 땅이나 건물의 모습을 나타낼 때에는 약속된 기호를 사용한다.

범례
凡 무릇 범 + 例 법식 례

Tip '무릇'은 '대체로 미루어 생각해 보면'이라는 뜻이에요.

뜻 지도에 쓰인 기호와 그 뜻을 모아 나타낸 것.

예 지도의 범례를 보면 지도에서 나타내는 정보를 잘 알 수 있다.

고속 국도	국도	고속 철도
철도	초·중·고교	병원
공장	▲ 산	다리

이게 지도의 범례야.

축척
縮 줄일 축 + 尺 자 척

뜻 지도를 그릴 때 실제 거리를 얼마나 줄였는지를 나타내는 것.

0 250m
▲ 축척 표시

예 축척이 다르면 지도의 자세한 정도도 다르다.

헷갈리는 말 축적

'축척'은 줄인 정도를 뜻하고, '축적'은 경험이나 돈 등을 모아서 쌓는 것을 뜻해.

예 지도에 축척을 표시하다. / 경험을 축적하다.

등고선
等 같을 등 + 高 높을 고 + 線 선 선

뜻 지도에서 땅의 높이가 같은 곳을 연결해 땅의 높고 낮음을 나타낸 선.

예 등고선의 바깥쪽에서 안쪽 방향으로 갈수록 높은 곳을 나타낸다.

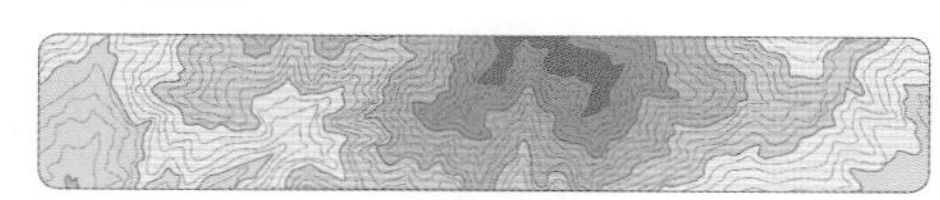

하나하나의 선이 모두 등고선이야.

1주차 2회

사회 교과서 어휘

수록 교과서 사회 4-1
1. 지역의 위치와 특성

다음 중 낱말의 뜻을 잘 알고 있는 것에 ✓ 하세요.

□ 중심지 □ 산업 □ 행정 □ 상업 □ 관광 □ 답사

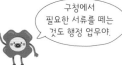

고장의 중심지를 찍은 사진이야. 중심지가 뭘까? 중심지와 중심지를 공부할 때 많이 나오는 낱말을 알아보자.

낱말을 읽고, 부분에 밑줄을 그으면서 낱말 공부를 해 보세요.

중심지

中 가운데 중 + 心 마음 심 + 地 땅 지

이것만은 꼭!

뜻 한 고장에서 사람들이 어떤 일을 하기 위해 많이 모이는 곳.

예 고장 사람들은 군청, 구청, 시장, 버스 터미널 등을 이용하기 위해 중심지에 모인다.

뜻을 더해 주는 말 –지

'–지'는 '장소'의 뜻을 더해 주는 말이야.

예 휴양지, 유적지, 목적지

산업

産 낳을 산 + 業 업 업

뜻 사람이 살아가는 데에 필요한 물건이나 서비스를 만들어 내는 활동.

Tip '서비스'는 물건을 직접 만들어 내는 것이 아닌, 상품을 팔거나 병을 치료하는 일 등의 활동을 말해요.

예 사람들은 물건을 만드는 회사나 공장에서 일을 하려고 산업의 중심지로 모인다.

행정

行 다닐 행 + 政 정사 정

뜻 나라에서 정한 규칙에 따라 국가나 사회와 관계있는 일을 처리하는 것.

예 우리 고장의 행정 중심지에는 군청, 보건소, 우체국 등이 있다.

구청에서 필요한 서류를 떼는 것도 행정 업무야.

상업

商 장사 상 + 業 업 업

뜻 물건을 사고팔아서 이익을 얻는 일.

예 필요한 물건을 사려고 백화점과 대형 할인점이 있는 상업의 중심지로 갔다.

▲ 대형 할인점의 모습

관광

觀 볼 관 + 光 경치 광

'광(光)'의 대표 뜻은 '빛'이야.

뜻 어떤 곳의 경치나 풍속 등을 찾아가서 구경함.

Tip '풍속'은 사회에 속한 사람들에게 옛날부터 전해 오는 생활 습관을 말해요.

예 우리 고장에는 문화유산을 보러 사람들이 모이는 관광의 중심지가 있다.

전주 한옥마을이야. 사람들이 관광을 위해 많이 찾는 곳이지. 이와 같은 곳을 관광의 중심지라고 해.

답사

踏 밟을 답 + 査 조사할 사

뜻 어떤 곳에 직접 찾아가 조사하는 것.

예 우리 고장의 교통 중심지에 대해 조사하기 위해 기차역과 버스 터미널 주변을 답사했다.

정답과 해설 ▶ 6쪽

확인 문제

18~19쪽에서 공부한 낱말을 떠올리며 문제를 풀어 보세요.

1 뜻에 알맞은 낱말을 완성하세요.

(1) 지 도 — 하늘에서 내려다본 땅의 실제 모습을 줄여서 나타낸 그림.

(2) 방 위 표 — 지도에서 동쪽, 서쪽, 남쪽, 북쪽이 어느 쪽인지 나타낸 표.

(3) 축 척 — 지도를 그릴 때 실제 거리를 얼마나 줄였는지를 나타내는 것.

(4) 등 고 선 — 지도에서 땅의 높이가 같은 곳을 연결해 땅의 높고 낮음을 나타낸 선.

해설 | (1) 하늘에서 내려다본 땅의 실제 모습을 줄여서 나타낸 그림은 '지도'입니다. (2) 지도에서 동쪽, 서쪽, 남쪽, 북쪽이 어느 쪽인지 나타낸 표는 '방위표'입니다. (3) 지도를 그릴 때 실제 거리를 얼마나 줄였는지를 나타내는 것은 '축척'입니다. (4) 지도에서 땅의 높이가 같은 곳을 연결해 땅의 높고 낮음을 나타낸 선은 '등고선'입니다.

2 ( ) 안에서 알맞은 낱말을 골라 ○표 하세요.

(1) 현장 체험 학습을 통해 다양한 경험을 (축적(○), 축척)할 수 있다.

(2) 지도에 나타난 (축적 , 축척(○))을 보고 실제 거리를 계산할 수 있다.

해설 | (1)은 다양한 경험을 쌓는다는 뜻이 되어야 하므로 '축적'이 알맞고, (2)는 지도에 그려진 것을 나타내야 하므로 '축척'이 알맞습니다.

3 ( ) 안에 들어갈 알맞은 낱말을 보기에서 찾아 쓰세요.

해설 | (1) ▲은 산을 나타내는 '기호'입니다. (2) 지도에서 땅의 높낮이를 나타내는 것은 '등고선'입니다. (3) 지도에서 동서남북의 방향을 알 수 있게 해 주는 것은 '방위표'입니다. (4) 울릉도와 독도의 위치를 알려 준다고 했으므로 '지도'가 알맞습니다. (5) 지도에서 사용한 기호의 뜻을 알려 주는 것은 '범례'입니다.

보기: 기호 범례 지도 등고선 방위표

(1) ▲은 지도에서 산을 나타내는 (기호)이다.

(2) 지도에서는 땅의 높낮이를 (등고선)과/와 색깔로 나타낸다.

(3) 지도에 있는 (방위표)을/를 보고 동서남북의 방향을 알 수 있다.

(4) 우리나라 (지도)을/를 보면 울릉도와 독도의 위치를 알 수 있다.

(5) 지도의 (범례)을/를 보면 지도에서 사용한 기호의 뜻을 알 수 있다.

20~21쪽에서 공부한 낱말을 떠올리며 문제를 풀어 보세요.

4 뜻에 알맞은 낱말을 글자판에서 찾아 묶으세요.(낱말은 가로(—), 세로(|), 대각선(／＼) 방향에 숨어 있어요.)

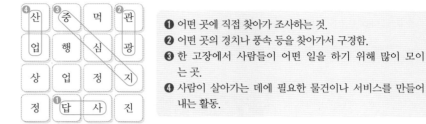

❹산	❸중	먹	❷관
업	행	심	광
상	업	정	지
정	❶답	사	진

❶ 어떤 곳에 직접 찾아가 조사하는 것.
❷ 어떤 곳의 경치나 풍속 등을 찾아가서 구경함.
❸ 한 고장에서 사람들이 어떤 일을 하기 위해 많이 모이는 곳.
❹ 사람이 살아가는 데에 필요한 물건이나 서비스를 만들어 내는 활동.

해설 | ❶ 어떤 곳에 직접 찾아가 조사하는 것은 '답사'입니다. ❷ 어떤 곳의 경치나 풍속 등을 찾아가서 구경하는 것은 '관광'입니다. ❸ 한 고장에서 사람들이 어떤 일을 하기 위해 많이 모이는 곳은 '중심지'입니다. ❹ 사람이 살아가는 데에 필요한 물건이나 서비스를 만들어 내는 활동은 '산업'입니다.

5 밑줄 친 말의 공통된 뜻은 무엇인가요? (④)

중심<u>지</u> 휴양<u>지</u> 유적<u>지</u>

① 연못 ② 옷감 ③ 사람
④ 장소 ⑤ 종이

해설 | '중심지', '휴양지', '유적지'는 모두 장소의 뜻을 더하는 '-지'가 붙어서 만들어진 낱말입니다. '휴양지'는 편안히 쉬면서 건강을 잘 돌보기에 알맞은 곳이고, '유적지'는 역사적 유물이나 유적이 있는 곳입니다.

6 친구의 말과 관련 있는 낱말에 ○표 하세요.

(1)

동생이 태어나서
군청에 신고를 했어.

(산업 , 행정(○))

(2)

우리 마을은
백화점과 대형 할인점이
있어서 물건을 사기에
편리해.

(상업(○) , 관광)

해설 | (1) 동생이 태어나서 군청에 신고를 한 것은 나라에서 정한 규칙에 따라 일을 처리한 것이므로 '행정'과 관련이 있습니다. (2) 백화점과 대형 할인점은 물건을 사고팔기 위한 곳이므로 '상업'과 관련이 있습니다.

7 ( ) 안에서 알맞은 낱말을 골라 ○표 하세요.

(1) 우리 고장은 자동차 (농업 , 산업(○))이 발달했다.

(2) 경주 불국사로 (답사(○), 답장)을/를 다녀와서 보고서를 썼다.

(3) 여름 휴가철에는 (관광(○), 관심)을 위해 제주도를 찾는 사람이 많다.

해설 | (1) 자동차 뒤에 이어져야 하므로 '산업'이 알맞습니다. (2) 경주 불국사를 다녀왔다고 했으므로 '답사'가 알맞습니다. (3) 여름 휴가철에 제주도를 찾는 목적이 되어야 하므로 '관광'이 알맞습니다.

수학 교과서 어휘

수록 교과서 수학 4-1
1. 큰 수

다음 중 낱말의 뜻을 잘 알고 있는 것에 ✓ 하세요.

□ 만 □ 십만 □ 억 □ 조 □ 금액 □ 기부

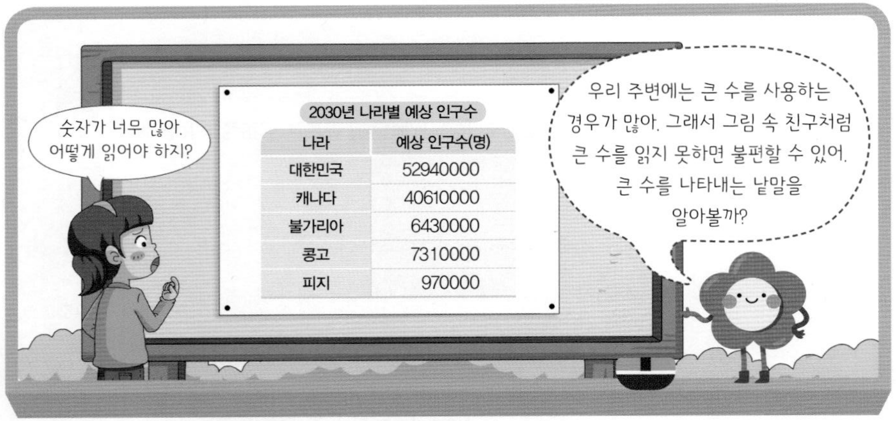

숫자가 너무 많아. 어떻게 읽어야 하지?
우리 주변에는 큰 수를 사용하는 경우가 많아. 그래서 그림 속 친구처럼 큰 수를 읽지 못하면 불편할 수 있어. 큰 수를 나타내는 낱말을 알아볼까?

2030년 나라별 예상 인구수

나라	예상 인구수(명)
대한민국	52940000
캐나다	40610000
불가리아	6430000
콩고	7310000
피지	970000

낱말을 읽고, 부분에 밑줄을 그으면서 낱말 공부를 해 보세요.

만
萬 일만 만

뜻 천의 열 배가 되는 수. '10000' 또는 '1만'이라고 씀.

예 20000은 '이만'이라고 읽는다.

1000 1000 1000 1000 1000 1000 1000 1000 1000 1000

천(1000)이 10개 모이면 만(10000)이야.

십만
十 열 십 + 萬 일만 만

뜻 만의 열 배가 되는 수. '100000' 또는 '10만'이라고 씀.

예 만 원짜리가 열 장 있으면 십만 원이다.

관련 어휘 백만, 천만

	뜻	쓰기
백만	만의 백 배가 되는 수.	1000000 100만
천만	만의 천 배가 되는 수.	10000000 1000만

이것만은 꼭!

억
億 억 억

뜻 천만의 열 배가 되는 수. '100000000' 또는 '1억'이라고 씀.

예 300000000은 '삼억'이라고 읽는다.

관련 어휘 십억, 백억, 천억

	뜻	쓰기
십억	억의 열 배가 되는 수.	1000000000 10억
백억	억의 백 배가 되는 수.	10000000000 100억
천억	억의 천 배가 되는 수.	100000000000 1000억

조
兆 조 조

뜻 천억의 열 배가 되는 수. '1000000000000' 또는 '1조'라고 씀.

예 4000000000000는 '사조'라고 읽는다.

관련 어휘 십조, 백조, 천조

	뜻	쓰기
십조	조의 열 배가 되는 수.	10000000000000 10조
백조	조의 백 배가 되는 수.	100000000000000 100조
천조	조의 천 배가 되는 수.	1000000000000000 1000조

Tip 큰 수는 일의 자리에서부터 네 자리씩 끊은 다음, 왼쪽부터 차례대로 단위를 '조', '억', '만'으로 하여 읽으면 돼요. 예 1200060001234(일조 이천억 육천만 천이백삼십사)

금액
金 돈 금 + 額 수효 액

'금(金)'의 대표 뜻은 '쇠', '액(額)'의 대표 뜻은 '이마'야.

뜻 돈이 얼마나 되는지 수로 나타낸 것.

예 우리가 입장료로 내야 할 금액은 삼만 원이다.

비슷한말 액수

'액수'는 돈의 값을 나타내는 수를 말해.

예 꽤 큰 액수의 돈을 가지고 있다.

기부
寄 맡길 기 + 附 줄 부

'기(寄)'의 대표 뜻은 '부치다', '부(附)'의 대표 뜻은 '붙다'야.

뜻 다른 사람이나 단체 등을 돕기 위해 돈이나 물건을 대가를 받지 않고 내놓음.

예 우리 가족은 세계 여러 나라의 굶주리는 아이들을 돕는 단체에 매달 이만 원씩 기부한다.

1주차 3회

수학 교과서 어휘

수록 교과서 수학 4-1
2. 각도

다음 중 낱말의 뜻을 잘 알고 있는 것에 ✓ 하세요.

□ 각도 □ 도 □ 각도기 □ 이루다 □ 벌어지다 □ 맞추다

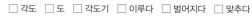

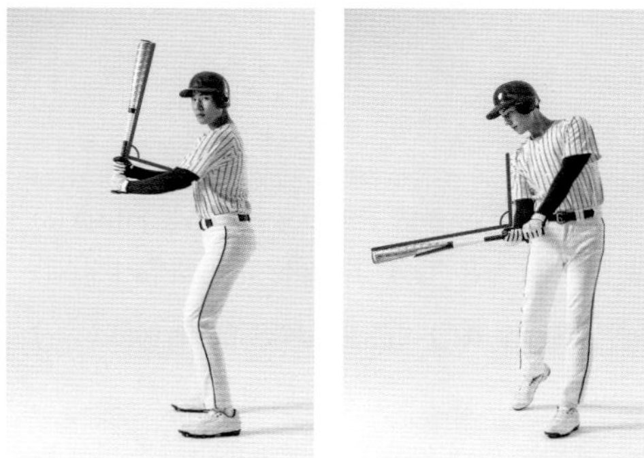

왼쪽 사진과 오른쪽 사진에서 야구 선수의 팔과 야구 방망이가 벌어진 정도가 다르네. 각의 크기가 다른 거야. 각과 관련된 낱말을 알아보자.

낱말을 읽고, 부분에 밑줄을 그으면서 낱말 공부를 해 보세요.

각도

角 모 각 + 度 도 도

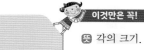

'각(角)'의 대표 뜻은 '뿔', '도(度)'의 대표 뜻은 '법도'야.

Tip '모'는 선과 선의 끝이 만난 곳을 뜻해요.

이것만은 꼭!

뜻 각의 크기.

예 응원 막대로 만든 각도는 얼마쯤 될지 어림해 보자.

관련 어휘 각

'각'은 한 점에서 그은 두 반직선으로 만들어진 도형을 말해.

도

度 도 도

뜻 각의 크기를 나타내는 단위. 직각을 똑같이 90으로 나눈 것 중 하나를 '1도'라고 함.

예 직각의 크기는 90도이다.

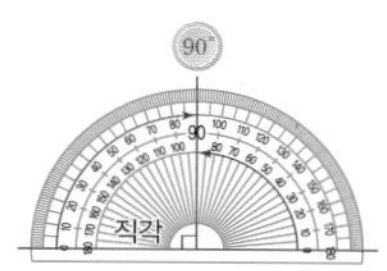

▲ 각도기

1도는 1°라고 써.

각도기

角 모 각 + 度 도 도 + 器 도구 기

'기(器)'의 대표 뜻은 '그릇'이야.

뜻 각도를 재는 도구.

예 각도기를 이용하여 창문의 각도를 재어 보았다.

뜻을 더해 주는 말 -기

'-기'는 '도구'나 '기구'의 뜻을 더해 주는 말이야.

예 녹음기, 주사기, 가습기

이루다

뜻 어떤 상태나 결과를 생기게 하다.

예 시계의 긴바늘과 짧은바늘이 이루는 각의 크기를 비교해 보자.

"각을 이루다."에 쓰인 '이루다'는 '만들다'와 뜻이 비슷해서 바꾸어 쓸 수 있어.

벌어지다

뜻 갈라져서 사이가 뜨다.

예 친구들이 펼쳐 들고 있는 응원 부채가 벌어진 정도가 제각각이다.

글자는 같지만 뜻이 다른 낱말 벌어지다

'벌어지다'는 "어떤 일이 일어나거나 진행되다."라는 전혀 다른 뜻으로도 쓰여.

예 싸움이 벌어지다.

맞추다

뜻 무엇을 다른 것에 닿게 하다.

예 각도를 잴 때에는 각도기의 중심을 각의 꼭짓점에 잘 맞추어야 한다.

여러 가지 뜻을 가진 낱말 맞추다

'맞추다'는 "둘 이상의 대상을 같이 놓고 비교하여 살피다."라는 뜻도 가지고 있어.

예 답안지를 맞추다.

"정답을 맞히다."에서는 '맞히다'를 써. 헷갈리지 말자!

Tip '맞추다'는 "떨어져 있는 여러 부분을 알맞은 자리에 대어 붙이다."라는 뜻도 가지고 있어요. 예 퍼즐을 맞추다.

확인 문제

24～25쪽에서 공부한 낱말을 떠올리며 문제를 풀어 보세요.

1 낱말의 뜻을 보기에서 찾아 사다리를 타고 내려간 곳에 기호를 쓰세요.

보기
㉠ 천의 열 배가 되는 수. – 만　　㉡ 만의 열 배가 되는 수. – 십만
㉢ 억의 백 배가 되는 수. – 백억　　㉣ 천만의 열 배가 되는 수. – 억
㉤ 천억의 열 배가 되는 수. – 조

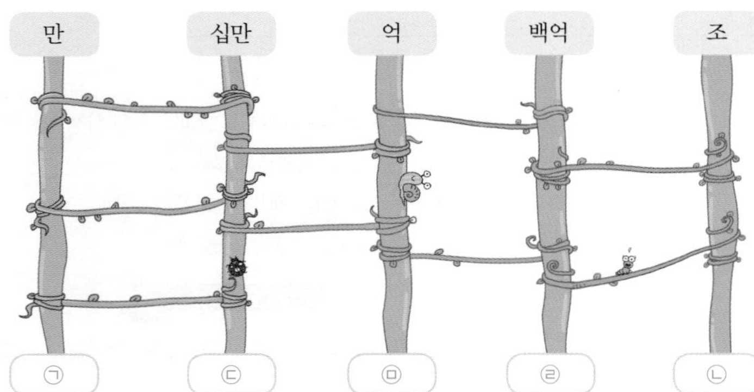

해설 | '만'은 천의 열 배가 되는 수, '십만'은 만의 열 배가 되는 수, '억'은 천만의 열 배가 되는 수, '백억'은 억의 백 배가 되는 수, '조'는 천억의 열 배가 되는 수입니다.

2 (　) 안에서 알맞은 낱말을 골라 ○표 하세요.

(1) 내가 일 년 동안 저축한 ((금액), 금속)은 육만 원이다.

(2) 할머니께서 어려운 이웃을 위해 써 달라며 전 재산을 (거부 , (기부))하셨다.

해설 | (1) 저축한 돈이 얼마인지 말하고 있으므로 '금액'이 알맞습니다. (2) 어려운 이웃을 위해 전 재산을 써 달라고 했으므로 '기부'가 알맞습니다.

3 빈칸에 들어갈 알맞은 낱말은 무엇인가요? (①)

아버지께서 동생과 나에게 세뱃돈을 똑같이 주셨다. 동생에게는 천 원짜리 열 장을 주셨고, 나에게는 ☐ 원짜리 한 장을 주셨다.

① 만　② 억　③ 조　④ 십만　⑤ 백만

해설 | 천 원짜리 열 장과 같은 것은 만 원짜리 한 장입니다.

26～27쪽에서 공부한 낱말을 떠올리며 문제를 풀어 보세요.

4 뜻에 알맞은 낱말에 ○표 하세요.

(1) 각의 크기를 나타내는 단위. ((도), 초)

(2) 각의 크기. ((각도), 온도)

(3) 무엇을 다른 것에 닿게 하다. (맞서다 , (맞추다))

(4) 어떤 상태나 결과를 생기게 하다. ((이루다), 이르다)

해설 | (1) '초'는 일 분의 60분의 1을 나타내는 시간의 단위입니다. (2) '온도'는 따뜻하고 차가운 정도나 그것을 나타내는 수치를 말합니다. (3) '맞서다'는 "서로 마주 보고 서다."라는 뜻입니다. (4) '이르다'는 "어떤 장소에 도착하다."라는 뜻입니다.

5 밑줄 친 낱말의 뜻을 보기에서 찾아 기호를 쓰세요.

보기
㉠ 갈라져서 사이가 뜨다.　　㉡ 어떤 일이 일어나거나 진행되다.

(1) 운동장에서 놀던 친구들 사이에 싸움이 <u>벌어졌다</u>. (㉡)

(2) 친구들의 응원 막대가 <u>벌어진</u> 정도가 얼마쯤 될지 어림해 보았다. (㉠)

해설 | (1)은 싸움이 일어난 것을 뜻하므로 ㉡의 뜻으로, (2)는 사이가 뜬 것을 뜻하므로 ㉠의 뜻으로 쓰였습니다.

6 밑줄 친 낱말의 쓰임이 알맞으면 ○표, 알맞지 않으면 ×표로 가서 몇 번으로 나오는지 쓰세요.

해설 | "각도기로 책상의 길이를 재 보았다."에서 '각도기'는 '자'로 고쳐야 하고, "어려운 문제의 정답을 모두 맞추어서 기분이 좋다."에서 '맞추어서'는 '맞혀서'로 고쳐야 합니다. 문제에 대한 답을 옳게 대는 것을 뜻하는 낱말은 '맞히다'입니다.

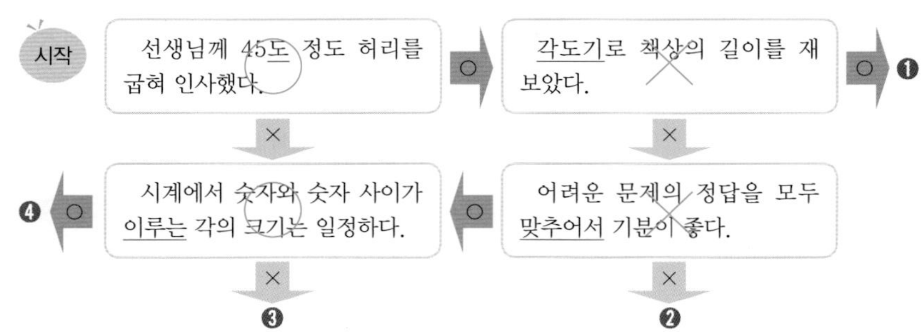

시작
선생님께 <u>45도</u> 정도 허리를 굽혀 인사했다.
<u>각도기</u>로 책상의 길이를 재 보았다.
시계에서 숫자와 숫자 사이가 <u>이루는</u> 각의 크기는 일정하다.
어려운 문제의 정답을 모두 <u>맞추어서</u> 기분이 좋다.
○
×
❶
❷
❸
❹

(❷)

1주차 4회

과학 교과서 어휘

수록 교과서 과학 4-1
1. 과학자처럼 탐구해 볼까요?

다음 중 낱말의 뜻을 잘 알고 있는 것에 ✓ 하세요.

□ 감각 기관 □ 변화 □ 과정 □ 규칙 □ 공통점 □ 부리

친구들의 모습이 과학자처럼 보이네! 과학자들은 여러 가지 현상을 탐구할 때 다양한 활동을 해. 관련 낱말을 공부해서 우리도 과학자처럼 탐구해 볼까?

낱말을 읽고, 부분에 밑줄을 그으면서 낱말 공부를 해 보세요.

이것만은 꼭!

감각 기관

感 느낄 감 + 覺 깨달을 각 + 器 기관 기 + 官 기관 관

'기(器)'의 대표 뜻은 '그릇', '관(官)'의 대표 뜻은 '벼슬'이야.

뜻 눈, 코, 입, 귀, 피부처럼 모양, 냄새, 맛, 소리, 촉감 등을 느끼는 기관.

Tip '촉감'은 어떤 것이 피부에 닿아서 생기는 느낌을 말해요.

예 관찰할 때에는 눈, 코, 입, 귀, 피부와 같은 감각 기관을 사용한다.

관련 어휘 '감각'에 포함되는 말

- 시각: 눈으로 보고 느끼는 감각
- 후각: 냄새를 느끼는 감각
- 미각: 혀로 맛을 느끼는 감각
- 청각: 소리를 느끼는 감각
- 촉각: 피부에 무엇이 닿았을 때 느끼는 감각

변화

變 변할 변 + 化 될 화

뜻 무엇의 모양이나 성질, 상태 등이 바뀌어 달라짐.

예 식용 소다가 들어 있는 물에 식용 구연산을 넣었더니 거품이 생기는 변화가 일어났다.

과정

過 지날 과 + 程 단위 정

뜻 어떤 일이 되어 가는 동안.

예 탄산수가 만들어지는 과정을 관찰해 보자.

변화가 일어나기 전 → 변화가 일어나는 중 → 변화가 일어난 후

과정

규칙

規 법 규 + 則 법칙 칙

뜻 어떤 일이나 현상에 일정하게 나타나는 질서나 법칙.

예 식용 구연산의 양을 1g씩 늘릴 때마다 생기는 거품의 최고 높이는 1cm씩 높아진다는 규칙을 알아냈다.

공통점

共 한가지 공 + 通 통할 통 + 點 점 점

뜻 여럿 사이에 서로 비슷하거나 같은 점.

예 참새와 비둘기의 공통점은 둘 다 날개가 있다는 것이다.

반대말 차이점

'차이점'은 서로 같지 않고 다른 점을 뜻해.

예 몸 색깔이 까마귀는 검고 백조는 희다는 차이점이 있다.

부리

뜻 단단하고 뾰족한 새의 주둥이.

예 새의 가늘고 긴 부리는 나무 틈에 있는 벌레를 잡아먹기에 알맞다.

뾰족한 새의 주둥이가 보이지? 이 부분을 '부리'라고 해.

Tip '주둥이'는 사람의 입을 가리키는 말로는 쓰면 안 돼요.

1주차 4회

과학 교과서 어휘

수록 교과서 과학 4-1
2. 지층과 화석

다음 중 낱말의 뜻을 잘 알고 있는 것에 ✓ 하세요.

□ 지층 □ 퇴적암 □ 이암 □ 사암 □ 역암 □ 화석

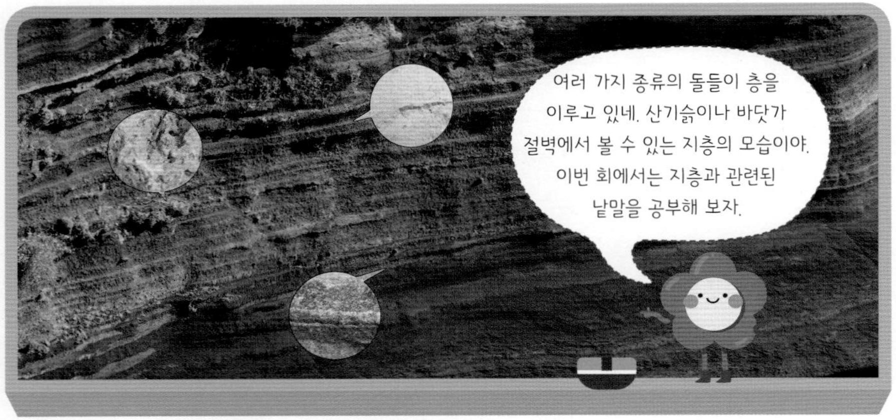

여러 가지 종류의 돌들이 층을
이루고 있네. 산기슭이나 바닷가
절벽에서 볼 수 있는 지층의 모습이야.
이번 회에서는 지층과 관련된
낱말을 공부해 보자.

낱말을 읽고, 부분에 밑줄을 그으면서 낱말 공부를 해 보세요.

지층
地 땅 지 + 層 층 층

뜻 자갈, 모래, 진흙 등으로 이루어진 암석들이 층을 이루고 있는 것.

예 자갈, 모래, 진흙 등이 쌓이고 오랜 시간이 지나면 단단한 지층이 만들어진다.

암석들이 층을
이루어서 줄무늬를
만들었네.

퇴적암
堆 쌓을 퇴 + 積 쌓을 적 + 巖 바위 암

이것만은 꼭!

뜻 물이 운반한 자갈, 모래, 진흙 등의 퇴적물이 굳어져 만들어진 암석.

예 퇴적물이 쌓여 퇴적암이 만들어지는 데는 오랜 시간이 걸린다.

관련 어휘 퇴적

'퇴적'은 물이나 바람에 의해 운반되어 간 알갱이들이 쌓이는 것을 뜻해.

정답과 해설 ▶ 12쪽

이암
泥 진흙 이 + 巖 바위 암

뜻 진흙과 같이 작은 알갱이로 되어 있는 퇴적암.

예 이암은 알갱이의 크기가 작은 진흙이 굳어진 거야.

사암
砂 모래 사 + 巖 바위 암

뜻 주로 모래로 되어 있는 퇴적암.

예 이 돌은 모래 크기의 알갱이들이 보이는 것으로 보아 사암이다.

역암
礫 자갈 역 + 巖 바위 암

뜻 주로 자갈, 모래 등으로 되어 있는 퇴적암.

예 역암은 주로 모래와 자갈로 되어 있어서 이암이나 사암보다 알갱이가 크다.

포함하는 말 퇴적암

'이암', '사암', '역암'을 포함하는 말은 '퇴적암'이야.

Tip '퇴적암'을 포함하는 말은 '암석'이에요.

화석
化 될 화 + 石 돌 석

뜻 아주 오랜 옛날에 살았던 생물이나 생물의 흔적이 퇴적암 속에 남아 있는 것.

예 화석이 된 생물이 살아 있을 때는 어떤 모습이었을지 상상해 보세요.

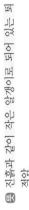

30～31쪽에서 공부한 낱말을 떠올리며 문제를 풀어 보세요.

1 낱말의 뜻은 무엇인지 ( ) 안에서 알맞은 말을 골라 ○표 하세요.

(1) 과정 | 어떤 일이 (끝난 때 , 되어 가는 동안).

(2) 공통점 | 여럿 사이에 서로 비슷하거나 (같은, 다른) 점.

(3) 부리 | 단단하고 뾰족한 새의 (발톱 , 주둥이).

(4) 변화 | 무엇의 모양이나 상태, 성질 등이 바뀌어 (같아짐 , 달라짐).

해설 | (1) '과정'은 어떤 일이 되어 가는 동안을 뜻합니다. (2) '공통점'은 여럿 사이에 서로 비슷하거나 같은 점을 뜻합니다. (3) '부리'는 단단하고 뾰족한 새의 주둥이입니다. (4) '변화'는 무엇의 모양이나 상태, 성질 등이 바뀌어 달라지는 것을 뜻합니다.

2 '감각'에 포함되는 말 중 무엇을 설명한 것인지 보기에서 찾아 기호를 쓰세요.

보기
㉠ 시각 ㉡ 후각 ㉢ 미각 ㉣ 청각 ㉤ 촉각

(1) 냄새를 느끼는 감각 (㉡)
(2) 소리를 느끼는 감각 (㉣)
(3) 혀로 맛을 느끼는 감각 (㉢)
(4) 눈으로 보고 느끼는 감각 (㉠)
(5) 피부에 무엇이 닿았을 때 느끼는 감각 (㉤)

해설 | '시각'은 눈, '후각'은 코, '미각'은 혀, '청각'은 귀, '촉각'은 피부와 관련 있는 감각입니다.

3 밑줄 친 낱말이 알맞게 쓰였는지 ○, ×를 따라가며 선을 긋고 몇 번으로 나오는지 쓰세요.

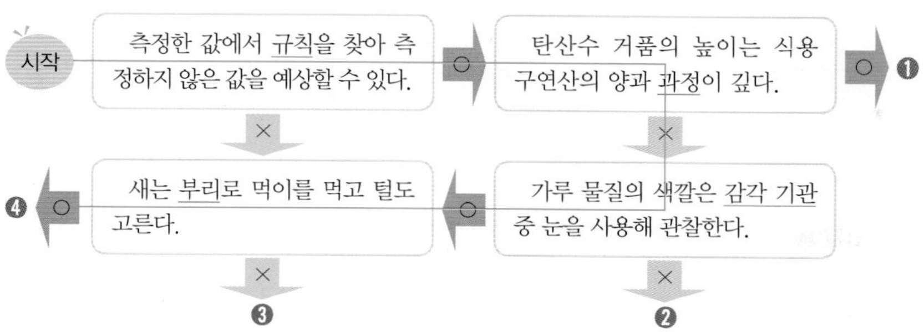

시작
측정한 값에서 규칙을 찾아 측정하지 않은 값을 예상할 수 있다.
○
탄산수 거품의 높이는 식용 구연산의 양과 과정이 깊다.
○
❶
×
×
새는 부리로 먹이를 먹고 털도 고른다.
○
❹
가루 물질의 색깔은 감각 기관 중 눈을 사용해 관찰한다.
○
×
❸
×
❷

(❹)

해설 | "탄산수 거품의 높이는 식용 구연산의 양과 과정이 깊다."에서 '과정'은 잘못 쓰인 것입니다. '과정'은 '관련'으로 고쳐 쓰는 것이 알맞습니다.

32～33쪽에서 공부한 낱말을 떠올리며 문제를 풀어 보세요.

4 낱말의 뜻을 보기에서 찾아 사다리를 타고 내려간 곳에 기호를 쓰세요.

보기
㉠ 주로 모래로 되어 있는 퇴적암. – 사암
㉡ 주로 자갈, 모래 등으로 되어 있는 퇴적암. – 역암
㉢ 진흙과 같이 작은 알갱이로 되어 있는 퇴적암. – 이암
㉣ 물이 운반한 자갈, 모래, 진흙 등의 퇴적물이 굳어져 만들어진 암석. – 퇴적암

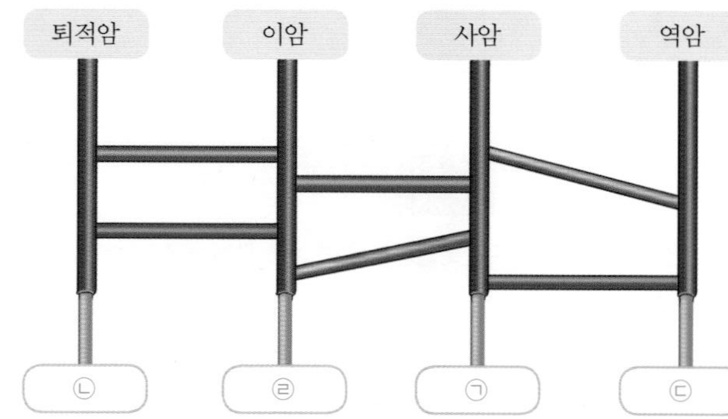

해설 | 물이 운반한 자갈, 모래, 진흙 등의 퇴적물이 굳어져 만들어진 암석은 '퇴적암'입니다. 그중에서 주로 모래로 되어 있는 것은 '사암', 주로 자갈, 모래 등으로 되어 있는 것은 '역암', 진흙과 같이 작은 알갱이로 되어 있는 것은 '이암'입니다.

5 낱말의 뜻은 무엇인지 빈칸에 들어갈 알맞은 말을 완성하세요.

(1) 지층 | 자갈, 모래, 진흙 등으로 이루어진 암석들이 [층]을 이루고 있는 것.

(2) 화석 | 아주 오랜 옛날에 살았던 생물이나 생물의 흔적이 [퇴][적][암] 속에 남아 있는 것.

해설 | (1) '지층'은 자갈, 모래, 진흙 등으로 이루어진 암석들이 층을 이루고 있는 것입니다. (2) '화석'은 아주 오랜 옛날에 살았던 생물이나 생물의 흔적이 퇴적암 속에 남아 있는 것입니다.

6 ( ) 안에 들어갈 알맞은 낱말을 보기에서 찾아 쓰세요.

보기
지층
퇴적
화석

(1) 강물에 실려 온 흙이 강 하류에 (퇴적)되었다.
(2) (지층)은 아래에 있는 층이 먼저 만들어진 것이다.
(3) 동물의 뼈나 식물의 잎과 같은 생물의 몸뿐만 아니라 동물의 발자국이나 기어간 흔적도 (화석)이 될 수 있다.

해설 | (1) 흙이 강 하류에 쌓일 것이므로 '퇴적'이 알맞습니다. (2) 아래에 있는 층이 먼저 만들어졌다는 내용으로 보아, '지층'입니다. (3) 생물의 몸이나 동물의 발자국, 기어간 흔적이 될 수 있다고 했으므로 '화석'입니다.

1주차 5회 한자 어휘

長(장)이 들어간 낱말

'長(장)'이 들어간 낱말을 읽고, ▭ 부분에 밑줄을 그으면서 낱말 공부를 해 보세요.

長 길 장

노인이 긴 머리카락을 날리며 서 계시네. '장(長)'은 이런 노인의 모습을 본떠 만들었어. 그래서 '장(長)'이 들어간 말은 주로 '길다'라는 뜻을 나타내. '우두머리', '자라다'라는 뜻을 나타낼 때도 있어.

불로長생 / 長신 / 교長 / 성長

길다 長

불로장생

不 아닐 불 + 老 늙을 로 + 長 길 장 + 生 살 생

'생(生)'의 대표 뜻은 '나다'야.

뜻 늙지 않고 오래 삶.

예 부모님께서 건강하게 불로장생을 하셨으면 좋겠다.

장신

長 길 장 + 身 몸 신

뜻 키가 큰 몸.

예 키가 크면 공을 바스켓에 잘 던져 넣을 수 있어서 농구 선수 중에는 장신이 많다.

반대말 단신

작은 키의 몸을 뜻하는 '단신'은 '장신'과 뜻이 반대야.

우두머리 · 자라다 長

교장

校 학교 교 + 長 우두머리 장

뜻 학교를 대표해서 학교의 일을 책임지는 사람.

예 교장 선생님께서 상장을 주셨다.

Tip '장(長)'이 우두머리라는 뜻으로 쓰인 낱말은 '회장', '선장' 등이에요.

성장

成 이룰 성 + 長 자랄 장

뜻 사람이나 동식물 등이 자라서 점점 커짐.

예 형은 6학년 때 성장이 멈춰서 다른 친구들보다 키가 작다.

정답과 해설 ▶ 14쪽

要(요)가 들어간 낱말

'要(요)'가 들어간 낱말을 읽고, ▭ 부분에 밑줄을 그으면서 낱말 공부를 해 보세요.

要 중요할 요

'요(要)'는 여자가 손을 허리에 대고 서 있는 모습을 본뜬 글자야. 허리가 몸의 중요한 부분이라는 데서 '중요하다'라는 뜻을 나타내게 된 거야. '요구하다'라는 뜻을 나타낼 때도 있어.

불要불급 / 要점 / 要구 / 강要

중요하다 要

불요불급

不 아닐 불 + 要 중요할 요 + 不 아닐 불 + 急 급할 급

뜻 필요하지도 않고 급하지도 않음.

예 불요불급의 물건은 사지 않아야 돈을 아낄 수 있다.

요점

要 중요할 요 + 點 점 점

뜻 가장 중요하고 중심이 되는 내용.

예 요점만 간단히 정리해서 외우면 오랫동안 기억할 수 있다.

요구하다 要

요구

要 요구할 요 + 求 구할 구

뜻 필요하거나 받아야 할 것을 달라고 청함.

예 부모님은 내 요구라면 뭐든지 다 들어주셨다.

비슷한말 요청

'요청'은 필요한 일을 해 달라고 부탁하는 것을 뜻해.

강요

強 강할 강 + 要 요구할 요

뜻 강제로 요구함.

예 부모님의 강요로 어제부터 하기 싫은 운동을 시작했다.

확인 문제

36쪽에서 공부한 낱말을 떠올리며 문제를 풀어 보세요.

1 낱말과 그 뜻을 알맞게 선으로 이으세요.

(1) 교장 — 키가 큰 몸.

(2) 성장 — 늙지 않고 오래 삶.

(3) 장신 — 사람이나 동식물 등이 자라서 점점 커짐.

(4) 불로장생 — 학교를 대표해서 학교의 일을 책임지는 사람.

해설 | '장(長)'이 '교장'에서는 우두머리라는 뜻으로, '성장'에서는 자라다라는 뜻으로, '장신'과 '불로장생'에서는 길다라는 뜻으로 쓰였습니다.

2 밑줄 친 낱말과 뜻이 반대인 낱말에 ○표 하세요.

형이 우리 집에서 가장 장신이다. (단신(○), 망신, 전신)

해설 | '장신'은 키가 큰 몸을 뜻하므로 키가 작은 몸을 뜻하는 '단신'과 뜻이 반대입니다.

3 빈칸에 들어갈 알맞은 낱말을 글자 카드로 만들어 쓰세요.

(1) 식물은 물과 햇빛이 있어야 잘 [성][장] 한다. — 표 운 성 균 장

(2) 상대 팀은 키가 큰 [장][신] 선수가 많아 우리 팀이 질 것 같다. — 단 장 거 신 원

(3) 왕은 오래 살고 싶어서 [불][로][장][생] 하는 약초를 구해 오라고 명령했다. — 로 불 환 생 장

해설 | (1) 식물이 자란다는 뜻이 되어야 하므로 '성장'이 알맞습니다. (2) 키가 크다고 했으므로 '장신'이 알맞습니다. (3) 오래 살고 싶어서라는 내용이 나오므로 '불로장생'이 알맞습니다.

37쪽에서 공부한 낱말을 떠올리며 문제를 풀어 보세요.

4 뜻에 알맞은 낱말을 빈칸에 쓰세요.

❶ 강	❷ 요		❸ 불	
	구		❹ 요	점
			불	
			급	

가로 열쇠 ❶ 강제로 요구함.
❹ 가장 중요하고 중심이 되는 내용.

세로 열쇠 ❷ 필요하거나 받아야 할 것을 달라고 청함.
❸ 필요하지도 않고 급하지도 않음.

해설 | ❶ 강제로 요구하는 것은 '강요'입니다. ❷ 필요하거나 받아야 할 것을 달라고 청하는 것은 '요구'입니다. ❸ 필요하지도 않고 급하지도 않은 것을 뜻하는 낱말은 '불요불급'입니다. ❹ 가장 중요하고 중심이 되는 내용은 '요점'입니다.

5 뜻이 비슷한 낱말끼리 짝 지은 것에 ○표 하세요.

(1) 필요 – 강요 ( )

(2) 요구 – 요청 (○)

(3) 요점 – 요령 ( )

해설 | '요구'와 '요청'은 뜻이 비슷해서 바꾸어 쓸 수 있습니다.

6 빈칸에 들어갈 알맞은 낱말을 찾아 선으로 이으세요.

(1) 시간이 많지 않아서 [ ]만 간단히 말했다. — 요점

(2) 나는 무척 배가 고파서 조심스럽게 음식을 [ ]했다. — 요구

(3) 아버지께서는 [ ]한 곳에는 절대로 돈을 쓰시지 않는다. — 불요불급

(4) 엄마께서 채소를 먹으라고 여러 번 말씀하시면 [ ]로 느껴져서 더 먹기 싫다. — 강요

강요 / 요구 / 요점 / 불요불급

해설 | (1)은 중요한 내용을 뜻하는 '요점'이, (2)는 달라고 청하는 것을 뜻하는 '요구'가, (3)은 필요하지 않고 급하지 않은 것을 뜻하는 '불요불급'이, (4)는 강제로 요구하는 것을 뜻하는 '강요'가 알맞습니다.

1주차 어휘력 테스트

✎ 앞에서 공부한 낱말을 떠올리며 문제를 풀어 보세요.

낱말 뜻

1 **낱말의 뜻이 알맞지 않은 것은 무엇인가요? (③)**

① 각도: 각의 크기.
② 금액: 돈이 얼마나 되는지 수로 나타낸 것.
③ 답사: 어떤 것에 대해 인터넷으로 조사하는 것.
④ 지층: 자갈, 모래, 진흙 등으로 이루어진 암석들이 층을 이루고 있는 것.
⑤ 등고선: 지도에서 땅의 높이가 같은 곳을 연결해 땅의 높고 낮음을 나타낸 선.

해설 | '답사'는 어떤 곳에 직접 찾아가 조사하는 것을 말합니다.

낱말 뜻

2 **(   ) 안에서 알맞은 낱말을 골라 ○표 하세요.**

(1) ((억), 조)은/는 천만의 열 배가 되는 수이다.
(2) ((실천), 의견)은 생각한 것을 실제로 하는 것이다.
(3) (산업 , (행정))은 나라에서 정한 규칙에 따라 국가나 사회와 관계있는 일을 처리하는 것이다.

해설 | (1) '조'는 천억의 열 배가 되는 수입니다. (2) '의견'은 어떤 것에 대해 어떻다고 생각하는 것을 말합니다. (3) '산업'은 사람이 살아가는 데에 필요한 물건이나 서비스를 만들어 내는 활동을 말합니다.

비슷한말

3 **밑줄 친 낱말과 뜻이 비슷한 낱말은 무엇인가요? (④)**

짝꿍에게 오늘 학교에 늦게 온 까닭을 물어보았다.

① 경험　　② 방법　　③ 상황
④ 이유　　⑤ 부분

해설 | '까닭'은 어떤 생각을 하게 된 이유나 뒷받침해 주는 내용을 뜻하므로, 어떤 일이 생기게 된 까닭을 뜻하는 '이유'와 뜻이 비슷합니다.

포함하는 말

4 **다음 중 다른 낱말을 포함하는 말에 ○표 하세요.**

이암　　사암　　역암　　(퇴적암)

해설 | '퇴적암'은 물이 운반한 자갈, 모래, 진흙 등의 퇴적물이 굳어져 만들어진 암석으로, 이암, 사암, 역암이 퇴적암입니다. 따라서 '퇴적암'이 다른 낱말을 포함하는 말입니다.

뜻을 더해 주는 말

5 **빈칸에 공통으로 들어갈 말은 무엇인가요? (⑤)**

계산□　　주사□　　가습□

① 대　　② 위　　③ 서
④ 식　　⑤ 기

해설 | '-기'는 도구나 기구의 뜻을 더하는 말로, '계산기', '주사기', '가습기'와 같이 쓰입니다.

헷갈리는 말

6 **'축척'과 '축적'을 바르게 사용한 친구에게 ○표 하세요.**

(1)　　(2)　　(3)

독서를 통해 지식을 축척해야 해.
지도는 쓰임에 따라 축적이 달라져.
지도에는 축척과 방위가 표시되어 있어.

(   )　　(   )　　(○)

해설 | '축적'은 지식이나 경험, 돈 등을 모아서 쌓는 것을 뜻하고, '축척'은 지도를 그릴 때 실제 거리를 얼마나 줄였는지를 나타내는 것입니다. 따라서 (1)은 '축적', (2)는 '축척'으로 고쳐 써야 합니다.

낱말 활용

7 ~ 10 **(   ) 안에 들어갈 알맞은 낱말을 보기에서 찾아 쓰세요.**

보기
상업　　의심　　줄거리　　감각 기관

7 (상업)이/가 발달한 곳에는 다양한 가게가 있다.

해설 | 다양한 가게가 있다고 했으므로 '상업'이 알맞습니다.

8 우리 몸에 있는 눈, 코, 귀, 혀, 피부는 (감각 기관)이다.

해설 | 눈, 코, 귀, 혀, 피부는 감각 기관이므로 '감각 기관'이 알맞습니다.

9 형이 『심청전』의 (줄거리)을/를 말해 주어서 내용을 대강 알 수 있었다.

해설 | 형이 말해 준 것 덕분에 내용을 대강 알 수 있었다고 했으므로 '줄거리'가 알맞습니다.

10 나는 잃어버린 짝의 지우개를 가져갔다는 (의심)을/를 받고 기분이 나빴다.

해설 | 믿지 못하는 마음을 뜻하는 말이 들어가야 하므로 '의심'이 알맞습니다.

어휘가
문해력이다

초등 4학년 1학기

2주차 정답과 해설

2주차 1회

국어 교과서 어휘

수록 교과서 국어 4-1 ㉮
3. 느낌을 살려 말해요

다음 중 낱말의 뜻을 잘 알고 있는 것에 ✓ 하세요.

□ 상황 □ 말투 □ 소감 □ 배려 □ 전달 □ 경우

낱말을 읽고, 　　 부분에 밑줄을 그으면서 낱말 공부를 해 보세요.

상황

狀 형상 **상** + 況 상황 **황**

뜻 일이 되어 가는 과정이나 상태.

예 말을 하는 상황에 따라 표정과 몸짓을 다르게 해야 한다.

왼쪽 남자아이는 무언가 궁금한 상황이고, 오른쪽 여자아이는 놀란 상황인 것 같아. 친구들의 표정과 몸짓을 보니 알겠어.

말투

말 + 套 버릇 **투**

'투(套)'의 대표 뜻은 '씌우다'야.

이것만은 꼭!

뜻 말의 빠르기, 높낮이, 세기 등과 같이 말을 할 때의 버릇이나 방식.

예 기분이 좋으면 밝고 즐거운 말투로 말한다.

비슷한말 **어투**

'어투'는 말을 할 때의 버릇이나 방식을 뜻해.

예 동생이 비웃는 어투로 말해서 기분이 나빴다.

소감

所 것 **소** + 感 느낄 **감**

'소(所)'의 대표 뜻은 '바'야.

Tip '바'는 일의 방법을 뜻해요.

뜻 어떤 일을 겪으면서 느끼고 생각한 것.

예 펜싱 선수는 우승한 소감을 차분히 말했다.

우승 소감을 말씀해 주세요.
국민 여러분께 감사드립니다.

비슷한말 **감상**

'감상'은 마음속에서 일어나는 느낌이나 생각을 뜻해.

예 일기에 하루의 감상을 적는다. Tip 여기에서 말한 '감상'은 예술 작품을 이해하여 즐기고 평가하는 것을 뜻하는 '감상'과 달라요.

배려

配 나눌 **배** + 慮 생각할 **려**

뜻 관심을 가지고 보살펴 주거나 도와주는 것.

예 동생에게 어려운 내용을 설명할 때에는 동생을 배려해서 쉬운 말로 말하는 것이 좋다.

전달

傳 전할 **전** + 達 통할 **달**

뜻 말, 물건, 지식 같은 것을 다른 사람에게 전하는 것.

예 내 생각을 정확하게 전달하려면 큰 목소리로 또박또박 말해야 한다.

어법 **'-하다' 붙여쓰기**

'전달'은 '-하다'를 붙여서 '전달하다'와 같이 쓰기도 해. 이때 '전달 하다'로 띄어 쓰지 않아. 낱말과 낱말이 만나 하나의 낱말이 되는 거지.

Tip '공부하다', '이해하다', '사용하다' 등도 붙여 써요.

경우

境 경우 **경** + 遇 때 **우**

'경(境)'의 대표 뜻은 '지경', '우(遇)'의 대표 뜻은 '만나다'야.

Tip '지경'은 땅의 가장자리, 경계를 뜻해요.

뜻 어떤 일이 일어나는 때나 상황.

예 여러 사람 앞에서 말해야 하는 경우에는 높임말로 말한다.

'경우'와 '상황'은 뜻이 비슷해서 바꾸어 쓸 수도 있어.

꼭! 알아야 할 속담

어? 메뚜기다!
왜 남의 옥수수를 따려고 해!
아니에요. 메뚜기를 잡으려고 한 거예요.
까마귀 날자 배 떨어진다더니 너무 억울해요.

빈칸 채우기 '까마귀 날자 [배] 떨어진다'는 아무 관계 없이 한 일이 우연히 때가 같아 어떤 관계가 있는 것처럼 의심을 받게 됨을 이르는 말입니다.

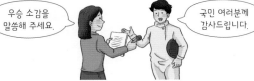

2주차 1회 국어 교과서 어휘

수록 교과서 국어 4-1 ㉮
4. 일에 대한 의견 ~
5. 내가 만든 이야기

다음 중 낱말의 뜻을 잘 알고 있는 것에 ✓ 하세요.

□ 사실 □ 구별 □ 기사 □ 주제 □ 흐름 □ 이어질 내용

낱말을 읽고, ___ 부분에 밑줄을 그으면서 낱말 공부를 해 보세요.

이것만은 꼭!

사실

事 일 사 + 實 참으로 실

'실(實)'의 대표 뜻은 '열매'야.

뜻 실제로 있었던 일.

예 박물관 현장 체험 학습을 다녀온 것은 실제로 있었던 일이므로 사실이다.

사실	의견
토끼는 풀을 먹는다.	토끼는 귀엽다.

실제로 있었던 일은 '사실'이고, 그 일에 대한 생각은 '의견'이야.

구별

區 구분할 구 + 別 나눌 별

뜻 성질이나 종류에 따라 나누는 일.

예 사실을 나타내는 문장과 의견을 나타내는 문장을 구별해 보자.

헷갈리는 말 차별

'차별'은 차이를 두어서 구별하는 것을 뜻해. '남녀 차별'과 같이 쓰이지. '구별'과 '차별'은 뜻이 다르니까 구분해서 써야 해.

기사

記 기록할 기 + 事 일 사

뜻 신문이나 잡지 등에서 어떤 사실을 알리는 글.

예 강우가 전학 온 일을 학급 신문에 기사로 썼다.

글자는 같지만 뜻이 다른 낱말 기사

'기사'는 직업적으로 자동차나 기계 등을 운전하는 사람을 뜻하는 낱말로도 쓰여.

예 우리 동네 버스 기사 아저씨는 매우 친절하시다.

Tip '버스 기사'에 쓰인 '기사'는 '운전사'를 높여 부르는 말이에요.

주제

主 주인 주 + 題 제목 제

뜻 이야기에서 나타내려고 하는 생각.

예 『흥부와 놀부』의 주제는 "착한 사람은 복을 받고 나쁜 사람은 벌을 받는다."야.

『금도끼 은도끼』의 주제는 정직하게 살자는 거지!

흐름

뜻 일이나 시간이 잇달아 나아가는 상태.

예 일어난 일을 처음, 가운데, 끝의 흐름으로 정리했다.

어법 흐르다 → 흐름

'흐르다'와 같이 형태가 바뀌는 낱말은 형태가 바뀌지 않는 부분에 받침 'ㅁ'을 붙여서 사용할 수 있어. '흐르다'는 '흐르'에 받침 'ㅁ'을 붙인 거야.

Tip '슬픔', '잠', '꿈'도 그렇게 만들어진 거예요.

이어질 내용

이어질 + 內 안 내 + 容 얼굴 용

뜻 어떤 이야기의 흐름을 생각할 때 뒷부분에 자연스럽게 이어서 나올 수 있는 내용.

예 이야기의 뒷부분에 이어질 내용을 상상해 보자.

꼭! 알아야 할 관용어

지희야, 할머니 댁에 저녁 먹으러 가자.
지희야, 어서 가자.
네.
지희야, 할머니께서 용돈 주신다고 얼른 오라시네.
쫑긋
용돈 얘기에는 귀가 번쩍 뜨이나 보네.
쌩
앵~

○표 하기 '(귀, 가슴)이/가 번쩍 뜨이다'는 들리는 말에 마음이 끌린다는 뜻입니다.

확인 문제

44~45쪽에서 공부한 낱말을 떠올리며 문제를 풀어 보세요.

1 낱말의 뜻을 보기에서 찾아 사다리를 타고 내려간 곳에 기호를 쓰세요.

보기
㉠ 일이 되어 가는 과정이나 상태. – 상황
㉡ 어떤 일을 겪으면서 느끼고 생각한 것. – 소감
㉢ 관심을 가지고 보살펴 주거나 도와주는 것. – 배려
㉣ 말의 빠르기, 높낮이, 세기 등과 같이 말을 할 때의 버릇이나 방식. – 말투

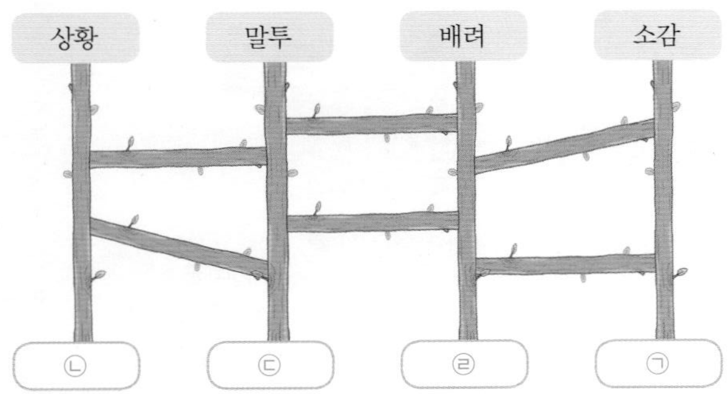

해설 | '상황'은 일이 되어 가는 과정이나 상태를 뜻하고, '말투'는 말을 할 때의 버릇이나 방식을 뜻합니다. '배려'는 관심을 가지고 보살펴 주거나 도와주는 것을 뜻하고, '소감'은 어떤 일을 겪으면서 느끼고 생각한 것을 뜻합니다.

2 ( ) 안의 낱말 중 띄어쓰기가 바른 것을 골라 ○표 하세요.

(1) 음식물 쓰레기를 줄여야 한다는 생각을 ((전달했다), 전달 했다).

(2) 친구가 하는 말이 무슨 뜻인지 ((이해했다), 이해 했다).

해설 | '전달'과 '했다', '이해'와 '했다'가 만나 하나의 낱말이 될 때에는 '전달했다'와 '이해했다'로 붙여 써야 합니다.

3 ( ) 안에 들어갈 알맞은 낱말을 보기에서 찾아 쓰세요.

보기
말투 경우 소감 전달 배려

(1) 웃어른께는 공손한 (말투)(으)로 말해야 한다.

(2) 친구들 앞에서 회장이 된 (소감)을/를 말했다.

(3) 말을 할 때에는 듣는 사람을 (배려)하며 말해야 한다.

(4) 느낌을 표현하는 (경우)에는 어울리는 표정을 짓는 것이 좋다.

(5) 비가 오면 교실에서 수업을 할 것이라는 선생님의 말씀을 친구들에게 (전달)했다.

해설 | (1)은 말하는 방식을 뜻하는 낱말이 들어가야 하므로 '말투'가, (2)는 회장이 된 느낌을 말하는 것이므로 '소감'이, (3)은 듣는 사람을 생각하며 살펴 준다는 뜻이 되어야 하므로 '배려'가, (4)는 느낌을 표현하는 때를 말하는 것이므로 '경우'가, (5)는 전했다는 뜻을 가진 낱말이 들어가야 하므로 '전달'이 알맞습니다.

46~47쪽에서 공부한 낱말을 떠올리며 문제를 풀어 보세요.

4 뜻에 알맞은 낱말을 보기에서 찾아 쓰세요.

보기
구별 기사 사실 주제

(1) 실제로 있었던 일. (사실)

(2) 성질이나 종류에 따라 나누는 일. (구별)

(3) 이야기에서 나타내려고 하는 생각. (주제)

(4) 신문이나 잡지 등에서 어떤 사실을 알리는 글. (기사)

해설 | (1) 실제로 있었던 일은 '사실'입니다. (2) 성질이나 종류에 따라 나누는 일은 '구별'입니다. (3) 이야기에서 나타내려고 하는 생각은 '주제'입니다. (4) 신문이나 잡지 등에서 어떤 사실을 알리는 글은 '기사'입니다.

해설 | (1)은 모자를 쓴 친구와 안 쓴 친구로 나눈 것이므로 '구별'이고, (2)는 남자와 여자를 차이를 두어서 구별한 것이므로 '차별'입니다.

5 친구의 말과 관련 있는 낱말에 ○표 하세요.

(1)

((구별), 차별)

(2)

남자가 힘이 더 세니까
남자가 학급 회장을
해야 해.

(구별 , (차별))

해설 | (1) 글에서 전하려고 하는 생각을 뜻하는 낱말이 들어가야 하므로 '주제'가 알맞습니다. (2) 동화의 내용이 어떻게 이어졌는지 정리했다고 했으므로 '흐름'이 알맞습니다. (3) 주인공이 어떻게 되었을지 상상해 보았다고 했으므로 '이어질 내용'이 알맞습니다.

6 빈칸에 들어갈 알맞은 말을 글자 카드로 만들어 쓰세요.

(1) 이 글에서 전하려고 하는 [주][제]는 "어려운 이웃을 돕자."이다.

목 사 주 실 제

(2) 동화의 내용이 어떻게 이어졌는지 [흐][름]을 간단히 정리해 보았다.

흐 의 름 사 견

(3) 동화책을 읽고 주인공이 다음에 어떻게 되었을지 [이][어][질] [내][용]을 상상해 보았다.

어 이 내 질 용

2주차 2회

사회 교과서 어휘

수록 교과서 사회 4-1
2. 우리가 알아보는 지역의 역사

다음 중 낱말의 뜻을 잘 알고 있는 것에 ✓ 하세요.

□ 유형 문화재 □ 무형 문화재 □ 세계 유산 □ 지정 □ 보존 □ 유물

우리나라의 문화유산을 찍은 사진이야. 어떤 건 형태가 있고, 어떤 건 형태가 없네. 형태가 있는 문화유산과 형태가 없는 문화유산을 구분해서 부를 것 같은데, 우리 한번 알아볼까?

낱말을 읽고, 부분에 밑줄을 그으면서 낱말 공부를 해 보세요.

유형 문화재

有 있을 유 + 形 모양 형 + 文 글월 문 + 化 될 화 + 財 재물 재

뜻 돌로 만든 석탑이나 책처럼 형태가 있는 문화재.

예 박물관에 가면 유형 문화재를 실제로 볼 수 있다.

▲ 김제 금산사 미륵전(유형 문화재)

이것만은 꼭!

무형 문화재

無 없을 무 + 形 모양 형 + 文 글월 문 + 化 될 화 + 財 재물 재

뜻 예술 활동이나 기술처럼 형태가 없는 문화재.

예 판소리는 무형 문화재이다.

Tip '유형'과 '무형'은 반대말이에요. 형태가 있느냐 없느냐의 차이죠.

▲ 판소리(무형 문화재)

정답과 해설 ▶ 21쪽

세계 유산

世 인간 세 + 界 경계 계 + 遺 남길 유 + 産 낳을 산

뜻 유네스코가 전 세계를 위해 보호해야 한다고 인정한 문화유산 및 자연 유산.

예 한국의 갯벌은 유네스코가 정한 세계 유산이다.

관련 어휘 유네스코(UNESCO)

'유네스코'는 국제 연합(UN)의 여러 기구 가운데 하나야. 교육, 과학, 문화 등의 분야에서 나라들의 교류를 통해 세계 평화를 지키려는 목적으로 만들어졌어.

지정

指 가리킬 지 + 定 정할 정

뜻 어떤 것을 특별한 자격이 있는 것으로 정함.

예 유네스코 세계 유산으로 지정된 우리나라의 문화유산에는 무엇이 있나요?

1997년에 유네스코 세계 유산으로 지정된 수원 화성이야.

보존

保 지킬 보 + 存 있을 존

뜻 중요한 것을 잘 보호하여 그대로 남김.

예 소중한 문화유산을 아끼고 보존하기 위해 노력해야 한다.

비슷한말 보호

'보호'는 잘 지켜 원래대로 보존되게 하는 것을 뜻해.

예 문화재 보호에 앞장서자.

유물

遺 남길 유 + 物 물건 물

뜻 앞선 시대에 살았던 사람들이 뒤에 오는 시대에 남긴 물건.

예 우리는 유물을 통해 조상들의 삶을 짐작할 수 있다.

죽은 사람이 살아 있을 때 사용하다 남긴 물건은 '유품'이야. 유품을 유물이라고 하기도 해.

사회 교과서 어휘

수록 교과서 사회 4-1
2. 우리가 알아보는 지역의 역사

다음 중 낱말의 뜻을 잘 알고 있는 것에 ✓ 하세요.

□ 문화유산 안내도 □ 관람 □ 어진 □ 대웅전 □ 경관 □ 홍보

친구들이 충청남도 예산에 있는 수덕사를 관람하고 있어. 지금은 대웅전 앞에 서 있네. 관람을 한 뒤에는 수덕사를 알리는 자료를 만들 거래. 그러려면 관련된 낱말을 알아야겠지?
大雄殿

낱말을 읽고, ▭ 부분에 밑줄을 그으면서 낱말 공부를 해 보세요.

문화유산 안내도

文 글월 문 + 化 될 화 + 遺 남길 유 + 産 낳을 산 + 案 인도할 안 + 內 안 내 + 圖 그림 도

'안(案)'의 대표 뜻은 '책상'이야.

뜻 지역에 있는 중요한 문화유산의 위치나 특징 등을 알려 주는 지도.

예 우리 지역의 문화유산을 소개하기 위해서 문화유산 안내도를 만들어 봅시다.

관람

觀 볼 관 + 覽 볼 람

이것만은 꼭!

뜻 연극, 영화, 운동 경기 등을 구경함.

예 문화유산을 관람할 때에는 조용히 질서를 지켜야 한다.

비슷한말 구경

'구경'은 흥미나 관심을 가지고 보는 것을 뜻해.

예 절을 구경하다.

▲ 유물을 관람하는 모습

어진

御 거느릴 어 + 眞 참 진

뜻 임금의 얼굴을 그린 그림이나 사진.

예 전주시에 있는 박물관에는 조선 시대 임금의 얼굴을 그린 어진이 전시되어 있다.

전주 어진 박물관에 있는 태조 이성계의 초상화야. 이런 걸 '어진'이라고 해.

대웅전

大 클 대 + 雄 수컷 웅 + 殿 큰 집 전

뜻 절에서 가장 중요한 불상을 모신 곳.

예 많은 사람들이 그 절에서 가장 널리 알려진 불상을 보기 위해 대웅전으로 갔다.

▲ 고창 선운사 참당암 대웅전

경관

景 경치 경 + 觀 볼 관

뜻 산이나 들, 강, 바다 등의 자연이나 주변의 전체적인 모습.

예 절에 가면 주변의 경관도 함께 살펴보는 것이 좋다.

비슷한말 경치, 풍경

'경관'과 뜻이 비슷한 낱말에는 '경치'와 '풍경'이 있어. 모두 자연이나 지역의 모습을 뜻해.

Tip '풍광'도 '경관'과 뜻이 비슷한 낱말이에요.

홍보

弘 넓을 홍 + 報 알릴 보

뜻 널리 알림.

예 우리 고장의 문화유산을 많은 사람들에게 널리 알릴 수 있도록 홍보 자료를 만들어 보자.

확인 문제

50~51쪽에서 공부한 낱말을 떠올리며 문제를 풀어 보세요.

1 낱말과 그 뜻을 알맞게 선으로 이으세요.

(1) 유물 • — • 앞선 시대에 살았던 사람들이 뒤에 오는 시대에 남긴 물건.

(2) 보존 • — • 중요한 것을 잘 보호하여 그대로 남김.

(3) 세계 유산 • — • 유네스코가 전 세계를 위해 보호해야 한다고 인정한 문화유산 및 자연 유산.

해설 | (1) '유물'은 앞선 시대에 살았던 사람들이 뒤에 오는 시대에 남긴 물건입니다. (2) '보존'은 중요한 것을 잘 보호하여 그대로 남기는 것을 뜻합니다. (3) '세계 유산'은 유네스코가 전 세계를 위해 보호해야 한다고 인정한 문화유산 및 자연 유산입니다.

2 친구가 말한 뜻을 가진 낱말은 무엇인지 빈칸에 알맞은 말을 쓰세요.

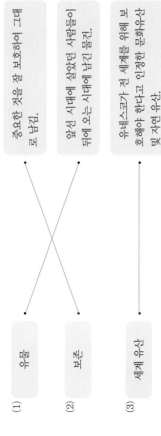

(1) 판소리처럼 형태가 없는 문화재야. → [무][형] 문화재

(2) 석탑이나 책처럼 형태가 있는 문화재야. → [유][형] 문화재

해설 | (1)의 형태가 없는 문화재는 '무형 문화재'이고, (2)의 형태가 있는 문화재는 '유형 문화재'입니다.

3 밑줄 친 낱말의 쓰임이 알맞으면 ○표, 알맞지 않으면 ×표로 가서 몇 번으로 나오는지 쓰세요.

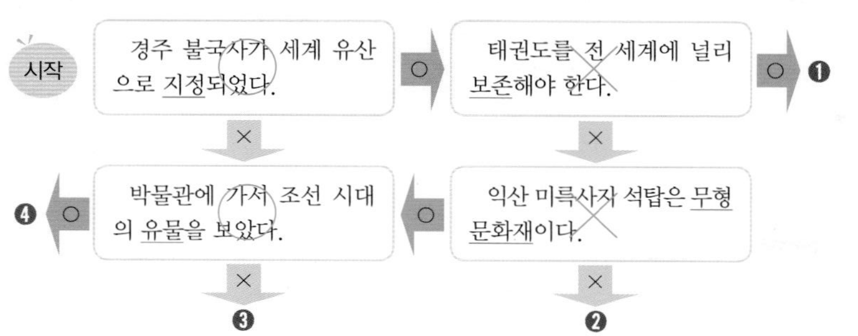

시작
경주 불국사가 세계 유산으로 지정되었다.
태권도를 전 세계에 널리 보존해야 한다.
박물관에 가서 조선 시대의 유물을 보았다.
익산 미륵사지 석탑은 무형 문화재이다.
○
×
❶
❷
❸
❹

(❷)

해설 | '보존'은 잘 보호하여 남기는 것을 뜻하므로 "태권도를 전 세계에 널리 보존해야 한다."는 어색합니다. 또 '무형 문화재'는 형태가 없는 문화재이므로 "익산 미륵사지 석탑은 유형 문화재이다."로 고쳐 써야 합니다.

52~53쪽에서 공부한 낱말을 떠올리며 문제를 풀어 보세요.

4 뜻에 알맞은 낱말이 되도록 보기에서 글자를 찾아 쓰세요.

보기: 홍 양 구 관 어 대 웅 소

(1) 널리 알림. → [홍][보]

(2) 연극, 영화, 운동 경기 등을 구경함. → [관][람]

(3) 임금의 얼굴을 그린 그림이나 사진. → [어][진]

(4) 절에서 가장 중요한 불상을 모신 곳. → [대][웅][전]

해설 | (1) 널리 알리는 일은 '홍보'입니다. (2) 연극, 영화, 운동 경기 등을 구경하는 것은 '관람'입니다. (3) 임금의 얼굴을 그린 그림이나 사진은 '어진'입니다. (4) 절에서 가장 중요한 불상을 모신 곳은 '대웅전'입니다.

5 다음 뜻을 가진 낱말은 무엇인지 빈칸에 알맞은 말을 쓰세요.

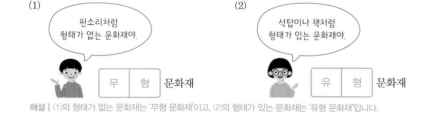

지역에 있는 중요한 문화유산의 위치나 특징 등을 알려 주는 지도.

문화유산 [안][내][도]

해설 | 지역에 있는 중요한 문화유산의 위치나 특징 등을 알려 주는 지도는 '문화유산 안내도'입니다.

6 밑줄 친 낱말과 뜻이 비슷한 낱말을 두 가지 고르세요. (① , ④)

주변 경관을 둘러보았다.

① 경치 ② 관광 ③ 상태
④ 풍경 ⑤ 상황

해설 | '경관'은 산이나 들, 강, 바다 등의 자연이나 주변의 전체적인 모습을 뜻하는 말로, '경치', '풍경'과 뜻이 비슷합니다.

7 밑줄 친 낱말의 쓰임이 알맞으면 ○표, 알맞지 않으면 ×표 하세요.

(1) 가을 풍경이 담긴 어진이 전시되어 있다. (×)

(2) 설악산은 경관이 아름다운 산으로 유명하다. (○)

(3) 절에서 가장 중요한 불상은 대웅전에 가면 볼 수 있다. (○)

(4) 기차 시간을 알아보기 위해서 문화유산 안내도를 보았다. (×)

해설 | (1) '어진'은 임금의 얼굴을 그린 그림이나 사진을 말하므로 어진에 가을 풍경이 담겨 있다는 내용은 어색합니다. (4) '문화유산 안내도'는 지역에 있는 중요한 문화유산의 위치나 특징 등을 알려 주는 지도이므로 기차 시간을 알아보기 위해서 보았다는 내용은 어색합니다.

수학 교과서 어휘

수록 교과서 수학 4-1
2. 각도

다음 중 낱말의 뜻을 잘 알고 있는 것에 ✓ 하세요.

☐ 예각 ☐ 둔각 ☐ 떼다 ☐ 구하다 ☐ 맞대다 ☐ 기울다

친구들이 응원 막대를 이용해서 응원을 하고 있어. 응원 막대를 직각보다 작게 벌리기도 하고, 크게 벌리기도 했어. 직각보다 큰 각과 직각보다 작은 각을 각각 무엇이라고 하는지 알아볼까?

낱말을 읽고, 부분에 밑줄을 그으면서 낱말 공부를 해 보세요.

예각

銳 날카로울 예 + 角 모 각

'각(角)'의 대표 뜻은 '뿔'이야.

Tip '모'는 선과 선의 끝이 만난 곳을 뜻해요.

뜻 각도가 0°보다 크고 직각인 90°보다 작은 각.

예 1시 15분일 때 긴바늘과 짧은바늘이 이루는 각은 예각이다.

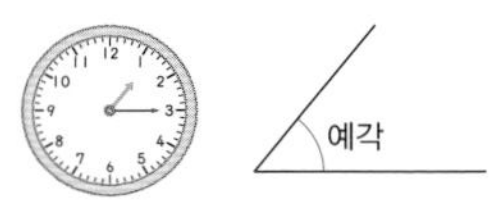

둔각

이것만은 꼭!

鈍 둔할 둔 + 角 모 각

뜻 각도가 직각인 90°보다 크고 180°보다 작은 각.

예 1시 45분일 때 긴바늘과 짧은바늘이 이루는 각은 둔각이다.

떼다

뜻 붙어 있거나 이어져 있는 것을 떨어지게 하다.

예 각도기를 이용해 각도가 90°가 되는 곳에 점을 표시한 뒤, 각도기를 떼고 자를 이용해 선을 그린다.

헷갈리는 말 때다

'때다'는 "난로 등에 불을 태우다."라는 뜻이니까 '떼다'와 구분해서 써야 해.

예 스티커를 떼다. / 불을 때다.

구하다

求 구할 구 + 하다

뜻 문제에 대한 답이나 수, 양을 알아내다.

예 물건들 사이의 각도를 재서 다양한 각을 구해 보세요.

글자는 같지만 뜻이 다른 낱말 구하다

'구하다'는 "어렵거나 위험한 상황에서 벗어나게 하다."라는 전혀 다른 뜻으로도 쓰여. 예 물에 빠진 사람을 구하다.

맞대다

뜻 서로 마주 닿게 하다.

예 각의 한 변을 맞댄 뒤 두 각도의 차를 각도기로 재어 구해 보세요.

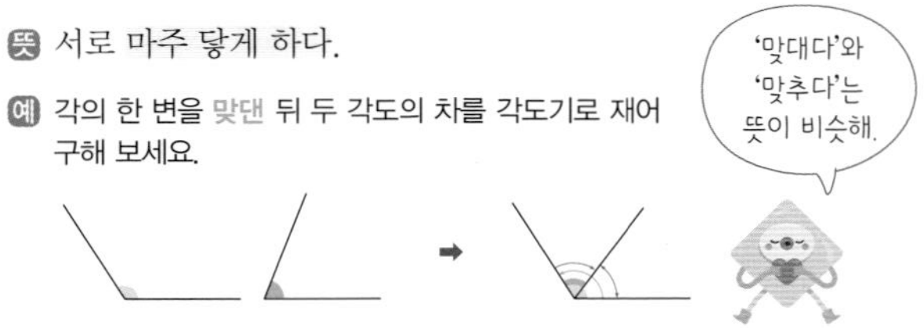

기울다

뜻 비스듬하게 한쪽이 낮아지거나 비뚤어지다.

예 놀이터에 있는 미끄럼틀은 30° 정도 기울어져 있다.

Tip '기울다'는 "마음이나 생각 등이 어느 한쪽으로 쏠리다."라는 뜻도 가지고 있어요.
예 회의 결과, 청소 당번을 바꾸지 말자는 쪽으로 의견이 기울었다.

2주차 3회

수학 교과서 어휘

수록 교과서 수학 4-1
3. 곱셈과 나눗셈

다음 중 낱말의 뜻을 잘 알고 있는 것에 ☑ 하세요.

□ 계산식 □ 사용량 □ 절약 □ 달 □ 쪽수 □ 값

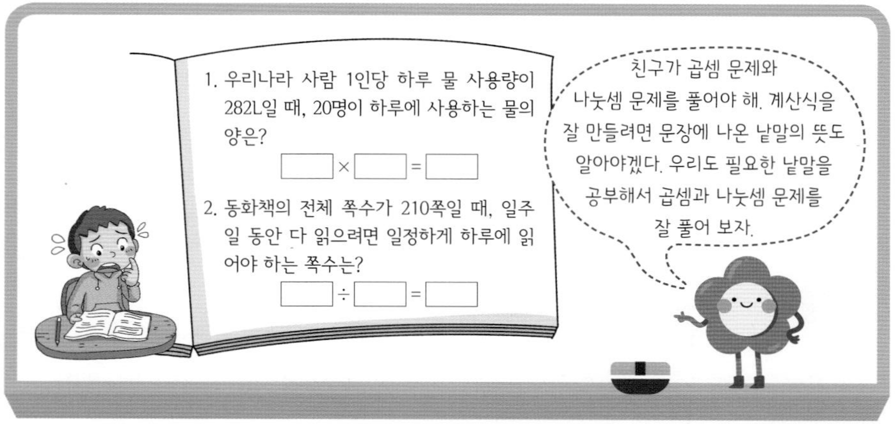

1. 우리나라 사람 1인당 하루 물 사용량이 282L일 때, 20명이 하루에 사용하는 물의 양은?
□×□=□
2. 동화책의 전체 쪽수가 210쪽일 때, 일주일 동안 다 읽으려면 일정하게 하루에 읽어야 하는 쪽수는?
□÷□=□
친구가 곱셈 문제와 나눗셈 문제를 풀어야 해. 계산식을 잘 만들려면 문장에 나온 낱말의 뜻도 알아야겠다. 우리도 필요한 낱말을 공부해서 곱셈과 나눗셈 문제를 잘 풀어 보자.

낱말을 읽고, ▭ 부분에 밑줄을 그으면서 낱말 공부를 해 보세요.

이것만은 꼭!

계산식

計 셀 계 + 算 셈 산 + 式 법 식

뜻 어떤 셈을 하기 위해서 숫자나 문자를 +, −, ×, ÷ 같은 기호로 연결한 것.

예 다음 문장을 읽고, 계산식을 만들어 계산해 보세요.

곱셈식	나눗셈식
$150 \times 30 = 4500$	$180 \div 30 = 6$

이런 걸 계산식이라고 해.

사용량

使 부릴 사 + 用 쓸 용 + 量 헤아릴 량

뜻 쓰는 양.

예 손을 한 번 씻을 때의 물 사용량을 어떻게 구할 수 있을까요?

절약

節 절약할 절 + 約 아낄 약

'절(節)'의 대표 뜻은 '마디', '약(約)'의 대표 뜻은 '맺다'야.

뜻 꼭 필요한 데에만 써서 아낌.

예 수민이가 손을 한 번 씻을 때 어제와 비교해서 오늘 절약한 물의 양을 구해 보세요.

반대말 낭비

'낭비'는 돈, 시간, 물건 등을 함부로 쓰는 것을 뜻해.

예 용돈을 낭비하다.

Tip '절약'과 관련된 속담에 '티끌 모아 태산'이 있어요. 아무리 작은 것이라도 모이고 모이면 나중에 큰 덩어리가 됨을 이르는 말이에요.

달

뜻 일 년을 열둘로 나눈 것 가운데 하나를 세는 말.

예 한 달 동안 아낀 물의 양을 구해 보세요.

'달' 앞에 수를 나타내는 말이 오면 띄어 써야 해. 한˅달, 두˅달!

쪽수

쪽 + 數 셈 수

뜻 신문이나 책의 페이지 수.

예 두 책의 쪽수를 더해 보자.

비슷한말 면수

'면수'는 신문이나 책의 페이지 수를 말해.

예 신문의 면수가 많다.

값

뜻 물건을 얼마에 사고팔지 정해 놓은 것.

예 2000원으로 공책을 5권 샀다면, 공책 한 권의 값은 얼마인가요?

비슷한말 가격

'가격'은 물건의 값을 말해.

예 과일 가격이 싸다.

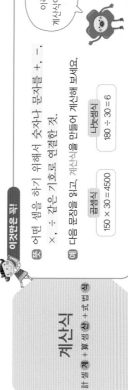

확인 문제

56～57쪽에서 공부한 낱말을 떠올리며 문제를 풀어 보세요.

1 뜻에 알맞은 낱말을 빈칸에 쓰세요.

(1)

	❷ 예
❶ 둔	각

가로 열쇠 ❶ 각도가 직각인 90°보다 크고 180°보다 작은 각.
세로 열쇠 ❷ 각도가 0°보다 크고 직각인 90°보다 작은 각.

(2)

	❷ 맞
	대
❶ 떼	다

가로 열쇠 ❶ 붙어 있거나 이어져 있는 것을 떨어지게 하다.
세로 열쇠 ❷ 서로 마주 닿게 하다.

해설 | (1) 각도가 90°보다 크고 180°보다 작은 각은 '둔각'이고, 각도가 0°보다 크고 90°보다 작은 각은 '예각'입니다. (2) "붙어 있거나 이어져 있는 것을 떨어지게 하다."라는 뜻의 낱말은 '떼다', "서로 마주 닿게 하다."라는 뜻의 낱말은 '맞대다'입니다.

2 (　) 안에 들어갈 알맞은 낱말을 보기에서 찾아 쓰세요.

보기: 떼고　때고

(1) 날씨가 추워서 난로에 불을 (때고) 잤다.

(2) 자를 대고 선을 그은 다음 자를 (떼고) 이어서 그림을 그린다.

해설 | (1)은 난로에 불을 태우는 것이므로 '때고', (2)는 자를 바닥에서 떨어지게 하는 것이므로 '떼고'가 알맞습니다.

3 빈칸에 공통으로 들어갈 낱말에 ○표 하세요.

• 목숨을 바쳐 나라를 [　].
• 친구의 도움을 받아 문제의 답을 [　].

((구했다), 위했다 , 틀렸다)

해설 | 위에는 "문제에 대한 답이나 수, 양을 알아내다."라는 뜻의 '구했다'가, 아래에는 "어렵거나 위험한 상황에서 벗어나게 하다."라는 뜻의 '구했다'가 알맞습니다.

4 밑줄 친 낱말의 쓰임이 알맞으면 ○표, 알맞지 않으면 ×표 하세요.

(1) 허리를 90°보다 더 숙여 <u>둔각</u>을 만들었다. (×)

(2) 두 줄의 길이를 비교하기 위해서 줄을 <u>맞대었다</u>. (○)

(3) 지붕에 걸쳐 놓은 사다리의 <u>기울어진</u> 각도를 재 보았다. (○)

해설 | (1) 허리를 90°보다 더 숙이면 90°보다 작은 각일 것이므로 '둔각'이 아니라 '예각'이 알맞습니다.

58～59쪽에서 공부한 낱말을 떠올리며 문제를 풀어 보세요.

5 뜻에 알맞은 낱말을 색칠하고, 어떤 숫자가 나오는지 쓰세요.(낱말은 가로(—), 세로(|) 방향에 숨어 있어요.)

값	❶ 사	❸ 절	약
수	용	달	❹ 계
확	량	비	산
량	❷ 쪽	수	식

❶ 쓰는 양.
❷ 신문이나 책의 페이지 수.
❸ 꼭 필요한 데에만 써서 아낌.
❹ 어떤 셈을 하기 위해서 숫자나 문자를 +, −, ×, ÷ 같은 기호로 연결한 것.

(0)

해설 | ❶ 쓰는 양을 뜻하는 낱말은 '사용량'입니다. ❷ 신문이나 책의 페이지 수는 '쪽수'입니다. ❸ 꼭 필요한 데에만 써서 아끼는 것을 뜻하는 낱말은 '절약'입니다. ❹ 어떤 셈을 하기 위해서 숫자나 문자를 +, −, ×, ÷ 같은 기호로 연결한 것은 '계산식'입니다.

6 밑줄 친 낱말의 반대말은 무엇인가요? (③)

한 달 동안 민지네 가족이 <u>절약</u>한 물의 양을 구해 보았다.

① 부족　② 저장　③ 낭비
④ 추가　⑤ 완성

해설 | 꼭 필요한 데에만 써서 아끼는 것을 뜻하는 '절약'은 돈, 시간, 물건 등을 함부로 쓰는 것을 뜻하는 '낭비'와 뜻이 반대입니다.

해설 | (1)은 기간을 나타내는 낱말이 들어가야 하므로 '달'이, (2)는 가격을 나타내는 낱말이 들어가야 하므로 '값'이, (3)은 책의 분량을 나타내는 낱말이 들어가야 하므로 '쪽수'가, (4)는 쓰는 양을 뜻하는 낱말이 들어가야 하므로 '사용량'이 알맞습니다.

7 빈칸에 들어갈 알맞은 낱말에 ○표 하세요.

(1) 한 [　] 동안 실천한 횟수를 세 보았다. ((달), 개)

(2) 연필 한 자루의 [　]이/가 300원이므로 5자루를 사려면 1500원이 필요하다. ((값), 수)

(3) 이 책은 [　]이/가 많아서 읽는 데 오래 걸려. (가격 , (쪽수))

(4) 우리 가족은 전기 [　]을 줄이기 위해 노력하고 있다. ((사용량), 운동량)

2주차 4회

과학 교과서 어휘

수록 교과서 과학 4-1
3. 식물의 한살이

다음 중 낱말의 뜻을 잘 알고 있는 것에 ✓ 하세요.

□ 씨 □ 식물의 한살이 □ 뿌리 □ 줄기 □ 떡잎 □ 본잎

사진 속 식물은 강낭콩이야. 친구가 강낭콩을 키우면서 자라는 과정을 찍었대. 식물이 자라는 과정과 관련 있는 낱말을 공부해 보자.

낱말을 읽고, 부분에 밑줄을 그으면서 낱말 공부를 해 보세요.

씨

뜻 식물의 열매 속에 있는, 앞으로 싹이 터서 자라게 될 단단한 물질.

예 화분에 씨를 심으면 싹이 난다.

비슷한말 씨앗

'씨앗'은 곡식이나 채소, 꽃 등의 씨를 말해.

예 밭에 씨앗을 뿌렸다.

▲ 호박씨 ▲ 수박씨

식물의 한살이

植 심을 식 + 物 물건 물 + 의 한살이

이것만은 꼭!

뜻 식물의 씨가 싹 터서 자라며, 꽃이 피고 열매를 맺어 다시 씨가 만들어지는 과정.

예 식물을 직접 기르면서 식물의 한살이를 관찰해 보자.

관련 어휘 한살이

'한살이'는 태어나서 죽을 때까지의 동안을 말해.

예 동물의 한살이.

뿌리

뜻 땅속으로 뻗어서 몸을 받치고 물과 영양분을 빨아올리는 식물의 한 부분.

예 강낭콩이 싹 터서 자라는 과정을 살펴보면 먼저 땅속에서 뿌리가 나오고 껍질이 벗겨진다.

여러 가지 뜻을 가진 낱말 뿌리

'뿌리'는 다른 곳에 깊게 박힌 사물의 아랫부분을 뜻하기도 해.

예 치아의 뿌리가 흔들려서 치과에 갔다.

줄기

뜻 식물을 받치고 뿌리에서 빨아들인 물이나 영양분을 나르며, 잎이나 가지, 열매 등이 붙는 부분.

예 강낭콩이 자라면서 줄기가 점점 굵어지고 길어졌다.

떡잎

뜻 씨앗에서 싹이 틀 때 처음에 나오는 잎.

예 강낭콩을 심고 7~10일이 지나면 땅 위로 떡잎 두 장이 나온다.

속담 될성부른 나무는 떡잎부터 알아본다

앞으로 크게 잘 자랄 나무는 떡잎부터 다른 것처럼, 잘될 사람은 어려서부터 남달리 앞으로 잘될 가능성이 보인다는 뜻이야.

Tip '될성부르다'는 "잘될 것 같아 보이다."라는 뜻이에요.

본잎

本 근본 본 + 잎

뜻 떡잎 뒤에 나오는 잎.

예 떡잎이 나온 뒤에는 떡잎 사이에서 본잎이 나온다.

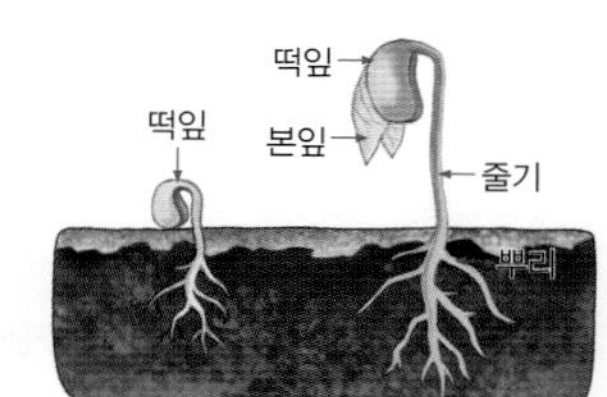

2주차 4회

과학 교과서 어휘

수록 교과서 과학 4-1
3. 식물의 한살이

다음 중 낱말의 뜻을 잘 알고 있는 것에 ✓ 하세요.
□ 한해살이 식물 □ 여러해살이 식물 □ 새순 □ 꼬투리 □ 조건 □ 품종

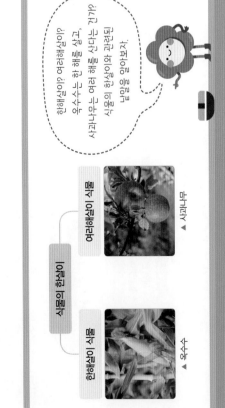

식물의 한살이

한해살이 식물

▲ 옥수수

여러해살이 식물

▲ 사과나무

한해살이? 여러해살이?
옥수수는 한 해를 살고,
사과나무는 여러 해를 산다는 건가?
식물의 한살이와 관련된
낱말을 알아보자.

낱말을 읽고, 부분에 밑줄을 그으면서 낱말 공부를 해 보세요.

한해살이 식물
한해살이 + 植 심을 식 + 物 물건 물

뜻 한 해만 사는 식물.

예 벼는 한 해만 사는 한해살이 식물이다.

▲ 벼

이것만은 꼭!

여러해살이 식물
여러해살이 + 植 심을 식 + 物 물건 물

뜻 여러 해 동안 죽지 않고 살아가는 식물.

예 개나리, 감나무, 사과나무 등은 몇 년 동안 죽지 않고 살아가는 여러해살이 식물이다.

▲ 감나무

정답과 해설 ▶ 28쪽

새순
새 + 筍 죽순 순

뜻 나무의 가지나 풀의 줄기에서 새로 돋아 나는 잎.

예 봄이 되면 나뭇가지에서 새순이 나온다.

여러해살이 식물은 열매가 떨어진 뒤에도 나뭇가지가 죽지 않고 살아남아 다음 해에 새순이 나.

꼬투리

뜻 콩이나 팥과 같은 식물의 씨앗을 싸고 있는 껍질.

예 꼬투리 속에 들어 있는 강낭콩이 땅에 떨어지면 다시 싹이 트고 자란다.

Tip '꼬투리'는 어떤 이야기나 사건을 해결해 나갈 수 있는 시작이 되는 부분을 뜻하기도 해요.
예 사건의 꼬투리를 잡다.

▲ 콩 꼬투리

조건
條 가지 조 + 件 사건 건

뜻 어떤 일을 이루기 위해 미리 갖추어야 하는 것.

예 씨가 싹 트는 데 필요한 조건을 알아보는 실험을 했다.

비슷한말 요건
'요건'은 어떤 일을 하는 데 필요한 조건을 뜻해.
예 요건을 갖추어야 그 학교에 입학할 수 있어.

품종
品 물건 품 + 種 종류 종
'종(種)'의 대표 뜻은 '씨'야.

뜻 한 덩어리의 종으로 묶은 생물을 그 특성에 따라 더 작게 나눈 것.

예 강낭콩은 콩의 종류에 속하지만 품종이 150여 종이나 된다.

관련 어휘 종
'종'은 생물을 나누는 가장 기본적인 단위를 말해. 일반적으로 생물의 종류라고 하는 것이 종에 해당해.

확인 문제

62～63쪽에서 공부한 낱말을 떠올리며 문제를 풀어 보세요.

1 뜻에 알맞은 말이 되도록 보기에서 글자를 찾아 쓰세요.

보기: 쌍 떡 살 더 한 본 이

(1) 떡잎 뒤에 나오는 잎. → 본 잎

(2) 씨앗에서 싹이 틀 때 처음에 나오는 잎. → 떡 잎

(3) 식물의 씨가 싹 터서 자라며, 꽃이 피고 열매를 맺어 다시 씨가 만들어지는 과정. → 식물의 한 살 이

해설 | (1) 떡잎 뒤에 나오는 잎은 '본잎'입니다. (2) 씨앗에서 싹이 틀 때 처음에 나오는 잎은 '떡잎'입니다. (3) 식물의 씨가 싹 터서 자라며, 꽃이 피고 열매를 맺어 다시 씨가 만들어지는 과정은 '식물의 한살이'라고 합니다.

해설 | '될성부른 나무는 떡잎부터 알아본다'는 잘될 사람은 어려서부터 남달리 앞으로 잘될 가능성이 보인다는 뜻입니다.

2 빈칸에 들어갈 알맞은 낱말은 무엇인가요? (④)

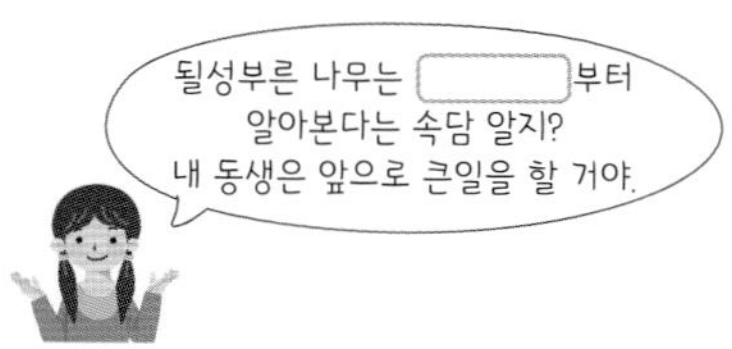
될성부른 나무는 [ ]부터
알아본다는 속담 알지?
내 동생은 앞으로 큰일을 할 거야.

① 씨 ② 뿌리 ③ 줄기
④ 떡잎 ⑤ 본잎

해설 | (1) 꽃이 피었다고 했으므로 '줄기'가 알맞습니다. (2) 수박을 먹을 때 없으면 편한 것은 씨이므로 '씨'가 알맞습니다. (3) 땅속에 깊이 뻗어 있다고 했으므로 '뿌리'가 알맞습니다. (4) 떡잎이 나온 뒤에 나왔다고 했으므로 '본잎'이 알맞습니다.

3 ( ) 안에 들어갈 알맞은 낱말을 보기에서 찾아 쓰세요.

보기: 씨 본잎 줄기 뿌리

(1) 붉은색 (줄기)에 흰 꽃이 피었다.

(2) (씨)이/가 없는 수박은 먹기에 편하다.

(3) 땅속에 깊이 뻗어 있는 (뿌리) 때문에 나무를 뽑기가 쉽지 않다.

(4) 땅 위로 강낭콩 떡잎이 두 장 나오고 난 뒤에 또 잎이 나기를 기다렸는데, 바로 오늘 기다리던 (본잎)이/가 나왔다.

64～65쪽에서 공부한 낱말을 떠올리며 문제를 풀어 보세요.

4 낱말의 뜻은 무엇인지 빈칸에 들어갈 알맞은 말을 완성하세요.

(1) 새순: 나무의 가지나 풀의 줄기에서 새로 돋아나는 [잎].

(2) 꼬투리: 콩이나 팥과 같은 식물의 씨앗을 싸고 있는 [껍 질].

(3) 품종: 한 덩어리의 종으로 묶은 생물을 그 [특 성]에 따라 더 작게 나눈 것.

해설 | (1) '새순'은 나무의 가지나 풀의 줄기에서 새로 돋아나는 잎입니다. (2) '꼬투리'는 콩이나 팥과 같은 식물의 씨앗을 싸고 있는 껍질입니다. (3) '품종'은 한 덩어리의 종으로 묶은 생물을 그 특성에 따라 더 작게 나눈 것을 말합니다.

5 다음 뜻을 가진 낱말은 무엇인지 빈칸에 알맞은 말을 쓰세요.

(1) 한 해만 사는 식물. → 한 해 살 이 식물

(2) 여러 해 동안 죽지 않고 살아가는 식물. → 여 러 해 살 이 식물

해설 | 한 해만 사는 식물은 '한해살이 식물'이고, 여러 해 동안 죽지 않고 살아가는 식물은 '여러해살이 식물'입니다.

6 뜻이 비슷한 낱말끼리 짝 지은 것에 ○표 하세요.

(1) 품종 – 품질 ( )
(2) 조건 – 요건 (○)
(3) 꼬투리 – 알맹이 ( )

해설 | 어떤 일을 이루기 위해 미리 갖추어야 하는 것을 뜻하는 '조건'과 어떤 일을 하는 데 필요한 조건을 뜻하는 '요건'은 뜻이 비슷합니다.

7 ( ) 안에서 알맞은 낱말을 골라 ○표 하세요.

(1) 빛은 씨가 싹 트는 데 필요한 (규칙 , (조건))은 아니다.

(2) (꽃 , (꼬투리)) 속에 들어 있는 콩의 개수를 세어 보았다.

(3) 눈이 녹은 자리에 ((새순) , 줄기)이/가 파릇파릇 돋아났다.

(4) 우리 연구진은 새로운 식물 (인종 , (품종))을 개발하기 위해 연구하고 있다.

(5) (한해살이 , (여러해살이)) 식물은 여러 해를 살면서 열매 맺는 것을 반복한다.

해설 | (1)은 씨가 싹 틀 때 갖추어야 하는 것에 대해 말하고 있으므로 '조건'이, (2)는 콩이 들어 있다고 했으므로 '꼬투리'가, (3)은 봄이 되어 새로 돋아나는 잎을 말하고 있으므로 '새순'이, (4)는 식물과 관련되어 개발하고 있는 것이므로 '품종'이, (5)는 여러 해를 산다고 했으므로 '여러해살이'가 알맞습니다.

各(각)이 들어간 낱말

'各(각)'이 들어간 낱말을 읽고, 부분에 밑줄을 그으면서 낱말 공부를 해 보세요.

各 각각 각

'각(各)'은 발과 입구를 합해 표현한 글자야. 입구 가까이에 발이 있다는 것에서 '도착하다'라는 뜻으로 쓰이다가 이후에 여럿이 따로 도착한다 해서 '각각'이라는 뜻을 갖게 되었어. '여러'라는 뜻을 나타낼 때도 있어.

各자 / 各기 / 各양各색 / 各종

각각 各

각자
各 각각 **각** + 自 스스로 **자**

뜻 각각의 사람. 또는 각각 자기 자신.

예 친구들은 각자의 위치로 돌아갔다.

각기
各 각각 **각** + 基 그 **기**

뜻 각각 저마다.

예 세계 여러 나라는 각기 다른 문화를 가지고 있다.

여러 各

각양각색
各 여러 **각** + 樣 모양 **양** + 各 여러 **각** + 色 빛 **색**

뜻 여러 가지 모양과 색깔.

예 꽃밭에는 각양각색의 꽃들이 피어 있다.

비슷한말 가지각색, 형형색색

'가지각색'과 '형형색색'은 모양과 색이 서로 다른 여러 가지를 뜻해.

각종
各 여러 **각** + 種 종류 **종**

'종(種)'의 대표 뜻은 '씨'야.

뜻 여러 가지 종류.

예 우리는 각종 나물로 비빔밥을 만들어 먹었다.

정답과 해설 ▶ 30쪽

心(심)이 들어간 낱말

'心(심)'이 들어간 낱말을 읽고, 부분에 밑줄을 그으면서 낱말 공부를 해 보세요.

心 마음 심

'심(心)'은 사람이나 동물의 심장을 본뜬 글자야. 그래서 '심장'을 뜻해. 또 심장은 중앙에 있으니까 '중심'이라는 뜻도 가지지. 옛날 사람들은 감정과 관련된 일을 심장이 한다고 생각했어. 그래서 '심(心)'이 '마음'을 뜻하기도 해.

작心삼일 / 애국心 / 원心력 / 心혈

마음 心

작심삼일
作 지을 **작** + 心 마음 **심** + 三 석 **삼** + 日 날 **일**

뜻 단단히 먹은 마음이 사흘(3일)을 가지 못한다는 뜻으로, 결심이 굳지 못함을 이르는 말.

예 담배를 끊겠다는 아빠의 결심은 작심삼일로 끝났다.

애국심
愛 사랑 **애** + 國 나라 **국** + 心 마음 **심**

뜻 자기 나라를 사랑하는 마음.

예 그 사람은 누구보다 애국심이 강했기 때문에 나라를 위해 목숨을 바칠 수 있었다.

Tip '애국심'의 '-심'은 '마음'의 뜻을 더해 주는 말이에요. 예 이해심, 호기심, 협동심

중심·심장 心

원심력
遠 멀 **원** + 心 중심 **심** + 力 힘 **력**

뜻 원을 도는 운동을 하는 물체가 중심에서 바깥으로 나아가려는 힘.

예 둥근 경기장을 달리던 선수는 원심력에 의해 몸이 밖으로 휘었다.

심혈
心 심장 **심** + 血 피 **혈**

뜻 심장의 피.

예 살이 많이 찐 사람은 심혈 기능이 좋지 않을 수 있다.

여러 가지 뜻을 가진 낱말 심혈

'심혈'은 마음과 힘을 뜻하기도 해.

예 심혈을 기울여 작품을 완성하다.

확인 문제

68쪽에서 공부한 낱말을 떠올리며 문제를 풀어 보세요.

1 낱말의 뜻을 보기에서 찾아 사다리를 타고 내려간 곳에 기호를 쓰세요.

보기
㉠ 각각 저마다. – 각기　　㉡ 여러 가지 종류. – 각종
㉢ 여러 가지 모양과 색깔. – 각양각색　　㉣ 각각의 사람. 또는 각각 자기 자신. – 각자

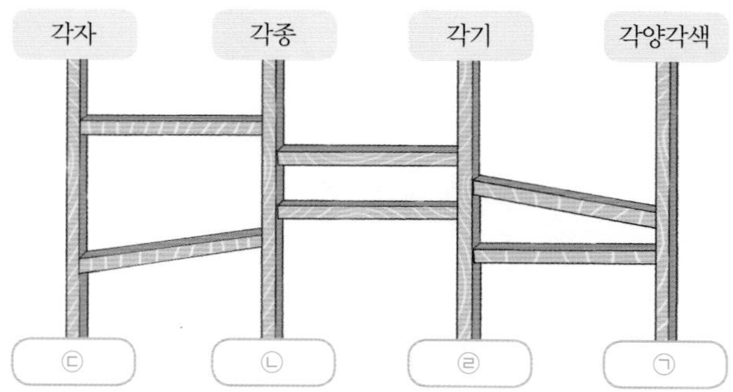

해설 | '각자'는 각각의 사람 또는 각각 자기 자신을 뜻하고, '각종'은 여러 가지 종류를 뜻합니다. '각기'는 각각 저마다를 뜻하고, '각양각색'은 여러 가지 모양과 색깔을 뜻합니다.

2 빈칸에 들어갈 낱말로 알맞은 것을 모두 고르세요. (① , ② , ⑤)

시장에서는 ☐의 물건들을 팔고 있다.

① 가지각색　② 각양각색　③ 시시각각
④ 우왕좌왕　⑤ 형형색색

해설 | 여러 가지 다른 모양과 색깔을 뜻하는 '가지각색', '각양각색', '형형색색'이 모두 들어갈 수 있습니다. '시시각각'은 그때그때의 시간을 뜻하고, '우왕좌왕'은 방향을 정하지 못하고 이쪽저쪽으로 왔다 갔다 하는 것을 뜻합니다.

3 ( ) 안에서 알맞은 낱말을 골라 ○표 하세요.

(1) 나는 (각종 , 최종) 운동을 다 배웠다.
(2) 우리는 (혼자 , 각자)의 일로 매우 바빴다.
(3) 두 상품은 (각기 , 자기) 다른 기능을 가졌다.

해설 | (1) 여러 종류라는 뜻의 '각종'이 알맞습니다. (2) 각각 자기 자신이라는 뜻의 '각자'가 알맞습니다. (3) 각각 저마다라는 뜻의 '각기'가 알맞습니다.

69쪽에서 공부한 낱말을 떠올리며 문제를 풀어 보세요.

4 뜻에 알맞은 낱말을 보기에서 찾아 쓰세요.

보기
원심력　　애국심　　작심삼일

(1) 자기 나라를 사랑하는 마음. (애국심)
(2) 원을 도는 운동을 하는 물체가 중심에서 바깥으로 나아가려는 힘. (원심력)
(3) 단단히 먹은 마음이 사흘을 가지 못한다는 뜻으로, 결심이 굳지 못함을 이르는 말. (작심삼일)

해설 | (1) 자기 나라를 사랑하는 마음을 뜻하는 낱말은 '애국심'입니다. (2) 원을 도는 운동을 하는 물체가 중심에서 바깥으로 나아가려는 힘은 '원심력'입니다. (3) 단단히 먹은 마음이 사흘을 가지 못한다는 뜻으로, 결심이 굳지 못함을 이르는 말은 '작심삼일'입니다.

5 밑줄 친 낱말의 뜻으로 알맞은 것에 ○표 하세요.

의사는 환자를 살리기 위해 심혈을 다했다.

(1) 심장의 피. ( )　(2) 마음과 힘. (○)

해설 | 의사가 환자를 살리기 위해 마음과 힘을 다했다는 것이므로 '심혈'이 마음과 힘이라는 뜻으로 쓰인 것입니다.

6 빈칸에 들어갈 알맞은 낱말을 글자 카드로 만들어 쓰세요.

(1) 등 푸른 생선을 많이 먹으면 [심|혈]이 맑아져 심장 건강에 좋다.
심 삼 혈 일 작

(2) 우주선이 지구 주위를 엄청 빠른 속도로 돌아서 [원|심|력]이 생겼다.
속 원 능 심 력

(3) 동생은 한번 하려고 마음먹은 일은 꼭 잘 지켜서 [작|심|삼|일]로 끝나지 않게 한다.
삼 작 혈 심 일

(4) 유관순이 죽음을 두려워하지 않고 3·1 운동에 참가한 것은 [애|국|심] 때문이다.
애 원 력 국 심

해설 | (1)은 맑아지면 심장 건강에 좋은 것이므로 '심혈'이, (2)는 우주선이 빠른 속도로 돌아서 생겼다고 했으므로 '원심력'이, (3)은 한번 하려고 마음먹은 일을 꼭 잘 지킨다고 했으므로 '작심삼일'이, (4)는 유관순이 3·1 운동에 참가한 까닭과 관련이 있으므로 '애국심'이 알맞습니다.

2주차 어휘력 테스트

앞에서 공부한 낱말을 떠올리며 문제를 풀어 보세요.

낱말 뜻

1 뜻에 알맞은 낱말에 ○표 하세요.

(1) 이야기에서 나타내려고 하는 생각. (소감 , (주제))

(2) 어떤 것을 특별한 자격이 있는 것으로 정함. (보존 , (지정))

(3) 어떤 일을 이루기 위해 미리 갖추어야 하는 것. (상황 , (조건))

(4) 각도가 직각인 90°보다 크고 180°보다 작은 각. ((둔각), 예각)

해설 | (1) '소감'은 어떤 일을 겪으면서 느끼고 생각한 것을 뜻합니다. (2) '보존'은 중요한 것을 잘 보호하여 그대로 남기는 것을 뜻합니다. (3) '상황'은 일이 되어 가는 과정이나 상태를 뜻합니다. (4) '예각'은 각도가 0°보다 크고 직각인 90°보다 작은 각입니다.

비슷한말

2 뜻이 비슷한 낱말끼리 짝 짓지 않은 것은 무엇인가요? (④)

① 값 – 가격　② 경관 – 풍경　③ 말투 – 어투
④ 전달 – 홍보　⑤ 보존 – 보호

해설 | ④ '전달'은 말, 물건, 지식 같은 것을 다른 사람에게 전하는 것을 뜻하고, '홍보'는 널리 알리는 것을 뜻하므로 두 낱말은 뜻이 비슷하지 않습니다.

반대말

3 다음 문장에서 뜻이 서로 반대되는 두 낱말을 찾아 ○표 하세요.

에너지를 (낭비)하는 사람이 많아서 에너지 (절약) 포스터를 그려서 붙였다.

해설 | '절약'은 꼭 필요한 데에만 써서 아낀다는 뜻으로, 반대말은 '낭비'입니다. '낭비'는 돈, 시간, 물건 등을 함부로 쓰는 것을 뜻합니다.

글자는 같지만 뜻이 다른 낱말

4 밑줄 친 낱말과 같은 뜻으로 쓰인 것에 ○표 하세요.

인터넷 기사에 수천 개의 댓글이 달렸다.

(1) 아버지는 택시 기사를 하고 계신다. (　　)

(2) 신문에 강도 사건에 대한 기사가 났다. (○)

해설 | 신문이나 잡지 등에서 어떤 사실을 알리는 글을 뜻하는 낱말로 쓰인 것은 (2)입니다.

헷갈리는 말

5 ~ 6 빈칸에 들어갈 알맞은 낱말을 찾아 선으로 이으세요.

5 새 학기가 되어 예전 작품을 게시판에서 [　　] 새로운 작품을 붙였다. — 떼고

해설 | 붙어 있는 것을 떨어지게 하는 것이므로 '떼고'가 알맞습니다.

6 나와 언니는 쌍둥이라서 사람들이 누가 언니이고 나인지 [　　]하지 못한다. — 구별

(때고 / 떼고 / 구별 / 차별)

해설 | 언니와 나를 나누는 것을 뜻하므로 '구별'이 알맞습니다.

낱말 활용

7 ~ 10 (　　) 안에 들어갈 알맞은 낱말을 보기에서 찾아 쓰세요.

보기: 유물　무형　품종　한해살이

7 새로운 토마토 (품종)이/가 개발되었다.

해설 | 토마토와 관련되어 새로운 것이 개발되었다고 했으므로 '품종'이 알맞습니다.

8 민속 박물관에 가면 조상의 (유물)을/를 많이 볼 수 있다.

해설 | 민속 박물관에 가서 많이 볼 수 있는 것이어야 하므로 '유물'이 알맞습니다.

9 (한해살이) 식물은 다음 해에 또 키우려면 씨를 다시 심어야 한다.

해설 | 한 해만 살아 다음 해에 다시 씨를 심어야 한다고 했으므로 '한해살이'가 알맞습니다.

10 머리에 탈을 쓰고 연극을 하거나 춤을 추는 탈춤은 (무형) 문화재이다.

해설 | 탈춤은 형태가 없는 문화재이므로 '무형'이 알맞습니다.

어휘가 문해력이다

초등 4학년 1학기

3주차 정답과 해설

3주차 1회

국어 교과서 어휘

수록 교과서 국어 4-1 ㉯
6. 회의를 해요

다음 중 낱말의 뜻을 잘 알고 있는 것에 ✓ 하세요.

☐ 회의 ☐ 절차 ☐ 개회 ☐ 주제 선정 ☐ 주제 토의 ☐ 표결

낱말을 읽고, ▭ 부분에 밑줄을 그으면서 낱말 공부를 해 보세요.

이것만은 꼭!

회의

會 모일 회 + 議 의논할 의

뜻 여러 사람이 모여 어떤 문제에 대해 의견을 나누는 것.

예 가족 여행 장소를 정하기 위해서 가족들이 모여 회의를 했다.

글자는 같지만 뜻이 다른 낱말 회의

'회의'는 마음속에 품은 의심을 뜻하는 낱말로도 쓰여.

예 내가 이 일을 끝마칠 수 있을지에 대한 회의가 생겼다.

절차

節 마디 절 + 次 버금 차

Tip '버금'은 으뜸의 바로 아래를 말해요.

뜻 일을 해 나갈 때 거쳐야 하는 차례나 방법.

예 회의 절차에 따라 이번에는 주제를 정하도록 하겠습니다.

비슷한말 순서

'순서'는 어떤 일이 이루어지는 차례를 뜻해.

예 경기 순서는 가위바위보를 해서 정하자.

개회

開 열 개 + 會 모일 회

뜻 회의를 시작하는 것.

예 회의의 첫 번째 절차는 '개회'로, 회의의 시작을 알린다.

반대말 폐회

'폐회'는 회의를 끝내는 것을 뜻해.

예 오늘 회의를 이만 폐회하겠습니다.

주제 선정

主 주인 주 + 題 제목 제 + 選 가릴 선 + 定 정할 정

뜻 회의할 때 주제를 정하는 것.

예 학급 회의 주제를 정하기 위해서 주제 선정 시간을 가졌다.

관련 어휘 선정

'선정'은 여럿 가운데서 어떤 것을 뽑아 정하는 것을 뜻해.

예 내 작품이 선정되었다.

주제 토의

主 주인 주 + 題 제목 제 + 討 찾을 토 + 議 의논할 의

'토(討)'의 대표 뜻은 '치다'야.

뜻 회의에 참여한 사람들이 주제에 맞는 의견을 제시하며 의견을 나누는 일.

예 주제 선정이 끝나면 주제 토의 시간을 통해 서로 의견을 나눈다.

관련 어휘 토의

'토의'는 가장 좋은 해결 방법을 찾기 위해 여럿이 함께 의논하는 것을 말해.

표결

表 겉 표 + 決 결정할 결

뜻 회의에서 나온 의견에 대하여 찬성과 반대를 표시하여 결정하는 일.

예 어떤 주제로 정할지 표결을 하겠습니다.

Tip 이번 회에 나온 낱말은 모두 회의와 관련된 것으로, 회의는 '개회 – 주제 선정 – 주제 토의 – 표결 – 결과 발표 – 폐회'의 절차에 따라 진행해요.

꼭! 알아야 할 속담

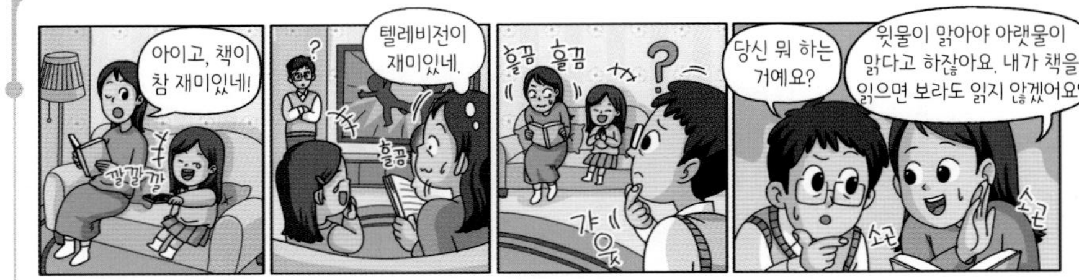

빈칸 채우기 '윗물이 맑아야 [아랫물]이 맑다'는 윗사람이 잘하면 아랫사람도 따라서 잘하게 된다는 말입니다.

3주차 1회 국어 교과서 어휘

수록 교과서 국어 4-1 ㉯
6. 회의를 해요 ~ 7. 사전은 내 친구

다음 중 낱말의 뜻을 잘 알고 있는 것에 ✓ 하세요.

□ 사회자 □ 채택 □ 기회 □ 사전 □ 기본형 □ 싣다

낱말을 읽고, 부분에 밑줄을 그으면서 낱말 공부를 해 보세요.

사회자

司 맡을 **사** + 會 모일 **회** + 者 놈 **자**

뜻 모임이나 회의 등에서 진행하는 일을 하는 사람.

예 회의에서 사회자 역할을 맡은 친구는 회의를 잘 이끌어야 한다.

비슷한말 **사회**

'사회'는 모임이나 회의 등에서 진행을 맡아 보는 사람을 뜻해.

예 오늘 학예 발표회의 사회를 소개하겠습니다.

채택

採 고를 **채** + 擇 가릴 **택**

'채(採)'의 대표 뜻은 '캐다'야.

뜻 여럿 가운데 골라서 뽑아 쓰는 것.

예 20명 가운데 15명이 찬성했으므로 채택하겠습니다.

비슷한말 **선택**

'선택'은 여럿 중에서 필요한 것을 골라 뽑는 것을 뜻해.

예 많은 물건 중 가운데에 있는 것을 선택했다.

기회

機 기회 **기** + 會 기회 **회**

'기(機)'의 대표 뜻은 '틀', '회(會)'의 대표 뜻은 '모이다'야.

뜻 어떤 일을 하기에 알맞은 때.

예 회의할 때 사회자는 회의 참여자에게 말할 기회를 골고루 주어야 한다.

정답과 해설 ▶ 35쪽

사전

事 일 **사** + 典 책 **전**

'전(典)'의 대표 뜻은 '법'이야.

뜻 어떤 내용을 차례대로 늘어놓고 자세하게 설명한 책.

예 널리 알려진 사람의 이름이나 한 일을 모아 이름 순서로 실은 인명사전도 사전의 종류이다.

기본형

基 터 **기** + 本 근본 **본** + 形 모양 **형**

이것만은 꼭!

뜻 형태가 바뀌는 낱말에서 형태가 바뀌지 않는 부분에 '-다'를 붙여 만드는 것.

예 형태가 바뀌는 낱말은 국어사전에서 찾을 때 기본형으로 찾아야 한다.

뛰고 / 뛰어서 (형태가 바뀌는 부분 / 형태가 바뀌지 않는 부분) → 뛰 + -다 → 뛰다

Tip 형태가 바뀌는 낱말에는 '뛰다'와 같이 움직임을 나타내는 낱말과 '낮다'와 같이 성질이나 상태를 나타내는 낱말이 있어요.

싣다

뜻 글, 그림, 사진 등을 책이나 신문 등에 넣다.

예 국어사전에 낱말이 실리는 차례를 확인해 보자.

여러 가지 뜻을 가진 낱말 **싣다**

'싣다'는 "무엇을 나르기 위해 차, 배, 비행기 등에 올려놓다."라는 뜻도 있어.

예 차에 짐을 싣다.

Tip '싣다'는 문장에서 쓰일 때 다양한 형태로 바뀌어요.
예 신문에 기사를 싣고 싶다. / 신문에 실을 기사를 썼다.

꼭! 알아야 할 관용어

○표 하기 '(입 , (꼬리))이/가 빠지게'는 몹시 빨리 도망치거나 달아나는 모습을 이르는 말입니다.

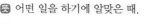

확인 문제

76～77쪽에서 공부한 낱말을 떠올리며 문제를 풀어 보세요.

1 낱말의 뜻이 알맞은 것은 무엇인가요? (③)

① 주제 토의: 회의할 때 주제를 정하는 것.
② 표결: 일을 해 나갈 때 거쳐야 하는 차례나 방법.
③ 회의: 여러 사람이 모여 어떤 문제에 대해 의견을 나누는 것.
④ 절차: 회의에서 나온 의견에 대하여 찬성과 반대를 표시하여 결정하는 일.
⑤ 주제 선정: 회의에 참여한 사람들이 주제에 맞는 의견을 제시하며 의견을 나누는 일.

해설 | ① '주제 토의'는 회의에 참여한 사람들이 주제에 맞는 의견을 제시하며 의견을 나누는 일을, ② '표결'은 회의에서 나온 의견에 대하여 찬성과 반대를 표시하여 결정하는 일을, ④ '절차'는 일을 해 나갈 때 거쳐야 하는 차례나 방법을, ⑤ '주제 선정'은 회의할 때 주제를 정하는 것을 뜻합니다.

2 다음 뜻을 가진 낱말의 반대말을 쓰세요.

회의를 시작하는 것. (폐회)

해설 | 회의를 시작하는 것은 '개회'이므로 반대말은 '폐회'입니다. '폐회'는 회의를 끝내는 것을 뜻합니다.

해설 | '절차'는 어떤 일이 이루어지는 차례를 뜻하는 '순서'와 뜻이 비슷합니다.

3 밑줄 친 낱말과 뜻이 비슷한 낱말에 ○표 하세요.

그 일은 <u>절차</u>가 복잡하다. (내용 , (순서), 상황)

해설 | (1) 학급 회의를 절차에 따라 진행할 것이므로 '절차'가 알맞습니다. (2) 여러 의견 중에서 정한다고 했으므로 '표결'이 알맞습니다. (3) 주제를 정한 것이므로 '선정'이 알맞습니다. (4) 주제에 대해 의견을 나누어야 하는 상황이므로 '토의'가 알맞습니다.

4 빈칸에 들어갈 알맞은 낱말을 글자 카드로 만들어 쓰세요.

(1) 회의 [절][차]에 따라 학급 회의를 진행하겠습니다.
절 회 정 개 차

(2) 여러 의견 중에서 무엇으로 정할지 [표][결]을 하겠습니다.
표 개 회 결 폐

(3) 이번 주 주제는 "깨끗한 교실을 만들자."로 [선][정] 되었습니다.
회 토 선 의 정

(4) 주제가 정해졌으므로 이제 주제 [토][의]를 시작하겠습니다.
표 토 결 의 개

78～79쪽에서 공부한 낱말을 떠올리며 문제를 풀어 보세요.

5 뜻에 알맞은 낱말을 빈칸에 쓰세요.

	❶ 기	
❷ 사	회	자
전		

세로 열쇠 ❶ 어떤 일을 하기에 알맞은 때.
❷ 어떤 내용을 차례대로 늘어놓고 자세하게 설명한 책.
가로 열쇠 ❷ 모임이나 회의 등에서 진행하는 일을 하는 사람.

해설 | ❶ 어떤 일을 하기에 알맞은 때는 '기회'입니다. ❷ 어떤 내용을 차례대로 늘어놓고 자세하게 설명한 책은 '사전'이고, 모임이나 회의 등에서 진행하는 일을 하는 사람은 '사회자'입니다.

6 낱말의 뜻에 어울리게 ( ) 안에서 알맞은 말을 골라 ○표 하세요.

(1) 채택: 여럿 가운데 골라서 뽑아 ((쓰는), 버리는) 것.
(2) 기본형: 형태가 바뀌는 낱말에서 형태가 바뀌지 않는 부분에 '((-다), -요)'를 붙여 만드는 것.

해설 | (1) '채택'은 여럿 가운데 골라서 뽑아 쓰는 것을 뜻합니다. (2) '기본형'은 형태가 바뀌는 낱말에서 형태가 바뀌지 않는 부분에 '-다'를 붙여 만드는 것을 말합니다.

7 밑줄 친 낱말의 뜻을 찾아 알맞게 선으로 이으세요.

(1) 트럭에 이삿짐을 <u>싣다</u>. — 무엇을 나르기 위해 차, 배, 비행기 등에 올려놓다.
(2) 사진을 찍어 학급 신문에 <u>싣다</u>. — 글, 그림, 사진 등을 책이나 신문 등에 넣다.

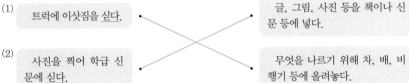

해설 | (1)은 이삿짐을 트럭에 올려놓은 것이므로 "무엇을 나르기 위해 차, 배, 비행기 등에 올려놓다."라는 뜻으로 쓰였고, (2)는 사진을 학급 신문에 넣은 것이므로 "글, 그림, 사진 등을 책이나 신문 등에 넣다."라는 뜻으로 쓰였습니다.

8 ( ) 안에 들어갈 알맞은 낱말을 보기에서 찾아 쓰세요.

보기: 기회 채택 기본형 사회자

(1) '먹고', '먹어서', '먹었다'의 (기본형)은/는 '먹다'이다.
(2) 표결이 끝난 뒤 (사회자)이/가 회의 결과를 발표하였다.
(3) 회의할 때에는 손을 들어 말할 (기회)을/를 얻어야 한다.
(4) 회의에서 내가 말한 의견이 (채택)되어서 기분이 좋았다.

해설 | (1) '먹다'는 '먹'에 '-다'를 붙여 만든 것이므로 '기본형'이 알맞습니다. (2) 회의 결과를 발표했다고 했으므로 '사회자'가 알맞습니다. (3) 회의할 때 손을 들면 말할 기회를 얻는 것이므로 '기회'가 알맞습니다. (4) 의견이 뽑혔다는 뜻이 되어야 하므로 '채택'이 알맞습니다.

3주차 2회

사회 교과서 어휘

수록 교과서 사회 4–1
2. 우리가 알아보는 지역의 역사

다음 중 낱말의 뜻을 잘 알고 있는 것에 ✓ 하세요.

□ 업적 □ 발명품 □ 읍성 □ 인재 □ 노비 □ 화폐

장영실의 업적?
장영실이 노비?
장영실의 발명품은……
부산 지역 친구들이 부산의 역사적 인물 중 장영실에 대해 여러 가지 방법으로 조사하고 있어. 우리도 관련 낱말을 공부해서 우리 지역의 역사적 인물을 조사해 볼까?

낱말을 읽고, 부분에 밑줄을 그으면서 낱말 공부를 해 보세요.

이것만은 꼭!

업적

業 업 업 + 績 성과 적
'적(績)'의 대표 뜻은 '길쌈하다'야.
Tip 실을 내어 옷감을 짜는 일을 '길쌈'이라고 해요.

뜻 열심히 노력하여 이룬 훌륭한 결과.

예 세종 대왕은 한글을 만드는 업적을 남겼다.

비슷한말 공적
'공적'은 많은 사람들을 위하여 힘을 들여 이루어 놓은 훌륭한 일을 뜻해.
예 이순신 장군의 공적을 기리기 위해 기념관을 세웠다.

발명품

發 드러낼 발 + 明 밝힐 명 + 品 물건 품
'발(發)'의 대표 뜻은 '피다', '명(明)'의 대표 뜻은 '밝다'야.

뜻 지금까지 없던 물건을 새로 생각하여 만들어 낸 것.

예 물을 이용해 시간을 알려 주는 자격루는 장영실이 만든 발명품이다.

뜻을 더해 주는 말 –품
'–품'은 쓸모 있게 만들어진 물건을 말하는 '물품'의 뜻을 더해 주는 말이야.
예 기념품, 신상품, 장식품

읍성

邑 고을 읍 + 城 성 성
'성(城)'의 대표 뜻은 '재'야.
Tip '재'는 높은 산의 고개를 말해요.

뜻 한 도시 전체를 성벽으로 둘러싸고 곳곳에 문을 만들어 바깥과 연결하게 쌓은 성.

예 읍성은 산 위에 쌓는 산성과 달리 사람들이 사는 평평한 지역을 둘러서 쌓은 성이다.

충남 서산시에 있는 해미 읍성이야.

인재

人 사람 인 + 材 재목 재

뜻 어떤 일을 할 수 있는 지식과 능력을 갖춘 사람.

예 세종 대왕은 나라에 힘이 될 수 있는 훌륭한 인재를 찾았다.

글자는 같지만 뜻이 다른 낱말 인재
'인재'는 사람에 의해 일어난 불행한 사고나 힘든 일을 뜻하는 낱말로도 쓰여.
예 이번 산불은 담뱃불 때문에 일어난 인재이다.

노비

奴 종 노 + 婢 여자 종 비

Tip '매이다'는 "자유롭게 생각하거나 행동할 수 없는 처지에 놓이다."라는 뜻이에요.

뜻 옛날에 남의 집에 매여서 하찮은 일을 하던 사람.

예 장영실은 노비로 태어났지만 뛰어난 손재주를 알아본 세종 대왕 덕분에 벼슬까지 했다.
Tip 옛날에 우리나라가 신분이 나누어져 있었을 때, 노비는 가장 낮은 신분에 속했어요.

비슷한말 종
'종'은 옛날에 남의 집에 매여서 하찮은 일을 하던 사람을 말해.
예 주인이 종에게 물을 떠 오라고 시켰다.

화폐

貨 재물 화 + 幣 화폐 폐

뜻 물건을 사고팔기 위해서 필요한 돈.

예 우리가 사용하는 화폐에는 우리나라를 빛낸 훌륭한 인물이 그려져 있다.

▲ 여러 가지 화폐

비슷한말 돈
'돈'은 물건을 사고팔 때나 일한 값으로 주고받는 동전이나 지폐를 말해.

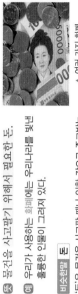

3주차 2회

사회 교과서 어휘

수록 교과서 사회 4-1
3. 지역의 공공 기관과 주민 참여

다음 중 낱말의 뜻을 잘 알고 있는 것에 ✓ 하세요.

□ 주민 □ 공공 기관 □ 민원 □ 도청 □ 교육청 □ 견학

슈퍼마켓
경찰서
우체국
시장
주민 센터
시청
교육청
경찰서, 우체국, 주민 센터, 교육청, 시청에만 ◯표를 했네! 왜 그렇게 한 걸까? 다음에 나오는 낱말을 공부해서 이렇게 표시한 까닭을 알아보자.

낱말을 읽고, 부분에 밑줄을 그으면서 낱말 공부를 해 보세요.

주민
住 살 주 + 民 백성 민

뜻 일정한 지역에 살고 있는 사람.

예 도서관을 지으면 그 지역에 살고 있는 주민들에게 도움이 될 것이다.

비슷한말 거주민

'거주민'은 일정한 지역에 머물러 사는 사람을 말해.

예 농촌 지역의 거주민이 줄고 있다.

Tip '거주'는 일정한 곳에 머물러 사는 것을 뜻해요.

공공 기관
公 공평할 공 + 共 한가지 공 + 機 틀 기 + 關 관계할 관

이것만은 꼭!

뜻 개인보다 주민 전체가 이롭고 편하기 위해 국가가 세우거나 관리하는 곳.

예 경찰서, 우체국, 주민 센터 등은 지역 주민들에게 도움을 주는 공공 기관이다.

관련 어휘 공공

'공공'은 국가 또는 사회의 모든 사람에게 관계되는 것을 뜻해.

예 공공장소, 공공시설, 공공질서

민원
民 백성 민 + 願 바랄 원

뜻 주민이 경찰서나 구청같이 국가의 일을 하는 곳에 어떤 일을 해 달라고 하는 것.

예 공공 기관은 지역 주민들이 요청하는 민원을 해결하기 위해 노력한다.

○○초등학교 가는 길에 자전거 전용 도로를 만들어 주세요.

도청
道 행정 구역 단위 도 + 廳 관청 청

'도(道)'의 대표 뜻은 '길'이야.

Tip '도'는 우리나라 지방 행정 구역의 하나예요. 경기도, 강원도, 충청북도 등을 말해요.

뜻 한 도의 행정 관련 일을 맡아 하는 기관.

예 도청은 주민들이 더 나은 생활을 할 수 있도록 노력하고 있다.

글자는 같지만 뜻이 다른 낱말 도청

'도청'은 남이 하는 이야기, 전화 통화 내용 등을 몰래 엿듣거나 녹음하는 일을 뜻하는 낱말로도 쓰여.

예 남의 전화를 함부로 도청하면 안 된다.

교육청
敎 가르칠 교 + 育 기를 육 + 廳 관청 청

뜻 학교의 교육과 관련된 일을 맡아 하는 기관.

예 교육청은 각 학교에 온라인 학습 관련 정보를 제공했다.

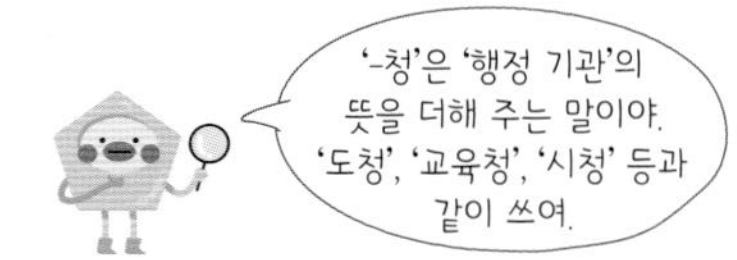
'-청'은 '행정 기관'의 뜻을 더해 주는 말이야. '도청', '교육청', '시청' 등과 같이 쓰여.

견학
見 볼 견 + 學 배울 학

뜻 어떤 일과 관련된 곳을 직접 찾아가서 보고 배움.

예 교육청에서 하는 일이 무엇인지 알아보기 위해 경상남도 교육청을 견학하기로 했다.

확인 문제

82～83쪽에서 공부한 낱말을 떠올리며 문제를 풀어 보세요.

1 **뜻에 알맞은 낱말을 글자판에서 찾아 묶으세요.** (낱말은 가로(—), 세로(|), 대각선(╱╲) 방향에 숨어 있어요.)

❹노	양	반	❺읍	성
임	비	❸인	견	발
금	❷업	사	재	명
산	적	❶화	폐	품

❶ 물건을 사고팔기 위해서 필요한 돈.
❷ 열심히 노력하여 이룬 훌륭한 결과.
❸ 어떤 일을 할 수 있는 지식과 능력을 갖춘 사람.
❹ 옛날에 남의 집에 매여서 하찮은 일을 하던 사람.
❺ 한 도시 전체를 성벽으로 둘러싸고 곳곳에 문을 만들어 바깥과 연결하게 쌓은 성.

해설 | ❶ 물건을 사고팔기 위해서 필요한 돈은 '화폐'입니다. ❷ 열심히 노력하여 이룬 훌륭한 결과는 '업적'입니다. ❸ 어떤 일을 할 수 있는 지식과 능력을 갖춘 사람은 '인재'입니다. ❹ 옛날에 남의 집에 매여서 하찮은 일을 하던 사람은 '노비'입니다. ❺ 한 도시 전체를 성벽으로 둘러싸고 곳곳에 문을 만들어 바깥과 연결하게 쌓은 성은 '읍성'입니다.

2 **보기와 두 낱말의 관계가 같은 것에 ○표 하세요.**

보기: 화폐 – 돈

(1) 노비 – 종 (○)　(2) 업적 – 성적 (　)

해설 | '화폐'와 '돈', '노비'와 '종'은 뜻이 비슷합니다. '업적'과 뜻이 비슷한 낱말은 '공적'입니다.

3 **낱말의 뜻으로 보아, 빈칸에 들어갈 말이 다른 하나는 무엇인가요?** (③)

발명□: 지금까지 없던 물건을 새로 생각하여 만들어 낸 것.

① 기념□　② 귀중□　③ 원시□
④ 신상□　⑤ 장식□

해설 | ③은 사람의 뜻을 더해 주는 '-인'을 붙여서 '원시인'을 만드는 것이 알맞습니다. 나머지는 모두 '-품'을 붙입니다.

4 **밑줄 친 낱말의 쓰임이 알맞으면 ○표, 알맞지 않으면 ×표 하세요.**

(1) 우리나라에서 만든 물건을 발명품이라고 한다. (×)
(2) 충남 서산에는 왜구의 침입을 막기 위해 쌓은 읍성이 있다. (○)
(3) 장영실이 만든 물건들을 조사하여 장영실의 업적을 정리했다. (○)
(4) 장영실의 스승인 이천이 세종 대왕에게 장영실을 인재로 추천했다. (○)

해설 | (1) '발명품'은 지금까지 없던 물건을 새로 생각하여 만들어 낸 것을 말하므로 잘못 쓰였습니다. 우리나라에서 만든 물건은 '국산품'이라고 합니다.

84～85쪽에서 공부한 낱말을 떠올리며 문제를 풀어 보세요.

5 **뜻에 알맞은 낱말을 보기에서 찾아 쓰세요.**

보기: 견학　도청　민원　주민　교육청

(1) 일정한 지역에 살고 있는 사람. (주민)
(2) 한 도의 행정 관련 일을 맡아 하는 기관. (도청)
(3) 학교의 교육과 관련된 일을 맡아 하는 기관. (교육청)
(4) 어떤 일과 관련된 곳을 직접 찾아가서 보고 배움. (견학)
(5) 주민이 경찰서나 구청같이 국가의 일을 하는 곳에 어떤 일을 해 달라고 하는 것. (민원)

해설 | (1) 일정한 지역에 살고 있는 사람은 '주민'입니다. (2) 한 도의 행정 관련 일을 맡아 하는 기관은 '도청'입니다. (3) 학교의 교육과 관련된 일을 맡아 하는 기관은 '교육청'입니다. (4) 어떤 일과 관련된 곳을 직접 찾아가서 보고 배우는 것은 '견학'입니다. (5) 주민이 경찰서나 구청같이 국가의 일을 하는 곳에 어떤 일을 해 달라고 하는 것은 '민원'입니다.

6 **밑줄 친 낱말의 공통된 뜻으로 알맞은 것에 ○표 하세요.**

공공 기관　공공장소　공공질서

(1) 개인이 가진 것. 또는 개인과 관계되는 것. (　)
(2) 국가 또는 사회의 모든 사람에게 관계되는 것. (○)
(3) 어떤 사실이나 생각이 맞다거나 옳다고 인정하는 것. (　)

해설 | '공공'은 국가 또는 사회의 모든 사람에게 관계되는 것을 뜻합니다.

7 **밑줄 친 낱말이 알맞게 쓰였는지 ○, ×를 따라가며 선을 긋고 몇 번으로 나오는지 쓰세요.**

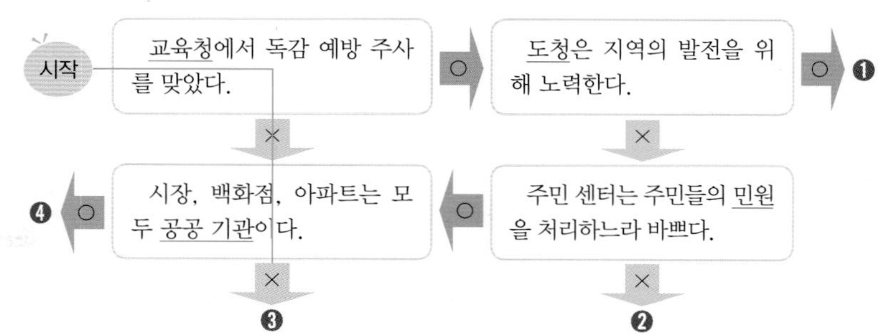

시작
교육청에서 독감 예방 주사를 맞았다.
○
도청은 지역의 발전을 위해 노력한다.
○ ❶
×
×
시장, 백화점, 아파트는 모두 공공 기관이다.
○ ❹
○
주민 센터는 주민들의 민원을 처리하느라 바쁘다.
× ❸
× ❷

(③)

해설 | 독감 예방 주사를 맞는 곳은 '교육청'이 아닙니다. 또 시장, 백화점, 아파트는 '공공 기관'이 아닙니다.

수학 교과서 어휘

수록 교과서 수학 4-1
4. 평면도형의 이동

다음 중 낱말의 뜻을 잘 알고 있는 것에 ✓ 하세요.
□ 이동 □ 위치 □ 밀다 □ 뒤집다 □ 돌리다 □ 조각

조각을 어느 쪽으로 얼마만큼 밀어야 할까?
아이가 조각을 밀어서 정사각형을 만들려고 해. 도형을 이동시키는 방법에는 미는 것 말고 또 무엇이 있을까? 이번 회에서는 도형의 이동과 관련된 낱말을 알아보자.

낱말을 읽고, 　　 부분에 밑줄을 그으면서 낱말 공부를 해 보세요.

이동
移 옮길 이 + 動 움직일 동

이것만은 꼭!

뜻 움직여서 옮김.

예 삼각형을 오른쪽으로 이동해 보자.

반대말 고정

'고정'은 움직이지 않게 한다는 뜻이야.
예 문이 자꾸 닫혀서 의자로 고정해 놓았다.

위치
位 자리 위 + 置 둘 치

뜻 사람이나 물건이 있는 자리.

예 도형을 이동시키면 위치가 바뀐다.

비슷한말 자리

'자리'는 사람이나 물건이 차지하고 있는 공간을 뜻해.
예 내가 좋아하는 인형을 잘 보이는 자리에 놓았다.

정답과 해설 ▶ 40쪽

밀다

뜻 일정한 방향으로 움직이도록 반대쪽에서 힘을 주다.

예 사각형을 왼쪽으로 밀어도 모양은 바뀌지 않는다.

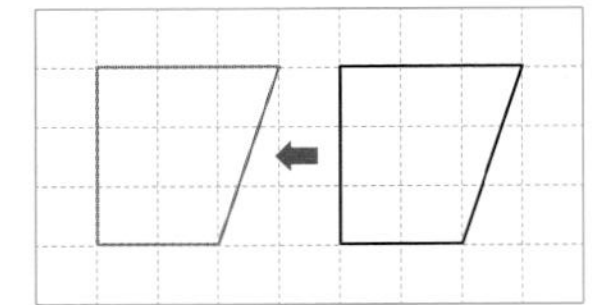

반대말 당기다

'당기다'는 "무엇을 잡아 자기 쪽으로 가까이 오게 하다."라는 뜻이야.
예 의자를 당겨서 앉다.

뒤집다

뜻 어떤 것의 위와 아래, 왼쪽과 오른쪽을 서로 바꾸다.

예 숫자 2를 오른쪽으로 뒤집으면 숫자 5가 된다.

여러 가지 뜻을 가진 낱말 뒤집다

'뒤집다'는 "어떤 것의 안과 겉을 서로 바꾸다."라는 뜻도 가지고 있어.
예 양말을 뒤집어서 빨았다.

돌리다

뜻 어떤 것을 원을 그리면서 움직이게 하다.

예 △ 모양 조각을 시계 방향으로 90° 돌리면 ▷가 된다.

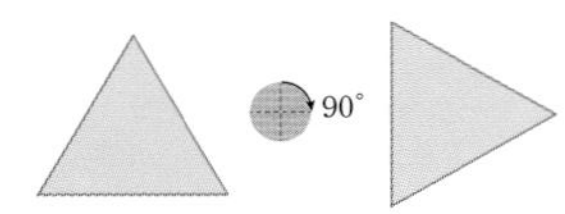

어법 돌다 → 돌리다

'돌리다'는 '돌다'에 '-리'를 붙여서 시킨다는 뜻을 더한 거야.
Tip '돌리다'와 비슷한 예로 '날리다', '울리다', '살리다'가 있어요.

조각

뜻 한 물건에서 따로 떨어져 나온 작은 부분.

예 떨어져 있는 조각을 맞추었더니 사각형이 되었다.

글자는 같지만 뜻이 다른 낱말 조각

'조각'은 재료를 새기거나 깎아서 모양을 만드는 것을 뜻하는 낱말로도 쓰여.
예 나무로 만든 다양한 조각 작품이 전시되어 있다.

3주차 3회

수학 교과서 어휘

수록 교과서 수학 4-1
5. 막대그래프

정답과 해설 ▶ 41쪽

다음 중 낱말의 뜻을 잘 알고 있는 것에 ✓ 하세요.

☐ 막대그래프 ☐ 눈금 ☐ 수 ☐ 역대 ☐ 종목 ☐ 장단점

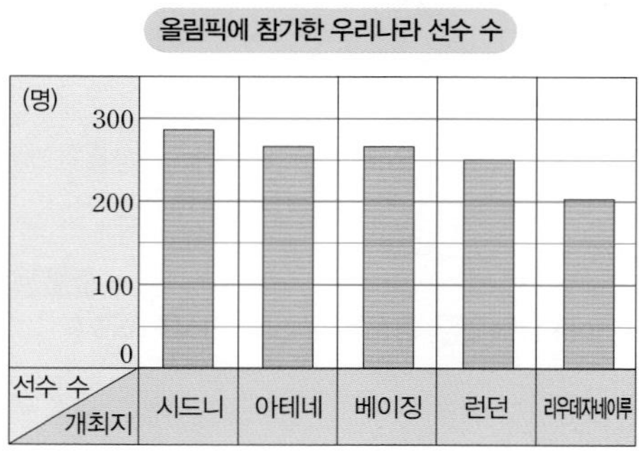

역대 올림픽에 참가한 우리나라 선수의 수를 나타낸 그래프야. 그런데 막대 모양으로 나타냈어. 이런 그래프를 뭐라고 할까? 함께 공부해 보자.

낱말을 읽고, 부분에 밑줄을 그으면서 낱말 공부를 해 보세요.

막대그래프

이것만은 꼭!

뜻 조사한 자료를 막대 모양으로 나타낸 그래프.

예 막대그래프를 그릴 때 막대를 가로로 나타낼 수도 있고 세로로 나타낼 수도 있다.

관련 어휘 그래프

'그래프'는 수나 양 등의 변화를 직선, 곡선, 점선, 막대 등으로 나타낸 그림을 말해.

Tip '막대'는 [막때]라고 발음해요. 받침 'ㄱ' 뒤에 오는 'ㄷ'은 된소리로 소리 나지요. 91쪽에 나오는 '역대'도 마찬가지로 [역때]라고 발음해요.

눈금

뜻 길이나 온도 등을 표시하기 위해 자나 온도계 등에 표시해 놓은 선.

예 이 막대그래프의 세로 눈금 한 칸은 50명을 나타낸다.

수

數 셈 수

뜻 셀 수 있는 것을 세어서 나타낸 값.

예 런던 올림픽에 참가한 우리나라 선수 수는 248명이다.

비슷한말 숫자

'숫자'는 사물이나 사람의 수를 말해.

예 농촌의 학생 숫자가 줄고 있다.

역대

歷 지날 역 + 代 세대 대

'대(代)'의 대표 뜻은 '대신하다'야.

뜻 이전부터 이어 내려오는 동안.

예 시드니 올림픽부터 리우데자네이루 올림픽까지 역대 올림픽에 참가한 우리나라 선수 수를 표로 나타냈다.

종목

種 종류 종 + 目 항목 목

'종(種)'의 대표 뜻은 '씨', '목(目)'의 대표 뜻은 '눈'이야.

뜻 종류에 따라 나누어 놓은 부분.

예 우리나라는 양궁 종목에서 금메달을 가장 많이 땄다.

장단점

長 나을 장 + 短 모자랄 단 + 點 점 점

'장(長)'의 대표 뜻은 '길다', '단(短)'의 대표 뜻은 '짧다'야.

뜻 좋은 점과 나쁜 점.

예 막대그래프는 어떤 점이 좋고 어떤 점이 나쁜지 장단점을 파악해 보자.

관련 어휘 장점, 단점

'장단점'은 장점과 단점을 말해. '장점'은 좋거나 잘하는 점이고, '단점'은 잘못되고 모자라는 점이지. 두 낱말은 뜻이 반대야.

'장단점'과 '장단'은 뜻이 비슷해.

확인 문제

88~89쪽에서 공부한 낱말을 떠올리며 문제를 풀어 보세요.

1 낱말의 뜻을 보기에서 찾아 사다리를 타고 내려간 곳에 기호를 쓰세요.

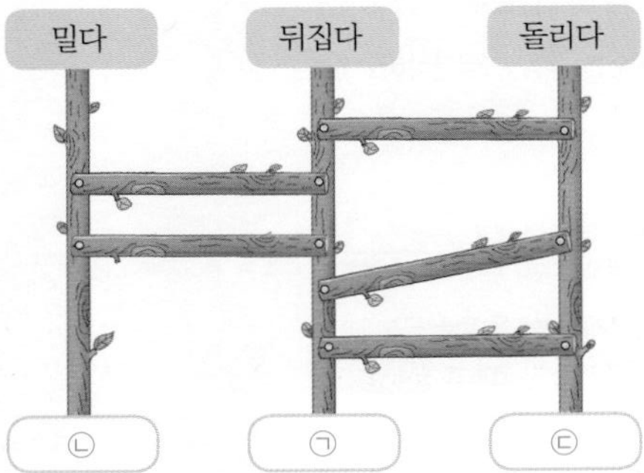

보기
㉠ 어떤 것을 원을 그리면서 움직이게 하다. – 돌리다
㉡ 일정한 방향으로 움직이도록 반대쪽에서 힘을 주다. – 밀다
㉢ 어떤 것의 위와 아래, 왼쪽과 오른쪽을 서로 바꾸다. – 뒤집다

해설 | '밀다'의 뜻은 "일정한 방향으로 움직이도록 반대쪽에서 힘을 주다.", '뒤집다'의 뜻은 "어떤 것의 위와 아래, 왼쪽과 오른쪽을 서로 바꾸다.", '돌리다'의 뜻은 "어떤 것을 원을 그리면서 움직이게 하다."입니다.

2 보기와 같이 문장을 바꾸어 쓸 때, 빈칸에 알맞은 말을 쓰세요.

보기
물레방아가 돌다. → 물레방아를 돌리다.

(1) 연이 날다. → 연을 (날리다). (2) 아기가 울다. → 아기를 (울리다).

해설 | (1)은 연을 날게 하는 것이므로 '날리다'가, (2)는 아기를 울게 하는 것이므로 '울리다'가 알맞습니다.

3 ( ) 안에 들어갈 알맞은 낱말을 보기에서 찾아 쓰세요.

보기
이동 위치 조각

(1) 도형을 아래쪽으로 6cm 밀면 도형은 아래로 6cm (이동)한다.
(2) 4개의 삼각형 (조각)을/를 하나로 맞추었더니 사각형이 되었다.
(3) 도형을 왼쪽으로 밀면 모양은 변화가 없지만 (위치)은/는 변한다.

해설 | (1) 도형을 밀면 도형이 이동할 것이므로 '이동'이 알맞습니다. (2) 삼각형을 모아 사각형이 되었다고 했으므로 '조각'이 알맞습니다. (3) 왼쪽으로 밀면 위치가 변할 것이므로 '위치'가 알맞습니다.

4 ( ) 안에서 알맞은 낱말을 골라 ○표 하세요.

(1) 글자 '용'을 위쪽으로 (밀면 , (뒤집으면)) 글자 '융'이 된다.
(2) ▲ 모양 조각을 시계 반대 방향으로 90° (당기면 , (돌리면)) ◀가 된다.

해설 | (1) 글자 '용'이 '융'이 되려면 위쪽으로 뒤집어야 하므로 '뒤집으면'이 알맞습니다. (2) ▲ 모양 조각이 ◀가 되려면 시계 반대 방향으로 90° 돌려야 하므로 '돌리면'이 알맞습니다.

90~91쪽에서 공부한 낱말을 떠올리며 문제를 풀어 보세요.

5 낱말의 뜻은 무엇인지 빈칸에 들어갈 알맞은 말을 완성하세요.

(1) 종목 | [종][류]에 따라 나누어 놓은 부분.
(2) 수 | 셀 수 있는 것을 세어서 나타낸 [값].
(3) 막대그래프 | 조사한 자료를 [막][대] 모양으로 나타낸 그래프.
(4) 눈금 | 길이나 온도 등을 표시하기 위해 자나 온도계 등에 표시해 놓은 [선].

해설 | (1) '종목'은 종류에 따라 나누어 놓은 부분을 말합니다. (2) '수'는 셀 수 있는 것을 세어서 나타낸 값입니다. (3) '막대그래프'는 조사한 자료를 막대 모양으로 나타낸 그래프입니다. (4) '눈금'은 길이나 온도 등을 표시하기 위해 자나 온도계 등에 표시해 놓은 선입니다.

6 밑줄 친 말과 바꾸어 쓸 수 있는 낱말은 무엇인가요? (④)

표와 막대그래프의 좋은 점과 나쁜 점을 비교해 보았다.

① 단점 ② 장점 ③ 공통점
④ 장단점 ⑤ 차이점

해설 | 좋은 점은 '장점'이고, 나쁜 점은 '단점'이므로 '장단점'과 바꾸어 쓸 수 있습니다.

해설 | (1) 육상 경기 종목을 말하는 것이므로 '종목'이 알맞습니다. (2) 선수의 수를 말하는 것이므로 '수'가 알맞습니다. (3) 이전의 기간을 말하는 것이므로 '역대'가 알맞습니다.

7 빈칸에 들어갈 알맞은 낱말을 찾아 선으로 이으세요.

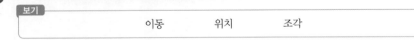

(1) 육상 [ ]의 금메달 수가 가장 많다. • — • 종목
(2) 경기에 참가한 선수의 [ ]이/가 줄었다. • — • 수
(3) 우리나라는 [ ] 최고 성적을 거두었다. • — • 역대

3주차 4회

과학 교과서 어휘

수록 교과서 과학 4-1
4. 물체의 무게

다음 중 낱말의 뜻을 잘 알고 있는 것에 ✓ 하세요.

□ 무게 □ 그램중 □ 저울 □ 용수철저울 □ 영점 조절 □ 기기

친구들이 저울로 여러 가지 물체의 무게를 재고 있어. 얼마나 무거운지 궁금한가 봐. 우리도 무게와 관련된 낱말을 공부해서 물체의 무게를 재 볼까?

낱말을 읽고, ▭ 부분에 밑줄을 그으면서 낱말 공부를 해 보세요.

이것만은 꼭!

무게

뜻 물체의 무거운 정도. 지구가 물체를 끌어당기는 힘의 크기.

예 수박과 참외의 무게를 비교해 보았더니, 수박이 더 무거웠다.

비슷한말 중량

'중량'은 물체의 무거운 정도를 뜻해.

예 중량이 무거울수록 값이 비싸다.

Tip '무게'는 사람의 침착하고 의젓한 정도를 뜻하기도 해요.
예 무게 없게 행동하지 마라.

그램중

그램 + 重 무거울 중

뜻 무게의 단위. 1그램중은 '1g중'이라고 씀.

예 사과 한 개의 무게가 200그램중이다.

관련 어휘 킬로그램중(kg중)

1000g중 = 1kg중

사람들은 'g중', 'kg중'을 'g', 'kg'으로 줄여서 사용하기도 해.

저울

뜻 물체의 무게를 재는 데 쓰는 기구.

예 사람들은 저울을 사용해 물체의 무게를 잰다.

이건 물체의 무게를 재는 저울이야.
이건 사람의 무게를 재는 저울이야.

용수철저울

龍 용 용 + 鬚 수염 수 + 鐵 쇠 철 + 저울

뜻 물체의 무게에 따라 일정하게 늘어나거나 줄어드는 용수철의 성질을 이용해 만든 저울.

예 용수철저울의 고리에 물체를 걸면 용수철이 늘어난다.

▲ 용수철

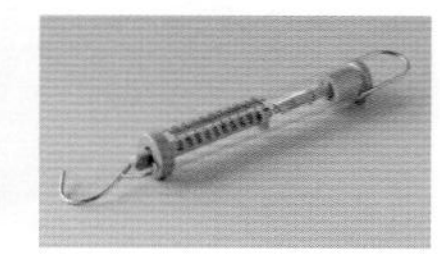
▲ 용수철저울

영점 조절

零 영 영 + 點 점 점 + 調 고를 조 + 節 알맞은 정도 절

'영(零)'의 대표 뜻은 '떨어지다', '절(節)'의 대표 뜻은 '마디'야.

뜻 저울로 물체의 무게를 재기 전에 표시 자를 눈금의 '0'에 맞추어 놓는 것.

예 저울로 물체의 무게를 잴 때, 영점 조절을 하지 않으면 무게를 정확하게 잴 수 없다.

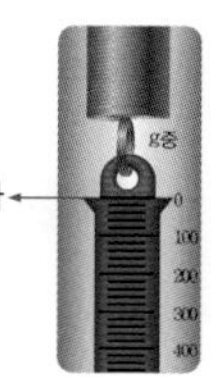

기기

機 기계 기 + 器 도구 기

'기(機)'의 대표 뜻은 '틀', '기(器)'의 대표 뜻은 '그릇'이야.

뜻 기계, 기구 등을 통틀어 이르는 말.

예 우리 생활에서 사용하는 저울의 이름과 쓰임새를 스마트 기기로 조사해 보자.

비슷한말 기계

'기계'는 일정한 일을 하는 도구나 장치를 말해.

예 복사 기계가 고장 났다.

정답과 해설 ▶ 43쪽

과학 교과서 어휘

수록 교과서 과학 4-1
4. 물체의 무게

다음 중 낱말의 뜻을 잘 알고 있는 것에 ✓ 하세요.

☐ 수평 ☐ 받침점 ☐ 양팔저울 ☐ 전자저울 ☐ 회전 ☐ 인공 중력

수평대가 계란이 있는 쪽으로
기울어져 있어. 계란이 메추리알보다
더 무겁다는 뜻이야. 이번 회에서는
물체의 무게를 비교하는 것과
관련된 낱말을 공부해 보자.

낱말을 읽고, 부분에 밑줄을 그으면서 낱말 공부를 해 보세요.

이것만은 꼭!

수평
水 물 수 + 平 평평할 평

뜻 어느 한쪽으로 기울지 않은 상태.

예 시소가 어느 한쪽으로도 기울지 않고 수평이 되었다.

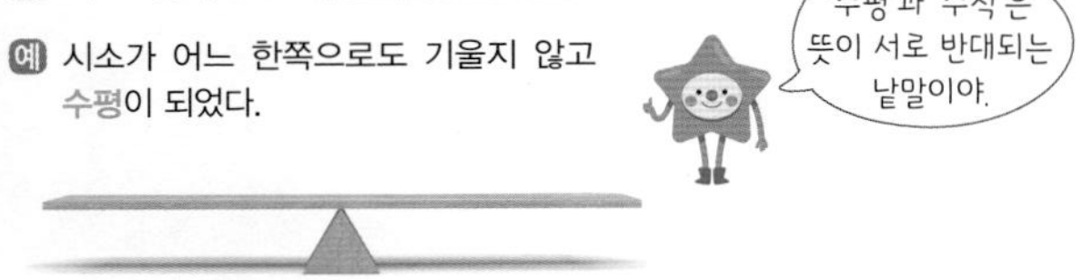

'수평'과 '수직'은
뜻이 서로 반대되는
낱말이야.

받침점
받침 + 點 점 점

뜻 받침대 위에 나무판자를 놓았을 때 나무판자와 받침대가 서로 닿는 부분.

예 무게가 같은 두 물체는 받침점으로부터 같은 거리에 놓아야 수평이 된다.

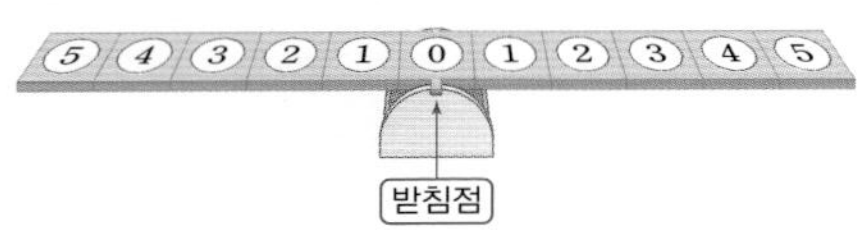

정답과 해설 ▶ 44쪽

양팔저울
兩 두 양 + 팔 + 저울

뜻 양쪽에 접시가 달려 있어서 양쪽 접시에 물체를 올려놓고 무게를 재는 저울.

예 양팔저울의 받침점으로부터 같은 거리에 있는 저울접시에 물체를 각각 올려놓고, 저울대가 어느 쪽으로 기울었는지 확인해 물체의 무게를 비교할 수 있다.

전자저울
電 전기 전 + 子 아들 자 + 저울

'전(電)'의 대표 뜻은 '번개'야.

뜻 전기적 성질을 이용해 화면에 숫자로 물체의 무게를 표시하는 저울.

예 과일을 전자저울에 올려놓으면 화면에 무게가 표시된다.

Tip 앞에서 배운 '용수철저울'과 '양팔저울', '전자저울'은 모두 '저울'에 포함되는 말이에요.

회전
回 돌아올 회 + 轉 구를 전

뜻 물체 자체가 빙빙 돎.

예 우리는 빠르게 회전하는 놀이 기구를 탈 때 바깥쪽으로 밀려나는 것을 느낄 수 있다.

▲ 빠르게 회전하는 놀이 기구

인공 중력
人 사람 인 + 工 장인 공 + 重 무거울 중 + 力 힘 력

뜻 지구가 물체를 잡아당기는 힘인 중력이 없는 상태에서 만들어 낸 중력.

예 회전하는 놀이 기구처럼 우주선의 일부분이 회전하면 인공 중력이 만들어져 중력이 없는 우주선 안이 중력이 있는 것처럼 된다.

관련 어휘 인공

'인공'은 자연적인 것이 아니라 사람의 힘으로 만들어 낸 것을 말해.

예 인공 폭포, 인공 호수

확인 문제

94~95쪽에서 공부한 낱말을 떠올리며 문제를 풀어 보세요.

1 뜻에 알맞은 낱말을 색칠하고, 어떤 숫자가 나오는지 쓰세요. (낱말은 가로(―), 세로(|) 방향에 숨어 있어요.)

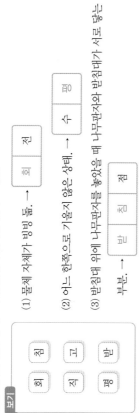

③무	게	④용
영	점	수
①저	울	철
산	적	저
②기	기	울

❶ 물체의 무게를 재는 데 쓰는 기구.
❷ 기계, 기구 등을 통틀어 이르는 말.
❸ 물체의 무거운 정도. 지구가 물체를 끌어당기는 힘의 크기.
❹ 물체의 무게에 따라 일정하게 늘어나거나 줄어드는 용수철의 성질을 이용해 만든 저울.

(3)

해설 | ❶ 물체의 무게를 재는 데 쓰는 기구는 '저울'입니다. ❷ 기계, 기구 등을 통틀어 이르는 말은 '기기'입니다. ❸ 물체의 무거운 정도로, 지구가 물체를 끌어당기는 힘의 크기는 '무게'입니다. ❹ 물체의 무게에 따라 일정하게 늘어나거나 줄어드는 용수철의 성질을 이용해 만든 저울은 '용수철저울'입니다.

2 빈칸에 들어갈 낱말로 알맞은 것에 ○표 하세요.

(1) 그램중은 [   ]의 단위이다.

(각도 , (무게) , 온도)

(2) [   ] 조절은 저울로 물체의 무게를 재기 전에 표시 자를 눈금의 '0'에 맞추어 놓는 것이다.

((영점) , 위치 , 크기)

해설 | (1) '그램중'은 무게의 단위입니다. (2) '영점 조절'은 저울로 물체의 무게를 재기 전에 표시 자를 눈금의 '0'에 맞추어 놓는 것을 말합니다.

3 밑줄 친 낱말을 알맞게 사용한 친구에게 ○표 하세요.

(1) 동생의 키가 많이 큰 것 같아서 저울로 재 보았어.

( )

(2) 우리 집 거실에는 장식장, 소파 같은 기기가 놓여 있어.

( )

(3) 무게를 정확히 재기 위해서 영점 조절을 했어.

(○)

해설 | (1) 키를 잴 때 쓰는 것은 '저울'이 아닙니다. '저울'은 무게를 재는 데 쓰는 도구입니다. (2) 장식장이나 소파 같은 것은 가구입니다. '기기'는 기계나 기구 등을 통틀어 이르는 말입니다.

96~97쪽에서 공부한 낱말을 떠올리며 문제를 풀어 보세요.

4 뜻에 알맞은 낱말이 되도록 보기에서 글자를 찾아 쓰세요.

보기: 회 침 직 고 평 반

(1) 물체 자체가 빙빙 돎. → 회 전

(2) 어느 한쪽으로 기울지 않은 상태. → 수 평

(3) 받침대 위에 나무판자를 놓았을 때 나무판자와 받침대가 서로 닿는 부분. → 받 침 점

해설 | (1) 물체 자체가 빙빙 도는 것은 '회전'입니다. (2) 어느 한쪽으로 기울지 않은 상태는 '수평'입니다. (3) 받침대 위에 나무판자를 놓았을 때 나무판자와 받침대가 서로 닿는 부분은 '받침점'입니다.

5 친구는 어떤 저울에 대해 말하고 있는지 빈칸에 알맞은 말을 쓰세요.

(1) 이 저울은 양쪽 접시에 물체를 올려놓고 무게를 재.

양 팔 저 울

(2) 이 저울로 무게를 재면 화면에 숫자로 물체의 무게를 표시해 줘.

전 자 저 울

해설 | (1) 양쪽 접시에 물체를 올려놓고 무게를 재는 저울은 '양팔저울'입니다. (2) 전기적 성질을 이용해 화면에 숫자로 물체의 무게를 표시하는 저울은 '전자저울'입니다.

6 빈칸에 공통으로 들어갈 낱말은 무엇인가요? (④)

- [   ] 중력: 중력이 없는 상태에서 만들어 낸 중력.
- [   ] 호수: 물을 가두어서 사람의 힘으로 만든 호수.

① 가공 ② 자연 ③ 천연
④ 인공 ⑤ 지구

해설 | 자연적인 것이 아니라 사람의 힘으로 만들어 낸 것을 뜻하는 '인공'이 앞에 붙을 수 있는 말들입니다.

7 ( ) 안에서 알맞은 낱말을 골라 ○표 하세요.

(1) 팽이가 얼마나 빠르게 (회복 , (회전))하는지 속도를 재 보았다.

(2) (양팔저울 , (전자저울))의 화면에 택배 상자의 무게가 표시되었다.

(3) 몸무게가 같은 두 친구가 시소에 앉아서 (수직 , (수평))을 잡기 편했다.

(4) 사람이 우주선 안에서 지구에서와 같이 생활하려면 (시력 , (인공 중력))이 필요하다.

해설 | (1) 팽이는 도는 물체이므로 '회전'이 알맞습니다. (2) 화면에 무게가 표시되었다고 했으므로 '전자저울'이 알맞습니다. (3) 몸무게가 같아서 잡기 편하다고 했으므로 '수평'이 알맞습니다. (4) 우주선 안에 중력이 필요하다는 내용을 말하고 있으므로 '인공 중력'이 알맞습니다.

3주차 5회 한자 어휘

口(구)가 들어간 낱말

'口(구)'가 들어간 낱말을 읽고, ▭ 부분에 밑줄을 그으면서 낱말 공부를 해 보세요.

口 입 구

'구(口)'는 사람의 입을 본떠 만든 글자야. 그래서 '입'이라는 뜻을 갖지. '어귀'나 '구멍'과 같은 뜻으로 쓰일 때도 있어. '어귀'는 어떤 곳을 드나들 때 거치는 첫머리를 말해.

이口동성 / 이목口비 / 출口 / 배수口

Tip '구(口)'가 들어간 한자성어에는 '일구이언(一口二言)'도 있어요. '일구이언'은 한 입으로 두 말을 한다는 뜻이에요. 즉 말을 이랬다 저랬다 함을 이르는 말이에요.

입 口

이구동성
異 다를 이 + 口 입 구 + 同 한가지 동 + 聲 소리 성

뜻 입은 다르나 목소리는 같다는 뜻으로, 여러 사람의 말이 똑같음을 이르는 말.

예 아이들은 모두 더 놀고 싶다고 이구동성으로 말했다.

이목구비
耳 귀 이 + 目 눈 목 + 口 입 구 + 鼻 코 비

뜻 귀, 눈, 입, 코를 이르는 말. 또는 귀, 눈, 입, 코를 중심으로 한 얼굴의 생김새.

예 동생은 이목구비가 뚜렷하고 잘생겨서 인기가 많다.

어귀 · 구멍 口

출구
出 나갈 출 + 口 어귀 구
'출(出)'의 대표 뜻은 '나다'야.

뜻 밖으로 나가는 문이나 길.

예 겨우 출구를 찾아 밖으로 나왔다.

반대말 입구
'입구'는 안으로 들어가는 문이나 길을 말해.

배수구
排 밀칠 배 + 水 물 수 + 口 구멍 구

뜻 물이 빠져나갈 수 있도록 만든 구멍.

예 욕조의 배수구가 막혀서 물이 잘 내려가지 않는다.

정답과 해설 ▶ 46쪽

中(중)이 들어간 낱말

'中(중)'이 들어간 낱말을 읽고, ▭ 부분에 밑줄을 그으면서 낱말 공부를 해 보세요.

中 가운데 중

'중(中)'은 군대가 전투를 하기 위해 진을 치고 있는 곳의 가운데에 깃발을 꽂아 놓은 모습을 본떠서 만든 글자야. 그래서 '가운데'라는 뜻을 갖지. '사이'나 '중국'과 같은 뜻으로 쓰일 때도 있어.

십中팔구 / 中앙 / 부재中 / 中식

가운데 中

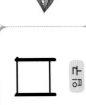

십중팔구
十 열 십 + 中 가운데 중 + 八 여덟 팔 + 九 아홉 구

뜻 열 가운데 여덟이나 아홉 정도로 거의 대부분이거나 거의 틀림없음.

예 나처럼 다른 친구들도 십중팔구는 시험이 어려웠을 것이다.

중앙
中 가운데 중 + 央 가운데 앙

뜻 어떤 장소나 물체의 중심이 되는 한가운데.

예 연필이 떨어지지 않도록 책상의 중앙에 두렴.

비슷한말 한가운데
'한가운데'는 어떤 장소나 시간, 상황 등의 바로 가운데를 뜻해.

사이 · 중국 中

부재중
不 아닐 부 + 在 있을 재 + 中 사이 중

뜻 자기 집이나 회사 등의 일정한 장소에 있지 않는 동안.

예 선생님께서 부재중이셔서 뵙지 못했다.

중식
中 중국 중 + 食 밥 식

뜻 중국식 음식.

예 중식을 먹고 싶어서 자장면을 먹었다.
Tip '중국'을 한자로 쓰면 '中國'이에요.

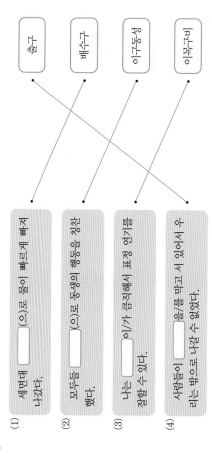

확인 문제

100쪽에서 공부한 낱말을 떠올리며 문제를 풀어 보세요.

1 뜻에 알맞은 낱말을 빈칸에 쓰세요.

❶이	구	동	성	
목				❷배
구				수
비			❸출	구

가로 열쇠 ❶ 입은 다르나 목소리는 같다는 뜻으로, 여러 사람의 말이 똑같음을 이르는 말.
❸ 밖으로 나가는 문이나 길.

세로 열쇠 ❶ 귀, 눈, 입, 코를 이르는 말. 또는 귀, 눈, 입, 코를 중심으로 한 얼굴의 생김새.
❷ 물이 빠져나갈 수 있도록 만든 구멍.

해설 | ❶ 입은 다르나 목소리는 같다는 뜻으로, 여러 사람의 말이 똑같음을 이르는 말은 '이구동성'입니다. 귀, 눈, 입, 코를 이르거나 귀, 눈, 입, 코를 중심으로 한 얼굴의 생김새를 뜻하는 낱말은 '이목구비'입니다. ❷ 물이 빠져나갈 수 있도록 만든 구멍은 '배수구'입니다. ❸ 밖으로 나가는 문이나 길은 '출구'입니다.

2 밑줄 친 낱말의 반대말은 무엇인가요? (③)

영화관 출구를 찾지 못해서 한참을 헤맸다.

① 도구 ② 식구 ③ 입구
④ 항구 ⑤ 탈출구

해설 | 밖으로 나가는 문이나 길을 뜻하는 '출구'는 안으로 들어가는 문이나 길을 뜻하는 '입구'와 뜻이 반대입니다.

해설 | (1) 세면대에서 물이 빠져나가는 곳이므로 '배수구'가 알맞습니다. (2) 모두 동생의 행동을 칭찬했다고 했으므로 '이구동성'이 알맞습니다. (3) 커서 표정 연기를 잘할 수 있다고 했으므로 '이목구비'가 알맞습니다. (4) 막고 있어서 밖으로 나갈 수 없었다고 했으므로 '출구'가 알맞습니다.

3 빈칸에 들어갈 알맞은 낱말을 찾아 선으로 이으세요.

(1) 세면대 ☐(으)로 물이 빠르게 빠져나갔다. • • 출구

(2) 모두들 ☐(으)로 동생의 행동을 칭찬했다. • • 배수구

(3) 나는 ☐이/가 큼직해서 표정 연기를 잘할 수 있다. • • 이구동성

(4) 사람들이 ☐을/를 막고 서 있어서 우리는 밖으로 나갈 수 없었다. • • 이목구비

101쪽에서 공부한 낱말을 떠올리며 문제를 풀어 보세요.

4 낱말의 뜻은 무엇인지 ( ) 안에서 알맞은 말을 골라 ○표 하세요.

(1) 중앙 — 어떤 장소나 물체의 중심이 되는 (가장자리 , 한가운데).

(2) 부재중 — 자기 집이나 회사 등의 일정한 장소에 (있는 , 있지 않는) 동안.

(3) 십중팔구 — 열 가운데 여덟이나 아홉 정도로 거의 대부분이거나 거의 (틀림없음, 옳지 않음).

해설 | (1) '중앙'은 어떤 장소나 물체의 중심이 되는 한가운데를 뜻합니다. (2) '부재중'은 자기 집이나 회사 등의 일정한 장소에 있지 않는 동안을 뜻합니다. (3) '십중팔구'는 열 가운데 여덟이나 아홉 정도로 거의 대부분이거나 거의 틀림없음을 뜻합니다.

5 밑줄 친 낱말에서 '중'은 어떤 뜻으로 쓰였나요? (④)

보기

내 생일이라서 가족들과 내가 가장 좋아하는 중식을 먹었다.

① 안 ② 마음 ③ 사이
④ 중국 ⑤ 가운데

해설 | '중식'은 중국식 음식을 뜻하는 말로, 여기에서 '중'은 중국이라는 뜻으로 쓰였습니다.

6 밑줄 친 낱말이 알맞게 쓰였는지 ○, ×를 따라가며 선을 긋고 몇 번으로 나오는지 쓰세요.

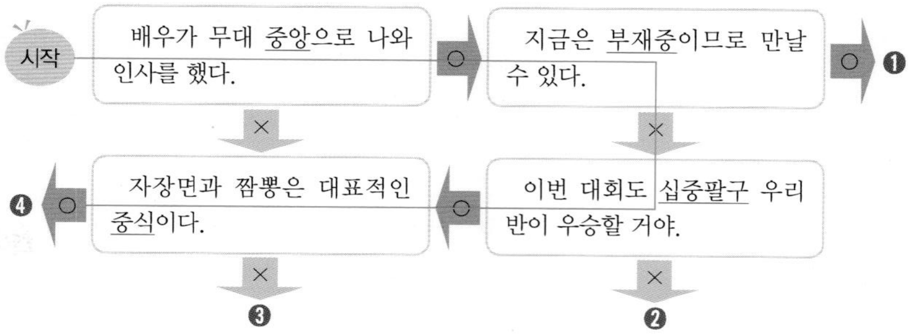
시작
배우가 무대 중앙으로 나와 인사를 했다.
지금은 부재중이므로 만날 수 있다.
자장면과 짬뽕은 대표적인 중식이다.
이번 대회도 십중팔구 우리 반이 우승할 거야.
○
×
❶
❷
❸
❹

(④)

해설 | '부재중'은 자기 집이나 회사 등의 일정한 장소에 있지 않는 동안을 뜻하므로 만날 수 있다는 내용과 어울리지 않습니다.

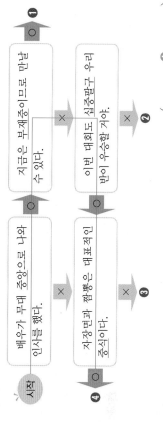

앞에서 공부한 낱말을 떠올리며 문제를 풀어 보세요.

낱말 뜻

1 낱말의 뜻이 알맞지 않은 것은 무엇인가요? (③)

① 이동: 움직여서 옮김.
② 무게: 지구가 물체를 끌어당기는 힘의 크기.
③ 공공 기관: 개인의 이익을 위해 개인이 세우거나 관리하는 곳.
④ 표결: 회의에서 나온 의견에 대하여 찬성과 반대를 표시하여 결정하는 일.
⑤ 민원: 주민이 경찰서나 구청같이 국가의 일을 하는 곳에 어떤 일을 해 달라고 하는 것.

해설 | ③ '공공 기관'은 개인보다 주민 전체가 이롭고 편하기 위해 국가가 세우거나 관리하는 곳을 말합니다.

낱말 뜻

2 ( ) 안에서 알맞은 낱말을 골라 ○표 하세요.

(1) (기기 , 저울)은/는 기계, 기구 등을 통틀어 이르는 말이다.
(2) (수평 , 회전)은 어느 한쪽으로 기울지 않은 상태를 말한다.
(3) (절차 , 업적)은/는 열심히 노력하여 이룬 훌륭한 결과를 말한다.
(4) (십중팔구 , 이구동성)은/는 입은 다르나 목소리는 같다는 뜻으로, 여러 사람의 말이 똑같음을 이르는 말이다.

해설 | (1) '저울'은 물체의 무게를 재는 데 쓰는 기구입니다. (2) '회전'은 물체 자체가 빙빙 도는 것을 말합니다. (3) '절차'는 일을 해 나갈 때 거쳐야 하는 차례나 방법을 말합니다. (4) '십중팔구'는 열 가운데 여덟이나 아홉 정도로 거의 대부분이거나 거의 틀림없음을 뜻합니다.

반대말

3 낱말의 관계가 다른 하나는 무엇인가요? (④)

① 수 – 숫자 ② 채택 – 선택 ③ 기기 – 기계
④ 밀다 – 당기다 ⑤ 중앙 – 한가운데

해설 | ④는 반대말끼리 짝 지은 것이고, 나머지는 모두 비슷한말끼리 짝 지은 것입니다.

글자는 같지만 뜻이 다른 낱말

4 빈칸에 공통으로 들어갈 낱말은 무엇인가요? (⑤)

- 그 학교에서 우수한 [ ]이/가 많이 나왔다.
- 사람들의 실수로 건물이 무너지는 [ ]이/가 발생했다.

① 사전 ② 사람 ③ 눈금
④ 인물 ⑤ 인재

해설 | 위에는 어떤 일을 할 수 있는 지식과 능력을 갖춘 사람을 뜻하는 '인재'가, 아래에는 사람에 의해 일어난 불행한 사고나 힘든 일을 뜻하는 '인재'가 들어가야 합니다.

여러 가지 뜻을 가진 낱말

5 밑줄 친 낱말이 보기와 같은 뜻으로 쓰인 것에 ○표 하세요.

보기: 가족 신문에 그림을 그려서 싣기로 했다.

(1) 시장은 물건을 싣는 차들로 복잡했다. ( )
(2) 잡지에 실린 아이스크림 광고를 보자 먹고 싶어졌다. (○)

해설 | '싣다'가 "글, 그림, 사진 등을 책이나 신문 등에 넣다."라는 뜻으로 쓰인 것은 (2)입니다. (1)은 "무엇을 나르기 위해 차, 배, 비행기 등에 올려놓다."라는 뜻으로 쓰였습니다.

뜻을 더해 주는 말

6 밑줄 친 말의 공통된 뜻은 무엇인가요? (②)

발명품 기념품 장식품

① 가구 ② 물품 ③ 성질
④ 사람 ⑤ 방향

해설 | '발명품', '기념품', '장식품'에 쓰인 '–품'은 물품의 뜻을 더해 주는 말입니다.

낱말 활용

7 ~ 10 ( ) 안에 들어갈 알맞은 낱말을 보기에서 찾아 쓰세요.

보기: 견학 노비 회의 장단점

7 옛날에 (노비)은/는 양반이 시키는 하찮은 일을 해야만 했다.

해설 | 옛날에 양반이 시키는 하찮은 일을 했다고 했으므로 '노비'가 알맞습니다.

8 물건을 살 때에는 물건의 (장단점)을/를 살펴보고 선택해야 한다.

해설 | 물건의 좋은 점과 나쁜 점을 살펴보아야 한다는 내용이 되는 것이 자연스럽기 때문에 '장단점'이 알맞습니다.

9 우리 마을의 길을 넓히는 문제를 의논하기 위해 마을 (회의)이/가 열렸다.

해설 | 마을의 길을 넓히는 문제를 의논한다고 했으므로 '회의'가 알맞습니다.

10 아버지를 따라 방송국을 (견학)하고 나서 아나운서가 되고 싶다는 생각을 했다.

해설 | 방송국을 직접 찾아가서 보고 배웠다는 내용이 되는 것이 자연스럽기 때문에 '견학'이 알맞습니다.

어휘가
문해력 이다

초등 4학년 1학기

4주차 정답과 해설

4주차 1회

국어 교과서 어휘

수록 교과서 국어 4-1 ㈏
8. 이런 제안 어때요

다음 중 낱말의 뜻을 잘 알고 있는 것에 ✓ 하세요.
□ 해결 □ 제안 □ 문장의 짜임 □ 나아지다 □ 강조 □ 모금

낱말을 읽고, 　　 부분에 밑줄을 그으면서 낱말 공부를 해 보세요.

해결
解 풀 해 + 決 결정할 결

뜻 어려운 일이나 문제를 잘 풀어서 마무리함.

예 우리 주변에서 해결했으면 하는 문제를 떠올려 본다.

비슷한말 처리

'처리'는 일이나 사건을 절차에 따라 정리해 마무리하는 것을 뜻해.
예 이 일은 급하니까 빨리 처리해 주세요.

제안
提 제시할 제 + 案 생각 안
'제(提)'의 대표 뜻은 '끌다', '안(案)'의 대표 뜻은 '책상'이야.

이것만은 꼭!

Tip 의견을 내놓는 것을 뜻하는 '제의'는 '제안'과 뜻이 비슷해요.
예 친구에게 숙제를 도와주겠다고 제의했다.

뜻 어떤 일에 대한 의견을 내는 것.

예 꽃밭에 쓰레기를 버리지 말자고 제안했다.

관련 어휘 제안하는 글

'제안하는 글'은 어떤 일을 더 좋은 쪽으로 해결하기 위해 제안을 쓴 글이야.

문장의 짜임
文 글월 문 + 章 글 장 + 의 짜임

뜻 문장이 이루어지는 형식. 문장은 '누가(무엇이) + 어찌하다(어떠하다)' 등의 짜임으로 이루어짐.

예 그림의 내용을 문장의 짜임에 맞게 표현해 보자.

눈이 + 내린다.
눈사람이 + 서 있다.
사람들이 + 눈싸움을 한다.

나아지다

뜻 어떤 일이나 상태가 좋아지다.

예 제안하는 까닭을 쓸 때에는 왜 그런 제안을 했는지, 제안하는 내용대로 했을 때 무엇이 더 나아지는지를 쓴다.

반대말 나빠지다

'나빠지다'는 "나쁘게 되다."라는 뜻이야. 예 건강이 나빠지다.

강조
強 강할 강 + 調 고를 조

뜻 어떤 것을 특별히 두드러지게 하거나 강하게 의견을 내세움.

예 제안하는 글을 써서 붙일 때 제목이나 강조하고 싶은 부분은 크고 진한 글씨로 쓴다.

모금
募 모을 모 + 金 돈 금
'금(金)'의 대표 뜻은 '쇠'야.

뜻 좋은 일을 하려고 여러 사람한테서 돈을 걷어 모음.

예 어려운 이웃을 도우려면 돈이 필요하므로 모금 운동을 하자.

▲ 불우 이웃 돕기 모금

꼭! 알아야 할 속담

빈칸 채우기 '불난 집에 부채질 한다'는 남의 재앙을 점점 더 커지도록 만들거나 화난 사람을 더욱 화나게 함을 이르는 말입니다.

4주차 1회

국어 교과서 어휘

수록 교과서 국어 4-1 ㉯
9. 자랑스러운 한글 ~
10. 인물의 마음을 알아봐요

다음 중 낱말의 뜻을 잘 알고 있는 것에 ✔ 하세요.

□ 그림 문자 □ 말소리 □ 문맹률 □ 음소 문자 □ 과장 □ 망신

낱말을 읽고, 부분에 밑줄을 그으면서 낱말 공부를 해 보세요.

그림 문자

그림 + 文 글월 **문** + 字 글자 **자**

뜻 전달하려는 내용을 그림으로 나타낸 문자.

예 그림 문자는 그림을 그리는 데 오래 걸리고 사람마다 다르게 표현해서 이해하기 어렵다.

이게 바로 그림 문자야.

말소리

이것만은 꼭!

Tip '성대'는 목구멍의 가운데 있는 기관으로, 내쉬는 숨에 의해 떨리면 소리를 내요.

뜻 사람이 성대, 목젖, 입천장, 이, 잇몸, 혀 등의 발음 기관을 통해 내는 구체적인 소리.

'말소리'와 '음성'은 뜻이 비슷해.

예 세종 대왕은 새로운 문자를 만들기 위해서 말소리를 내는 기관을 연구했다.

둘 이상의 낱말이 합쳐진 말 **'말'이 들어간 말**

'말소리'는 '말'과 '소리'가 합쳐진 낱말이야. '말소리'처럼 '말'과 합쳐져서 만들어진 낱말이 있어.

예 말대꾸, 말솜씨, 말버릇

문맹률

文 글월 **문** + 盲 맹인 **맹** + 率 비율 **률**

Tip '맹인'은 눈이 먼 사람을 뜻하는 말로, 시각 장애인을 말해요.

뜻 배우지 못해 글을 읽거나 쓸 줄 모르는 사람의 수가 전체 인구에 비해 얼마나 되는지 나타낸 것.

예 우리나라의 문맹률이 다른 나라에 비해 낮은 것은 한글이 배우기 쉽기 때문이라는 의견이 있다.

관련 어휘 **문맹**

'문맹'은 배우지 못하여 글을 읽거나 쓸 줄 모르는 사람을 뜻해. 비슷한말로 '까막눈'이 있어.

정답과 해설 ▸ 51쪽

음소 문자

音 소리 **음** + 素 본디 **소** + 文 글월 **문** + 字 글자 **자**

뜻 하나의 문자가 한 개의 소리를 나타내는 문자. 자음과 모음으로 갈라 적는 한글이 이것에 해당함.

예 음소 문자는 적은 수의 문자로 많은 소리를 적을 수 있다.

한글은 자음자와 모음자 스물넉 자의 문자로 많은 소리를 적을 수 있어.

과장

誇 자랑할 **과** + 張 크게 할 **장**

'장(張)'의 대표 뜻은 '베풀다'야.

뜻 사실보다 지나치게 크거나 좋게 부풀려 나타냄.

예 인물의 마음을 실감 나게 표현하려면 표정이나 행동을 크게 과장해서 흉내 내야 한다.

망신

亡 망할 **망** + 身 몸 **신**

뜻 말이나 행동을 잘못해서 몹시 부끄럽게 되는 것.

예 소담이는 국어 문제를 풀지 못해서 망신을 당할까 봐 걱정했다.

비슷한말 **창피**

'창피'는 떳떳하지 못한 일 때문에 부끄러운 것을 뜻해.

예 친구들 앞에서 창피를 당해서 얼굴이 빨개졌다.

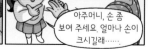

꼭! 알아야 할 관용어

○표 하기 '손이 (크다, 맵다)'는 씀씀이가 후하고 크다는 뜻입니다.

확인 문제

108～109쪽에서 공부한 낱말을 떠올리며 문제를 풀어 보세요.

1 **뜻에 알맞은 낱말을 보기에서 찾아 쓰세요.**

보기

강조 모금 제안 해결

(1) 어떤 일에 대한 의견을 내는 것. (제안)

(2) 어려운 일이나 문제를 잘 풀어서 마무리함. (해결)

(3) 좋은 일을 하려고 여러 사람한테서 돈을 걷어 모음. (모금)

(4) 어떤 것을 특별히 두드러지게 하거나 강하게 의견을 내세움. (강조)

해설 | (1) 어떤 일에 대한 의견을 내는 것은 '제안'입니다. (2) 어려운 일이나 문제를 잘 풀어서 마무리하는 것은 '해결'입니다. (3) 좋은 일을 하려고 여러 사람한테서 돈을 걷어 모으는 것은 '모금'입니다. (4) 어떤 것을 특별히 두드러지게 하거나 강하게 의견을 내세우는 것은 '강조'입니다.

2 **밑줄 친 낱말의 반대말은 무엇인가요?** (③)

교실 청소를 다 같이 했더니 청소 상태가 <u>나아졌다</u>.

① 줄었다 ② 올랐다 ③ 나빠졌다
④ 이어졌다 ⑤ 좋아졌다

해설 | '나아지다'는 "어떤 일이나 상태가 좋아지다."라는 뜻이고, '나빠지다'는 "나쁘게 되다."라는 뜻이므로 뜻이 서로 반대입니다.

해설 | (1)은 진한 글씨로 눈에 띄게 한다고 했으므로 '강조'가, (2)는 바르지 않으면 문장의 뜻을 이해하기 어렵다고 했으므로 '짜임'이, (3)은 친구들이 복도에서 조용히 다니게 한 글이어야 하므로 '제안'이, (4)는 아프리카의 어린이를 돕기 위한 운동이라고 했으므로 '모금'이 알맞습니다.

3 **보기의 글자를 사용하여 문장에 알맞은 낱말을 완성하세요.**

보기

모 강 짜 제

(1) 글의 제목은 진한 글씨로 [강][조]하면 더 눈에 띌 거야.

(2) 문장의 [짜][임]이 바르지 않으면 뜻을 이해하기 힘들다.

(3) 내가 [제][안]하는 글을 읽고 친구들이 복도에서 조용히 다니면 뿌듯할 거야.

(4) 아프리카의 어린이가 깨끗한 물을 마실 수 있도록 도우려고 [모][금] 운동을 벌였다.

110～111쪽에서 공부한 낱말을 떠올리며 문제를 풀어 보세요.

4 **뜻에 알맞은 낱말을 글자판에서 찾아 묶으세요.** (낱말은 가로(—), 세로(|), 대각선(╱╲) 방향에 숨어 있어요.)

❸말	음	그	림
소	❷망	소	❹문
리	글	신	맹
자	❶과	장	률

❶ 사실보다 지나치게 크거나 좋게 부풀려 나타냄.
❷ 말이나 행동을 잘못해서 몹시 부끄럽게 되는 것.
❸ 사람이 성대, 목젖, 입천장, 이, 잇몸, 혀 등의 발음 기관을 통해 내는 구체적인 소리.
❹ 배우지 못해 글을 읽거나 쓸 줄 모르는 사람의 수가 전체 인구에 비해 얼마나 되는지 나타낸 것.

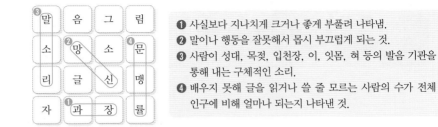

해설 | ❶ 사실보다 지나치게 크거나 좋게 부풀려 나타내는 것은 '과장', ❷ 말이나 행동을 잘못해서 몹시 부끄럽게 되는 것은 '망신', ❸ 사람이 성대, 목젖, 입천장, 이, 잇몸, 혀 등의 발음 기관을 통해 내는 구체적인 소리는 '말소리', ❹ 배우지 못해 글을 읽거나 쓸 줄 모르는 사람의 수가 전체 인구에 비해 얼마나 되는지 나타낸 것은 '문맹률'입니다.

5 **친구가 말한 뜻을 가진 낱말은 무엇인지 빈칸에 알맞은 말을 쓰세요.**

(1)

전달하려는 내용을 그림으로 나타낸 문자야.

[그][림] 문자

(2)

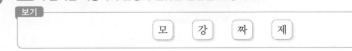

하나의 문자가 한 개의 소리를 나타내는 문자야.

[음][소] 문자

해설 | (1) 전달하려는 내용을 그림으로 나타낸 문자는 '그림 문자'입니다. (2) 하나의 문자가 한 개의 소리를 나타내는 문자는 '음소 문자'입니다.

6 **빈칸에 공통으로 들어갈 낱말은 무엇인가요?** (⑤)

□소리 □솜씨 □대꾸 □버릇

① 목 ② 물 ③ 글 ④ 손 ⑤ 말

해설 | 모두 '말'을 넣어 '말소리', '말솜씨', '말대꾸', '말버릇'으로 만들 수 있습니다.

7 **밑줄 친 낱말의 쓰임이 알맞으면 ○표, 알맞지 <u>않으면</u> ×표 하세요.**

(1) 어머니께서 <u>망신</u>을 주셔서 기분이 좋았다. (×)

(2) 글을 배우는 사람들이 많아져서 <u>문맹률</u>이 낮아졌다. (○)

(3) 광고는 <u>과장</u>된 내용이 있는지 생각하며 보는 것이 좋다. (○)

(4) 세종 대왕은 사람이 <u>말소리</u>를 내는 기관을 본떠 문자를 만들려고 했다. (○)

해설 | (1) '망신'을 당하면 기분이 좋지 않을 것이므로 쓰임이 알맞지 않습니다.

4주차 2회

사회 교과서 어휘

수록 교과서 사회 4-1
3. 지역의 공공 기관과 주민 참여

다음 중 낱말의 뜻을 잘 알고 있는 것에 ✓ 하세요.

□ 지역 문제 □ 기피 시설 □ 재생 □ 노후화 □ 대안 □ 타협

낱말을 읽고, 　　 부분에 밑줄을 그으면서 낱말 공부를 해 보세요.

이것만은 꼭!

지역 문제

地 땅 지 + 域 지경 역 + 問 물을 문 + 題 제목 제

뜻 지역 주민의 생활을 불편하게 하거나 지역 주민들 사이에 다툼을 일으키는 문제.

예 지역에서는 안전 문제, 환경 오염 문제, 시설 부족 문제 등 다양한 지역 문제가 일어날 수 있다.

'지역'은 어떤 특징이나 일정한 기준에 따라 테두리를 정해 놓은 땅을 말해.

기피 시설

忌 꺼릴 기 + 避 피할 피 + 施 베풀 시 + 設 베풀 설

뜻 주민들이 자신이 사는 지역에 생기는 것을 싫어하는 시설.

예 빗물이나 집, 공장 등에서 쓰고 버리는 더러운 물을 처리하는 하수 처리장은 기피 시설이다.

Tip '기피'는 싫어해서 피하는 것을 뜻해요.

▲ 하수 처리장

정답과 해설 ▶ 53쪽

재생

再 두 재 + 生 날 생

뜻 버리게 된 물건을 다시 쓸 수 있게 만드는 것.

예 쓰레기 중에서 재생할 수 있는 것을 분리수거하면 환경에 도움이 된다.

여러 가지 뜻을 가진 낱말 재생

'재생'은 죽게 되었다가 다시 살아나는 것을 뜻하기도 해.

예 새로운 치료약이 개발되어 암 환자들에게도 재생의 기회가 생겼다.

노후화

老 늙을 노 + 朽 썩을 후 + 化 될 화

뜻 오래되거나 낡아서 쓸모가 없게 됨.

예 지어진 지 오래된 집이 많은 지역은 주택 노후화 문제를 해결해야 한다.

뜻을 더해 주는 말 -화

'-화'는 "그렇게 만들거나 됨."의 뜻을 더해 주는 말이야.

예 도시화, 기계화

대안

對 대할 대 + 案 생각 안

'안(案)'의 대표 뜻은 '책상'이야.

뜻 어떤 일을 해결하기 위한 계획이나 의견.

예 지역의 주차 문제를 해결할 수 있는 대안을 찾아야 한다.

Tip 이미 세운 계획이나 방법을 대신할 만한 것을 뜻하는 '대안'도 있어요.
예 이 방법은 별로이니 다른 대안을 찾아보자.

타협

妥 온당할 타 + 協 화합할 협

뜻 어떤 일을 서로 양보하여 의논함.

예 문제를 해결할 때에는 충분한 대화와 타협을 통해 해결해야 한다.

비슷한말 협의

'협의'는 여러 사람이 힘을 합해 서로 도우며 의논하는 것을 뜻해.

예 두 마을은 협의를 통해 문제를 해결해 나가기로 했다.

4주차 2회

사회 교과서 어휘

수록 교과서 사회 4-1
3. 지역의 공공 기관과 주민 참여

다음 중 낱말의 뜻을 잘 알고 있는 것에 ✓ 하세요.

□ 주민 참여 □ 공청회 □ 시민 단체 □ 우범 지역 □ 주민 투표 □ 규정

낱말을 읽고, 부분에 밑줄을 그으면서 낱말 공부를 해 보세요.

주민 참여

住 살 주 + 民 백성 민 + 參 참여할 참 + 與 더불 여

이것만은 꼭!

뜻 지역의 문제를 해결할 때 지역 주민이 중심이 되어 참여하는 것.

예 시청에 전화를 걸어 지역의 문제를 알리는 것도 주민 참여의 방법이다.

'참여'는 여러 사람이 같이 하는 어떤 일에 끼어들어 함께 일하는 것을 뜻해.

공청회

公 공평할 공 + 聽 들을 청 + 會 모일 회

뜻 정책을 결정하기 전에 관련된 사람들을 모아 놓고 다양한 의견을 듣는 회의.

예 공청회를 열어서 전문가와 주민이 모여 다양한 의견을 나누기도 한다.

관련 어휘 정책

'정책'은 정치를 잘하거나 사회 문제를 해결하기 위해 내놓는 방법을 말해.

정답과 해설 ▶ 54쪽

시민 단체

市 시장 시 + 民 백성 민 + 團 모일 단 + 體 몸 체

'단(團)'의 대표 뜻은 '둥글다'야.

뜻 시민들이 스스로 모여 사회 전체의 이로움을 위해 일하는 단체.

예 환경 분야에서 일하는 시민 단체는 지역의 환경 문제에 관심을 가지고 환경 보호 활동을 한다.

관련 어휘 시민

'시민'은 한 나라의 국민으로서 권리와 의무를 가진 사람을 말해.

우범 지역

虞 염려할 우 + 犯 범할 범 + 地 땅 지 + 域 지경 역

뜻 범죄가 자주 일어나거나 일어날 가능성이 높은 지역.

예 범죄가 많은 우범 지역은 경찰서에서 특별히 관리한다.

'우범'은 범죄가 일어날 수 있다는 것을 뜻하는 말이야. '우범 청소년'과 같이 주로 '우범 ○○'로 써.

주민 투표

住 살 주 + 民 백성 민 + 投 던질 투 + 票 표 표

뜻 지역의 일을 결정하기 전에 주민의 의견을 알아보려고 하는 투표.

예 주민 투표를 하여 지역에 새로운 제도를 만드는 문제를 결정했다.

관련 어휘 투표

'투표'는 선거를 하거나 어떤 일을 정할 때 종이에 의견을 표시하여 내는 일을 말해.

주민 투표를 하는 모습이야.

Tip 국가의 중요한 문제에 대해 국민의 의견을 묻는 투표는 '국민 투표'예요.

규정

規 법 규 + 定 정할 정

뜻 규칙으로 정해 놓은 것.

예 학교 앞에서 규정 속도를 지키지 않는 차들이 많아 아이들이 위험하다.

규정 속도를 알려 주는 표지판 ▶

114~115쪽에서 공부한 낱말을 떠올리며 문제를 풀어 보세요.

1 낱말의 뜻을 보기에서 찾아 사다리를 타고 내려간 곳에 기호를 쓰세요.

보기
- ㉠ 어떤 일을 서로 양보하여 의논함. – 타협
- ㉡ 어떤 일을 해결하기 위한 계획이나 의견. – 대안
- ㉢ 버리게 된 물건을 다시 쓸 수 있게 만드는 것. – 재생
- ㉣ 주민들이 자신이 사는 지역에 생기는 것을 싫어하는 시설. – 기피 시설
- ㉤ 지역 주민의 생활을 불편하게 하거나 지역 주민들 사이에 다툼을 일으키는 문제. – 지역 문제

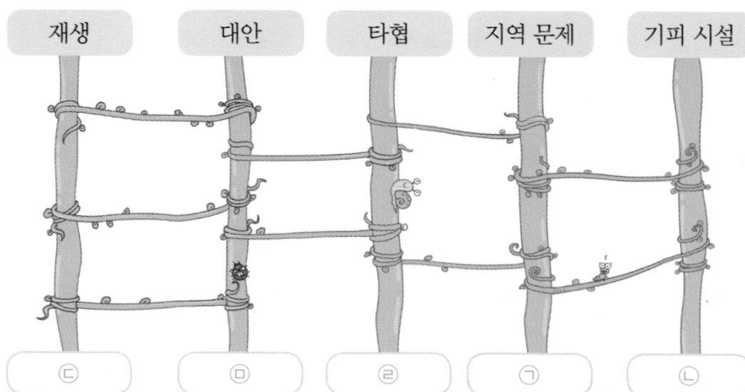

해설 | 낱말의 뜻을 잘 구별해 봅니다.

2 빈칸에 공통으로 들어갈 말은 무엇인가요? (⑤)

- 노후☐: 오래되거나 낡아서 쓸모가 없게 됨.
- 기계☐: 사람이나 동물이 하던 일을 기계가 대신하게 됨.

① 개　② 용　③ 지　④ 품　⑤ 화

해설 | "그렇게 만들거나 됨."의 뜻을 더해 주는 '–화'가 공통으로 들어갈 수 있습니다.

3 ( ) 안에서 알맞은 낱말을 골라 ○표 하세요.

(1) 주민들이 끝까지 양보하지 않아서 (다툼 , (타협))이 이루어지지 않았다.

(2) 내가 생각하는 (건강 문제 , (지역 문제)) 중 가장 심각한 것은 교통 혼잡 문제이다.

(3) ((노후화), 도시화)된 지하철은 사고를 일으킬 수 있어서 당장 새것으로 바꿔야 한다.

(4) 주민들은 쓰레기를 태우는 시설은 ((기피 시설), 재생 시설)이기 때문에 만들지 말자고 했다.

해설 | (1) 양보하지 않아서 이루어지지 않았다고 했으므로 '타협'이 알맞습니다. (2) 교통 혼잡 문제가 심각하다고 했으므로 '지역 문제'가 알맞습니다. (3) 새것으로 바꿔야 한다고 했으므로 '노후화'가 알맞습니다. (4) 쓰레기를 태우는 시설이라고 했으므로 '기피 시설'이 알맞습니다.

116~117쪽에서 공부한 낱말을 떠올리며 문제를 풀어 보세요.

4 뜻에 알맞은 낱말을 완성하세요.

(1) 구 | 정 — 규칙으로 정해 놓은 것.

(2) 시 | 민 | 단 | 체 — 시민들이 스스로 모여 사회 전체의 이로움을 위해 일하는 단체.

(3) 주 | 민 | 참 | 여 — 지역의 문제를 해결할 때 지역 주민이 중심이 되어 참여하는 것.

(4) 공 | 청 | 회 — 정책을 결정하기 전에 관련된 사람들을 모아 놓고 다양한 의견을 듣는 회의.

해설 | (1) 규칙으로 정해 놓은 것은 '규정'입니다. (2) 시민들이 스스로 모여 사회 전체의 이로움을 위해 일하는 단체는 '시민 단체'입니다. (3) 지역의 문제를 해결할 때 지역 주민이 중심이 되어 참여하는 것은 '주민 참여'라고 합니다. (4) 정책을 결정하기 전에 관련된 사람들을 모아 놓고 다양한 의견을 듣는 회의는 '공청회'입니다.

5 낱말의 뜻은 무엇인지 ( ) 안에서 알맞은 말을 골라 ○표 하세요.

(1) 우범 지역
((범죄), 전쟁)이/가 자주 일어나거나 일어날 가능성이 높은 지역.

(2) 주민 투표
(국가 , (지역))의 일을 결정하기 전에 주민의 의견을 알아보려고 하는 투표.

해설 | (1) '우범 지역'은 범죄가 자주 일어나거나 일어날 가능성이 높은 지역을 말합니다. (2) '주민 투표'는 지역의 일을 결정하기 전에 주민의 의견을 알아보려고 하는 투표를 말합니다.

해설 | (1) 정해진 속도를 표현해야 하므로 '규정'이 알맞습니다. (2) 주민들의 생각을 알아보기 위해 열었다고 했으므로 '공청회'가 알맞습니다. (3) 늦은 시간에 어린이가 가지 않는 것이 좋다고 했으므로 '우범 지역'이 알맞습니다. (4) 문화재 보호 활동을 하는 곳이라고 했으므로 '시민 단체'가 알맞습니다.

6 ( ) 안에 들어갈 알맞은 낱말을 보기에서 찾아 쓰세요.

보기: 규정　공청회　시민 단체　우범 지역

(1) 학교 앞은 특히 (규정) 속도를 잘 지켜야 하는 곳이다.

(2) (공청회)을/를 열어 지역 주민들의 생각을 알아보기로 했다.

(3) 어린이는 특히 늦은 시간에 (우범 지역)에 가지 않는 것이 좋다.

(4) 나는 문화재 보호 활동을 하는 (시민 단체)에서 문화재 보존을 위한 일을 하고 싶다.

4주차 3회

수학 교과서 어휘

수록 교과서 수학 4-1
5. 막대그래프

다음 중 낱말의 뜻을 잘 알고 있는 것에 ✓ 하세요.

□ 일부 □ 기록 □ 획득 □ 비기다 □ 세트 □ 절반

낱말을 읽고, ▭ 부분에 밑줄을 그으면서 낱말 공부를 해 보세요.

일부

一 하나 일 + 部 떼 부

뜻 전체 중에서 한 부분.

예 전체 올림픽 경기 종목 중 일부 경기 종목의 금메달 수만 조사하여 막대그래프로 나타내었다.

비슷한말 일부분

'일부분'은 전체 중에서 한 부분을 뜻해.

예 건물의 일부분이 무너졌다.

기록

記 기록할 기 + 錄 기록할 록

이것만은 꼭!

뜻 운동 경기 등에서 세운 성적이나 결과를 수로 나타냄.

예 반 친구들의 줄넘기 기록을 막대그래프로 나타낸다.

여러 가지 뜻을 가진 낱말 기록

'기록'은 어떤 사실이나 생각을 적거나 영상으로 남기는 것을 뜻하기도 해.

예 회의 내용을 기록하다.

정답과 해설 ▶ 56쪽

획득

獲 얻을 획 + 得 얻을 득

뜻 얻어 냄.

예 우리나라는 여러 가지 올림픽 경기 종목 중 양궁에서 특히 금메달을 많이 획득하고 있다.

비기다

뜻 경기에서 점수가 같아 어느 쪽이 이기고 졌는지 승부를 내지 못하고 끝내다.

예 이기면 2점, 비기면 1점, 지면 0점을 얻는다.

세트

뜻 테니스, 배구, 탁구 등에서 경기의 한 판을 이르는 말.

예 경기는 5세트로 나누어 진행된다.

여러 가지 뜻을 가진 낱말 세트

'세트'는 가구나 도구, 그릇 등의 물건이 서로 어울리도록 같이 만들어진 것을 뜻하기도 해.

예 동생에게 문구 세트를 선물했다.

Tip '세트'처럼 다른 나라 말을 빌려 와서 우리말처럼 쓰는 말을 '외래어'라고 해요. 우리가 자주 쓰는 외래어에는 '버스', '라디오', '텔레비전', '컴퓨터' 등이 있어요.

절반

折 꺾을 절 + 半 반 반

뜻 하나를 반으로 나눔.

예 100표 중 절반이 넘는 51표를 얻었다.

비슷한말 반절

'반절'은 반으로 자른 것을 뜻해.

예 우리는 빵 하나를 반절로 잘라 나누어 먹었다.

수학 교과서 어휘

수록 교과서 수학 4-1
6. 규칙 찾기

다음 중 낱말의 뜻을 잘 알고 있는 것에 ✓ 하세요.

□ 배열 □ 발견 □ 계산기 □ 규칙적인 계산식 □ 지폐 □ 단순하다

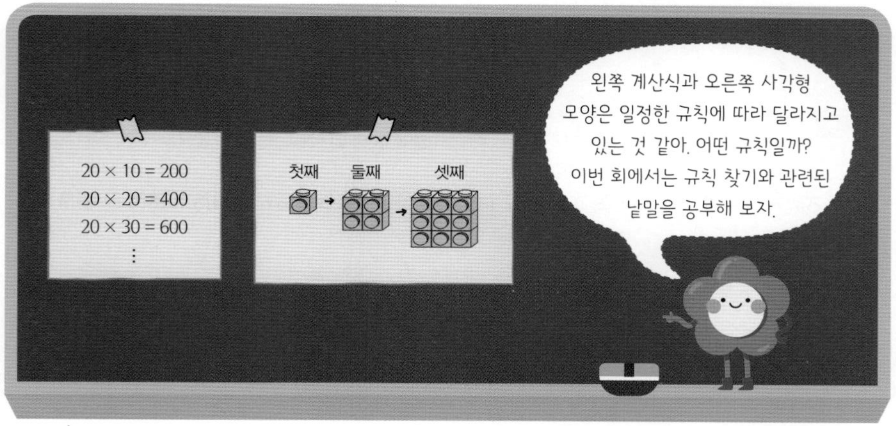
20 × 10 = 200
20 × 20 = 400
20 × 30 = 600
⋮
첫째
둘째
셋째
왼쪽 계산식과 오른쪽 사각형 모양은 일정한 규칙에 따라 달라지고 있는 것 같아. 어떤 규칙일까?
이번 회에서는 규칙 찾기와 관련된 낱말을 공부해 보자.

낱말을 읽고, 　　 부분에 밑줄을 그으면서 낱말 공부를 해 보세요.

배열

配 나눌 배 + 列 벌일 열

뜻 일정한 차례나 거리에 따라 벌여 놓음.

예 모형의 수가 1개씩 늘어나도록 배열했다.

비슷한말 배치

'배치'는 사람이나 물건 등을 일정한 차례나 거리에 따라 벌여 놓는 것을 말해.

예 장난감을 크기대로 배치했다.

발견

發 드러낼 발 + 見 보일 견

'발(發)'의 대표 뜻은 '피다', '견(見)'의 대표 뜻은 '보다'야.

뜻 아직 찾아내지 못했거나 세상에 알려지지 않은 것을 처음으로 찾아냄.

예 안내도에서 100씩 커지는 수의 규칙을 발견했다.

헷갈리는 말 발명

'발명'은 지금까지 없던 새로운 기술이나 물건을 처음으로 생각하여 만들어 내는 것을 말해. '발견'은 처음으로 찾아낸 것이고, '발명'은 처음으로 만들어 낸 것이지.

Tip 콜럼버스가 아메리카 대륙을 찾아낸 것은 '발견'이고, 세종 대왕 때 해시계를 만든 것은 '발명'이에요.

계산기

計 셀 계 + 算 셈 산 + 器 도구 기

'기(器)'의 대표 뜻은 '그릇'이야.

뜻 계산을 빠르고 정확하게 하는 데 쓰는 기계.

예 계산기를 사용해 계산식에서 규칙을 찾아보는 활동을 했다.

계산할 때 사용하는 계산기야.

규칙적인 계산식

規 법 규 + 則 법칙 칙 + 的 ~한 상태로 되는 적 + 인 + 計 셀 계 + 算 셈 산 + 式 법 식

'적(的)'의 대표 뜻은 '과녁'이야.

이것만은 꼭!

뜻 일정한 규칙에 따라 만들어진 계산식.

예 달력에서도 규칙적인 계산식을 찾을 수 있다.

1 + 1 = 2
1 + 1 + 1 = 3
1 + 1 + 1 + 1 = 4
1 + 1 + 1 + 1 + 1 = 5

1씩 더 더하는 규칙이네!

지폐

紙 종이 지 + 幣 화폐 폐

뜻 종이로 만든 돈.

예 1000원짜리 지폐의 개수를 세어 보았다.

비슷한말 종이돈

'종이돈'은 종이로 만든 돈을 말해.

예 지갑에서 종이돈 몇 장을 꺼냈다.

단순하다

單 홑 단 + 純 순수할 순 + 하다

뜻 복잡하지 않고 간단하다.

예 이 문제는 더하기만 하면 되니까 무척 단순하다.

반대말 복잡하다

'복잡하다'는 "일, 감정 등이 정리하기 어려울 만큼 여러 가지가 얽혀 있다."라는 뜻이야.

예 이야기의 내용이 복잡해서 설명하기 어렵다.

확인 문제

120～121쪽에서 공부한 낱말을 떠올리며 문제를 풀어 보세요.

1 뜻에 알맞은 낱말에 ○표 하세요.

(1) 얻어 냄. (이득 , (획득))

(2) 전체 중에서 한 부분. ((일부), 절반)

(3) 테니스, 배구, 탁구 등에서 경기의 한 판을 이르는 말. (세로 , (세트))

(4) 경기에서 점수가 같아 어느 쪽이 이기고 졌는지 승부를 내지 못하고 끝내다. ((비기다), 이기다)

해설 | (1) 얻어 내는 것을 뜻하는 낱말은 '획득'입니다. (2) 전체 중에서 한 부분을 뜻하는 낱말은 '일부'입니다. (3) 테니스, 배구, 탁구 등에서 경기의 한 판을 이르는 말은 '세트'입니다. (4) "경기에서 점수가 같아 어느 쪽이 이기고 졌는지 승부를 내지 못하고 끝내다."라는 뜻을 가진 낱말은 '비기다'입니다.

2 밑줄 친 낱말의 뜻을 보기에서 찾아 기호를 쓰세요.

보기
㉠ 어떤 사실이나 생각을 적거나 영상으로 남김.
㉡ 운동 경기 등에서 세운 성적이나 결과를 수로 나타냄.

(1) 오늘 있었던 일을 일기장에 기록해 놓았다. (㉠)

(2) 내가 우리 반에서 달리기 기록이 제일 좋다. (㉡)

해설 | (1)은 일기장에 적어 놓았다는 뜻이므로 ㉠의 뜻으로 쓰였습니다. (2)는 달리기 성적을 뜻하므로 ㉡의 뜻으로 쓰였습니다.

3 밑줄 친 낱말이 알맞게 쓰였는지 ○, ×를 따라가며 선을 긋고 몇 번으로 나오는지 쓰세요.

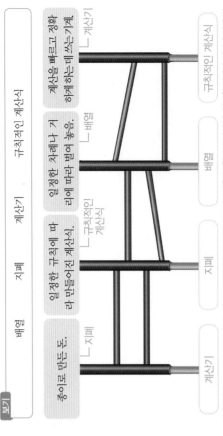

시작

탁구 경기를 했는데 3세트를 먼저 이겼다. (○ → / × ↓)

물건의 기능이 얼마나 다른지 꼼꼼히 획득했다. (○ → ❶ / × ↓)

내 사과의 절반을 동생에게 주어서 나는 이제 가진 것이 없다. (○ → ❹ / × ↓ ❸)

그동안 우리 모둠이 만들던 작품의 일부분이 망가졌다. (○ → / × ↓ ❷)

(❸)

해설 | "물건의 기능이 얼마나 다른지 꼼꼼히 획득했다."는 물건의 기능을 확인하거나 비교했다는 뜻으로 바꾸는 것이 알맞습니다. "내 사과의 절반을 동생에게 주어서 나는 이제 가진 것이 없다."는 내 사과를 모두 주었다는 내용으로 바꾸는 것이 알맞습니다.

122～123쪽에서 공부한 낱말을 떠올리며 문제를 풀어 보세요.

4 뜻에 알맞은 말을 보기에서 찾아 사다리를 타고 내려간 곳에 쓰세요.

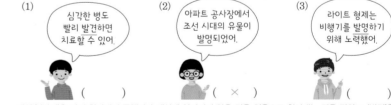

보기
배열 지폐 계산기 규칙적인 계산식

종이로 만든 돈.	일정한 규칙에 따라 만들어진 계산식.	일정한 차례나 거리에 따라 벌여 놓음.	계산을 빠르고 정확하게 하는 데 쓰는 기계.
└ 지폐	└ 규칙적인 계산식	└ 배열	└ 계산기

계산기	지폐	배열	규칙적인 계산식

해설 | 종이로 만든 돈은 '지폐', 일정한 규칙에 따라 만들어진 계산식은 '규칙적인 계산식', 일정한 차례나 거리에 따라 벌여 놓는 것은 '배열', 계산을 빠르고 정확하게 하는 데 쓰는 기계는 '계산기'입니다.

5 밑줄 친 낱말을 알맞게 사용하지 못한 친구에게 ×표 하세요.

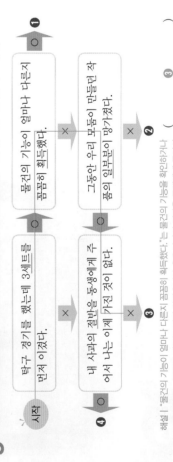

(1) 심각한 병도 빨리 발견하면 치료할 수 있어. ( )

(2) 아파트 공사장에서 조선 시대의 유물이 발명되었어. (×)

(3) 라이트 형제는 비행기를 발명하기 위해 노력했어. ( )

해설 | '발견'은 아직 찾아내지 못했거나 세상에 알려지지 않은 것을 처음으로 찾아내는 것을 말하고, '발명'은 지금까지 없던 새로운 기술이나 물건을 처음으로 생각하여 만들어 내는 것을 말합니다. 따라서 (2)는 유물을 찾아낸 것이므로 '발명'을 '발견'으로 고쳐야 합니다.

6 ( ) 안에서 알맞은 낱말을 골라 ○표 하세요.

(1) 이 계산식은 규칙이 ((단순해서), 복잡해서) 쉽게 풀 수 있다.

(2) 달력에 있는 수의 세로 ((배열), 현상)에서도 규칙을 찾을 수 있다.

(3) 한 달에 한 번 1000원짜리 (동전 , (지폐)) 한 장을 저금하기로 했다.

(4) (게임기 , (계산기))와 같은 계산 도구를 이용하면 계산을 빨리 할 수 있다.

해설 | (1)은 쉽게 풀었다고 했으므로 '단순해서'가, (2)는 달력에 있는 수의 세로라는 내용이 나오므로 '배열'이, (3)은 1000원짜리를 말하므로 '지폐'가, (4)는 계산 도구를 말하므로 '계산기'가 알맞습니다.

4주차 4회

과학 교과서 어휘

수록 교과서 과학 4-1
5. 혼합물의 분리

다음 중 낱말의 뜻을 잘 알고 있는 것에 ✓ 하세요.

☐ 혼합물 ☐ 진하다 ☐ 재료 ☐ 분리 ☐ 거르다 ☐ 체

사람들은 바다에서 소금을 얻으며 살아가고 있어. 여러 가지 물질이 포함된 바닷물에서 물이 날아가면 소금이 남지. 우리 주변에는 이렇게 두 가지 이상의 물질이 혼합된 것들이 많아. 관련된 낱말을 알아볼까?

낱말을 읽고, 부분에 밑줄을 그으면서 낱말 공부를 해 보세요.

혼합물

混 섞을 혼 + 合 합할 합 + 物 물건 물

이것만은 꼭!

뜻 두 가지 이상의 물질이 성질이 변하지 않은 채 서로 섞여 있는 것.

예 팥빙수는 과일, 팥, 얼음 등이 성질이 변하지 않은 채 섞여 있는 혼합물이다.

팥빙수도 혼합물이야.

진하다

津 진액 진 + 하다
'진(津)'의 대표 뜻은 '나루'야.

뜻 액체 속에 물보다 어떤 물질이 많이 들어 있어서 짙다.

예 소금을 많이 넣어서 진한 소금물을 만든다.

반대말 연하다

'연하다'는 "액체 속에 어떤 물질보다 물이 지나치게 많아서 옅다."라는 뜻이야.
예 된장을 연하게 푼다.

정답과 해설 ▶ 59쪽

재료

材 재료 재 + 料 헤아릴 료
'재(材)'의 대표 뜻은 '재목'이야.

뜻 물건을 만드는 데 쓰이는 것.

예 김밥은 김, 밥, 단무지, 달걀, 당근, 시금치 등 여러 가지 재료로 만든다.

다양한 재료를 넣어 만든 김밥이야.

분리

分 나눌 분 + 離 떠어 놓을 리
'리(離)'의 대표 뜻은 '떠나다'야.

뜻 서로 나뉘어 떨어지게 함.

예 사탕수수에서 분리한 설탕을 다른 물질과 섞으면 사탕을 만들 수 있다.

어법 받침 'ㄴ'을 'ㄹ'로 발음하기

'분리'는 [불리]로 발음해야 해. '분'의 받침 'ㄴ'이 '리'의 첫 자음자 'ㄹ'과 만나 [ㄹ]로 소리 나기 때문이야. 예 한라산[할라산]

거르다

뜻 거름종이 등으로 찌꺼기나 건더기가 있는 액체에서 다른 것이 섞이지 않은 액체만 받아 내다.

예 메주와 소금물이 섞인 혼합물을 천으로 거르면 물에 녹은 물질은 천을 빠져나가고 물에 녹지 않은 물질은 천에 남는다.

▲ 거름종이로 거르는 모습

글자는 같지만 뜻이 다른 낱말 거르다

'거르다'는 "차례대로 나아가다가 중간의 어느 차례를 빼고 넘기다."라는 전혀 다른 뜻으로도 쓰여. 예 아침밥을 거르다.

Tip '거르다'를 '걸르다'로 쓰지 않도록 주의해야 해요.

체

뜻 가루를 곱게 만들거나 액체에서 찌꺼기를 거르는 데 쓰는 도구.

예 콩과 좁쌀이 섞여 있는 혼합물은 체를 사용해서 분리할 수 있다.

4주차 4회 과학 교과서 어휘

수록 교과서 과학 4-1
5. 혼합물의 분리

다음 중 낱말의 뜻을 잘 알고 있는 것에 ✓ 하세요.

□ 철 □ 알루미늄 □ 껍데기 □ 폐지 □ 식용 □ 원료

자석 크레인으로 철로 된 쓰레기만 분리해 내고 있는 사진이야. 이처럼 혼합물을 분리할 때에는 물질의 성질을 이용해. 이와 관련 있는 낱말을 공부해 보자.

낱말을 읽고, ▭ 부분에 밑줄을 그으면서 낱말 공부를 해 보세요.

이것만은 꼭!

철 鐵 쇠 철

뜻 도구나 기계 같은 것을 만드는 데 쓰이는 은백색의 단단한 쇠붙이. 자석에 붙고, 물기가 있으면 녹슬기 쉬움.

예 플라스틱과 철이 섞여 있을 때 자석을 이용하면 분리하기 쉽다.

▲ 자석에 붙는 철 가루

Tip '철'은 일 년을 자연 현상에 따라 봄, 여름, 가을, 겨울로 나눈 것의 한 때를 뜻하는 낱말로도 쓰여요. 예 철이 바뀌고 봄이 되자 사람들의 옷차림이 가벼워졌다.

알루미늄

뜻 잘 썩지 않고 가벼워 건물을 짓거나 가정용 제품 등을 만들 때 널리 쓰이는 은백색의 단단하지 않은 쇠붙이.

예 철 캔과 알루미늄 캔이 섞여 있을 때 자석을 이용하면 철 캔만 자석에 붙어서 쉽게 분리할 수 있다.

알루미늄 포일 ▶

껍데기

뜻 달걀이나 조개 등의 겉을 싸고 있는 단단한 물질.

예 해변 쓰레기 수거 장비는 체를 사용해서 체의 눈 크기보다 작은 모래와 체의 눈 크기보다 큰 동전, 조개 껍데기 등을 분리하여 쓰레기를 수거하기도 한다.

헷갈리는 말 껍질

'껍질'은 사과나 귤 등의 겉을 싸고 있는 단단하지 않은 물질을 말해. 단단한 건 '껍데기', 단단하지 않은 건 '껍질'이라는 걸 기억해!

▲ 조개 껍데기 ▲ 호두 껍데기 ▲ 양파 껍질 ▲ 감자 껍질

폐지 廢 폐할 폐 + 紙 종이 지

뜻 쓰고 버린 종이.

예 생활 속에서 버려지는 폐지를 이용해서 다시 종이를 만들 수 있다.

글자는 같지만 뜻이 다른 낱말 폐지

'폐지'는 실시하던 제도나 일 등을 그만두거나 없애는 것을 뜻하는 낱말로도 쓰여.
예 프로그램을 폐지하다.

식용 食 먹을 식 + 用 쓸 용

뜻 먹을 것으로 씀.

예 폐지로 재생 종이를 만들 때 종이의 색깔을 다양하게 하려면 우리 몸에 해롭지 않은 식용 색소를 섞는다.

원료 原 근원 원 + 料 헤아릴 료

뜻 어떤 것을 만드는 데 들어가는 재료.

예 코끼리 똥에서 종이의 원료가 되는 물질을 분리한다.

'원료'와 '재료'는 뜻이 비슷해.

확인 문제

126～127쪽에서 공부한 낱말을 떠올리며 문제를 풀어 보세요.

1 뜻에 알맞은 낱말을 색칠하고, 어떤 숫자가 나오는지 쓰세요. (낱말은 가로(ㅡ), 세로(ㅣ) 방향에 숨어 있어요.)

❹혼	재	❶분	거
합	료	리	르
물	❷진	하	다
연	하	❸체	물

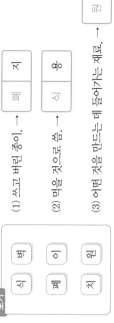

❶ 서로 나뉘어 떨어지게 함.
❷ 액체 속에 물보다 어떤 물질이 많이 들어 있어서 짙다.
❸ 가루를 곱게 만들거나 액체에서 찌꺼기를 거르는 데 쓰는 도구.
❹ 두 가지 이상의 물질이 성질이 변하지 않은 채 서로 섞여 있는 것.

(4)

해설 | ❶ 서로 나뉘어 떨어지게 하는 것은 '분리'입니다. ❷ "액체 속에 물보다 어떤 물질이 많이 들어 있어서 짙다."라는 뜻을 가진 낱말은 '진하다'입니다. ❸ 가루를 곱게 만들거나 액체에서 찌꺼기를 거르는 데 쓰는 도구는 '체'입니다. ❹ 두 가지 이상의 물질이 성질이 변하지 않은 채 서로 섞여 있는 것은 '혼합물'입니다.

2 밑줄 친 낱말의 반대말에 ○표 하세요.

국물이 <u>진하다</u>. (얕다 , 강하다 , (연하다))

해설 | '연하다'는 "액체 속에 어떤 물질보다 물이 지나치게 많아서 옅다."라는 뜻이므로 '진하다'와 뜻이 서로 반대입니다.

3 ( ) 안에 들어갈 알맞은 낱말을 보기에서 찾아 쓰세요.

보기: 체 분리 거름 혼합물

주영: 아빠, 콩과 좁쌀을 섞으셔서 (1)(혼합물)이/가 만들어졌네요. 그런데 밥 지을 때 콩은 빼 주시면 안 돼요?
아빠: 어떻게 콩만 (2)(분리)하지?
주영: (3)(체)을/를 쓰면 돼요. 좁쌀은 체를 통과하니까 콩만 (4)(거를) 수 있어요.

해설 | (1) 콩과 좁쌀을 섞어서 만들어진 것이므로 '혼합물'이 알맞습니다. (2) 콩만 골라내야 하는 것이므로 '분리'가 알맞습니다. (3) 콩과 좁쌀을 분리할 때 사용하는 도구이므로 '체'가 알맞습니다. (4) 콩만 골라낼 수 있다는 것을 말하고 있으므로 '거를'이 알맞습니다.

4 ( ) 안에서 알맞은 낱말을 골라 ○표 하세요.

(1) 팥빙수는 과일, 팥, 얼음 등 여러 가지 ((재료), 성질)로 만든다.
(2) (거친 , (진한)) 소금물로 만든 그림을 말리면 소금 알갱이가 생긴다.

해설 | (1) 과일, 팥, 얼음은 팥빙수의 재료이므로 '재료'가 알맞습니다. (2) 소금물이 진해야 소금 알갱이가 생길 것이므로 '진한'이 알맞습니다.

128～129쪽에서 공부한 낱말을 떠올리며 문제를 풀어 보세요.

5 뜻에 알맞은 낱말이 되도록 보기에서 글자를 찾아 쓰세요.

보기: 식 벽 폐 이 치 원

(1) 쓰고 버린 종이. → 폐 지
(2) 먹을 것으로 씀. → 식 용
(3) 어떤 것을 만드는 데 들어가는 재료. → 원 료

해설 | (1) 쓰고 버린 종이는 '폐지'입니다. (2) 먹을 것으로 쓰는 것은 '식용'입니다. (3) 어떤 것을 만드는 데 들어가는 재료는 '원료'입니다.

6 밑줄 친 쇠붙이의 이름을 잘못 말한 친구에게 ×표 하세요.

(1)

( )

(2)

(×)

해설 | 단단하고 자석에 잘 붙는 것은 '철'이므로 (2)의 남자아이가 쇠붙이의 이름을 잘못 말했습니다. '알루미늄'은 잘 썩지 않고 가벼워 건물을 짓거나 가정용 제품 등을 만들 때 널리 쓰이는 은백색의 단단하지 않은 쇠붙이입니다.

7 빈칸에 들어갈 알맞은 낱말을 찾아 선으로 이으세요.

(1) 귤 [ ]로 차를 끓여 마셨다. • —— • 껍질
(2) 조개 [ ]로 목걸이를 만들었다. • —— • 껍데기

해설 | 단단하지 않은 것은 '껍질', 단단한 것은 '껍데기'라고 하는 것이 알맞습니다.

8 ( ) 안에 들어갈 알맞은 낱말을 보기에서 찾아 쓰세요.

보기: 식용 폐지 원료 알루미늄

(1) 이 캔은 철이 아니라 (알루미늄)(으)로 만들어져서 가볍다.
(2) 과자의 색깔을 다양하게 하기 위해서 (식용) 색소를 넣는다.
(3) 요즘에는 자연에서 나는 (원료)(으)로 만드는 화장품도 많다.
(4) 못 쓰는 (폐지)을/를 잘게 잘라 물에 불려서 종이죽을 만든다.

해설 | (1)은 가벼운 캔이므로 '알루미늄'이, (2)는 과자에 넣는 색소이므로 '식용'이, (3)은 화장품을 만드는 재료를 표현해야 하므로 '원료'가, (4)는 종이죽을 만드는 재료인데 못 쓰는 것이라고 했으므로 '폐지'가 알맞습니다.

한자 어휘

外(외)가 들어간 낱말

'外(외)'가 들어간 낱말을 읽고, 부분에 밑줄을 그으면서 낱말 공부를 해 보세요.

外
바깥 외

'외(外)'는 저녁과 거북의 등딱지에 나타난 점의 결과를 합해 표현한 글자야. 옛날에는 주로 아침에 점을 쳤는데 적이 쳐들어오면 저녁에 점을 쳤어. 그래서 원래의 경우에서 벗어난다는 의미를 갖게 되면서 '바깥'을 뜻하게 되었어. '멀리하다'라는 뜻으로 쓰이기도 해.

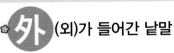

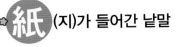

내유外강 / 外부 / 外면 / 소外

바깥 外

내유외강

內 안 내 + 柔 부드러울 유 + 外 바깥 외 + 剛 굳셀 강

뜻 겉으로 보기에는 강하게 보이나 속은 부드러움.

예 엄마는 내유외강이라서 겉으로는 무서워 보이지만 마음씨는 참 따뜻한 분이시다.

Tip '내유외강'은 '외강내유'라고 쓰기도 해요.

외부

外 바깥 외 + 部 떼 부

뜻 바깥 부분.

예 외부 공기가 안으로 들어오도록 창문을 열어 놓았다.

반대말 내부

'내부'는 안쪽의 부분이라는 뜻이야.

예 건물 내부에 들어가다.

멀리하다 外

외면

外 멀리할 외 + 面 낯 면

뜻 마주치기를 원하지 않아서 얼굴을 돌려 피함.

예 친구는 나를 이미 봤지만 못 본 척 외면하고 지나갔다.

소외

疏 소통할 소 + 外 멀리할 외

뜻 어떤 무리에서 멀리하거나 따돌림.

예 친구들이 나한테 말을 걸지 않아서 소외를 받는 기분이었다.

정답과 해설 ▶ 62쪽

紙(지)가 들어간 낱말

'紙(지)'가 들어간 낱말을 읽고, 부분에 밑줄을 그으면서 낱말 공부를 해 보세요.

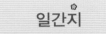

紙
종이 지

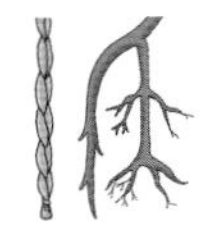

'지(紙)'는 실과, 나무 뿌리가 땅속으로 뻗어 있는 모습을 합해 표현한 글자야. 종이가 만들어지기 전에는 천이나 대나무에 글을 쓰거나 그림을 그리기도 했어. 이것에서 '지(紙)'가 '종이'라는 뜻이 되었어. '신문'이라는 뜻으로 쓰이기도 해.

백紙상태 / 도화紙 / 일간紙 / 주간紙

종이 紙

백지상태

白 흰 백 + 紙 종이 지 + 狀 형상 상 + 態 모습 태

뜻 종이에 아무것도 쓰지 않은 상태.

예 시험이 너무 어려워서 답안지를 백지상태로 냈다.

여러 가지 뜻을 가진 낱말 백지상태

'백지상태'는 어떤 대상에 대하여 아무것도 모르는 상태를 뜻하기도 해.

예 머릿속이 백지상태가 되었다.

도화지

圖 그림 도 + 畫 그림 화 + 紙 종이 지

뜻 그림을 그리는 데 쓰는 종이.

예 하얀 도화지에 그림을 그렸다.

신문 紙

일간지

日 날 일 + 刊 책 펴낼 간 + 紙 신문 지

뜻 날마다 펴내는 신문.

예 날마다 오던 일간지가 오늘은 오지 않았다.

주간지

週 일주일 주 + 刊 책 펴낼 간 + 紙 신문 지

'주(週)'의 대표 뜻은 '돌다'야.

뜻 일주일에 한 번씩 펴내는 신문.

예 오늘은 일주일에 한 번 오는 주간지가 오는 날이다.

Tip '주간지'는 일주일에 한 번씩 펴내는 잡지라는 뜻도 있어요. 이 경우에는 '지'가 잡지라는 뜻으로 쓰인 거예요.

확인 문제

132쪽에서 공부한 낱말을 떠올리며 문제를 풀어 보세요.

1 뜻에 알맞은 낱말을 빈칸에 쓰세요.

❶ 내	유	❷ 외	강
		부	
❸ 소	❹ 외		
	면		

가로 열쇠 ❶ 겉으로 보기에는 강하게 보이나 속은 부드러움.
❸ 어떤 무리에서 멀리하거나 따돌림.

세로 열쇠 ❷ 바깥 부분.
❹ 마주치기를 원하지 않아서 얼굴을 돌려 피함.

해설 | ❶ 겉으로 보기에는 강하게 보이나 속은 부드러움을 뜻하는 낱말은 '내유외강'입니다. ❷ 바깥 부분을 뜻하는 낱말은 '외부'입니다. ❸ 어떤 무리에서 멀리하거나 따돌림을 뜻하는 낱말은 '소외'입니다. ❹ 마주치기를 원하지 않아서 얼굴을 돌려 피함을 뜻하는 낱말은 '외면'입니다.

2 안의 낱말과 뜻이 반대인 낱말에 ○표 하세요.

외부 | (내부) 외면 부분

해설 | 바깥 부분을 뜻하는 '외부'는 안쪽의 부분을 뜻하는 '내부'와 뜻이 반대입니다.

3 밑줄 친 낱말을 알맞게 사용한 친구에게 ○표 하세요.

(1) 내유외강인 아버지는 겉으로는 부드럽지만 한번 말씀하신 의견은 절대 굽히지 않으셔.

( )

(2) 내 짝꿍은 처음에 다가가기 힘들었는데 내유외강의 성격이라 사귀면 사귈수록 따뜻하고 친절해.

(○)

해설 | (1)은 겉이 부드럽고 속이 강한 것이므로 잘못 사용한 것입니다. (1)에 어울리는 낱말은 '내강외유'입니다.

4 빈칸에 들어갈 알맞은 낱말을 보기에서 찾아 쓰세요.

보기: 소외 외부 외면

(1) 건물 (외부)(으)로 나가는 길이 어디인지 물어보았다.

(2) 몇몇 친구들은 전학 온 친구를 무시하고 (소외)시켰다.

(3) 친구를 봤지만 혼자 있고 싶은 마음이 들어서 못 본 척 (외면)했다.

해설 | (1) 건물에서 나간다고 했으므로 '외부'가 알맞습니다. (2) 전학 온 친구를 무시했다고 했으므로 '소외'가 알맞습니다. (3) 못 본 척을 했다고 했으므로 '외면'이 알맞습니다.

133쪽에서 공부한 낱말을 떠올리며 문제를 풀어 보세요.

5 뜻에 알맞은 낱말이 되도록 ( ) 안에서 알맞은 말을 골라 ○표 하세요.

(1) 도화지 — 그림을 그리는 데 쓰는 (신문 , (종이)).

(2) 주간지 — (날마다 , (일주일에 한 번씩)) 펴내는 신문.

(3) 백지상태 — 종이에 (가득 차게 쓴 , (아무것도 쓰지 않은)) 상태.

해설 | (1) '도화지'는 그림을 그리는 데 쓰는 종이입니다. (2) '주간지'는 일주일에 한 번씩 펴내는 신문입니다. (3) '백지상태'는 종이에 아무것도 쓰지 않은 상태를 말합니다.

6 밑줄 친 낱말이 보기와 같은 뜻으로 쓰인 것에 ○표 하세요.

보기: 영어를 한 번도 배운 적이 없어서 영어에 대해 백지상태이다.

(1) 미술 시간 내내 스케치북을 백지상태로 두었다. ( )

(2) 머릿속이 백지상태가 되어 달달 외운 것들이 하나도 생각나지 않았다. (○)

해설 | 보기 와 같이 어떤 대상에 대하여 아무것도 모르는 상태를 뜻하는 것은 (2)입니다. (1)은 종이에 아무것도 쓰지 않은 상태를 뜻합니다.

7 빈칸에 들어갈 알맞은 낱말을 글자 카드로 만들어 쓰세요.

(1) 미술 시간에 [도][화][지]에 크레파스로 그림을 그렸다. — 벽 도 일 화 지

(2) 매일 아침마다 오는 [일][간][지]를 읽으면 지난 밤에 어떤 일이 있었는지 알 수 있다. — 일 주 월 간 지

(3) 공부를 전혀 안 하는 동생의 공책은 언제나 [백][지][상][태]이다. — 백 상 편 태 지

해설 | (1) 미술 시간에 그림을 그렸다고 했으므로 '도화지'가 알맞습니다. (2) 날마다 오는 신문이어야 하므로 '일간지'가 알맞습니다. (3) 공부를 전혀 안 한다고 했으므로 '백지상태'가 알맞습니다.

4주차 어휘력 테스트

앞에서 공부한 낱말을 떠올리며 문제를 풀어 보세요.

낱말 뜻

1 낱말의 뜻이 알맞지 않은 것은 무엇인가요? (④)

① 제안: 어떤 일에 대한 의견을 내는 것.
② 노후화: 오래되거나 낡아서 쓸모가 없게 됨.
③ 세트: 테니스, 배구, 탁구 등에서 경기의 한 판을 이르는 말.
④ 기피 시설: 주민들이 자신이 사는 지역에 생기기를 바라는 시설.
⑤ 철: 도구나 기계 같은 것을 만드는 데 쓰이는 은백색의 단단한 쇠붙이. 자석에 붙고, 물기가 있으면 녹슬기 쉬움.

해설 | '기피 시설'은 주민들이 자신이 사는 지역에 생기는 것을 싫어하는 시설입니다.

낱말 뜻

2 ( ) 안에서 알맞은 말을 골라 ○표 하세요.

(1) '배열'은 일정한 차례나 거리에 따라 ((벌여 놓는), 묶어 놓는) 것을 뜻한다.

(2) '혼합물'은 두 가지 이상의 물질이 성질이 (변한 , (변하지 않은)) 채 서로 섞여 있는 것을 말한다.

(3) '시민 단체'는 시민들이 스스로 모여 사회 전체의 (해로움 , (이로움))을 위해 일하는 단체를 말한다.

(4) '문맹률'은 배우지 못해 글을 읽거나 쓸 줄 (아는 , (모르는)) 사람의 수가 전체 인구에 비해 얼마나 되는지 나타낸 것이다.

해설 | (1) '배열'은 일정한 차례나 거리에 따라 벌여 놓는 것을 뜻합니다. (2) '혼합물'은 두 가지 이상의 물질이 성질이 변하지 않은 채 서로 섞여 있는 것을 말합니다. (3) '시민 단체'는 시민들이 스스로 모여 사회 전체의 이로움을 위해 일하는 단체를 말합니다. (4) '문맹률'은 배우지 못해 글을 읽거나 쓸 줄 모르는 사람의 수가 전체 인구에 비해 얼마나 되는지 나타낸 것입니다.

반대말

3 뜻이 반대인 낱말끼리 짝 지은 것은 무엇인가요? (⑤)

① 망신 – 창피 ② 절반 – 반절 ③ 배열 – 배치
④ 일부 – 일부분 ⑤ 단순하다 – 복잡하다

해설 | ⑤는 반대말, 나머지는 모두 비슷한말끼리 짝 지은 것입니다.

글자는 같지만 뜻이 다른 낱말

4 밑줄 친 낱말이 보기 의 뜻으로 쓰인 것에 ○표 하세요.

보기: 쓰고 버린 종이.

(1) 미술 시간이 끝나면 폐지가 많이 모인다. (○)
(2) 학생들은 벌점 제도가 폐지되기를 원했다. ( )

해설 | 미술 시간이 끝나면 버리는 종이가 많이 모일 것이므로 (1)이 보기 의 뜻으로 쓰인 것입니다.

헷갈리는 말

5~6 ( ) 안에서 알맞은 낱말을 골라 ○표 하세요.

5 먼 옛날에 살던 사람들은 우연히 불을 (1)((발견), 발명)하게 되었어요. 그 이후에 불을 피우는 도구를 (2)(발견 , (발명))하게 되었지요.

해설 | 불은 처음으로 찾아낸 것이므로 '발견'이 알맞고, 불을 피우는 도구는 처음으로 만들어 낸 것이므로 '발명'이 알맞습니다.

6 재아: 달걀을 삶고 나서 찬물에 담가 놓으면 (1)(껍질 , (껍데기))이/가 잘 까진다는 사실을 알고 있어?
민호: 그래? 몰랐어. 앞으로는 사과도 (2)((껍질), 껍데기)이/가 잘 벗겨지라고 찬물에 담가 놓아야겠다.
재아: 뭐라고? 맙소사!

해설 | '껍데기'는 달걀이나 조개 등의 겉을 싸고 있는 단단한 물질이고, '껍질'은 사과나 귤 등의 겉을 싸고 있는 단단하지 않은 물질이므로 '달걀 껍데기', '사과 껍질'이 알맞습니다.

낱말 활용

7~10 ( ) 안에 들어갈 알맞은 낱말을 보기 에서 찾아 쓰세요.

보기: 규정 원료 공청회 내유외강

7 두부, 콩기름, 콩나물의 (원료)은/는 콩이다.

해설 | 콩은 두부, 콩기름, 콩나물의 재료가 되므로 '원료'가 알맞습니다.

8 대회에 참가하려면 (규정)을/를 잘 지켜야 한다.

해설 | 잘 지켜야 한다고 했으므로 '규정'이 알맞습니다.

9 도청은 쓰레기 처리장 설치에 대한 (공청회)을/를 열어 여러 전문가와 주민들의 의견을 들었다.

해설 | 도청이 여러 전문가와 주민들의 의견을 듣기 위해 연 것이므로 '공청회'가 알맞습니다.

10 평소에는 전혀 웃으시지도 않던 아저씨께서 어려운 사람을 도왔다는 이야기를 듣고, 아저씨께서는 (내유외강)이시라는 것을 알았다.

해설 | 겉은 강해 보이지만 속은 부드러운 성격이므로 '내유외강'이 알맞습니다.